ИРОНИЧЕСКИЙ
ДЕТЕКТИВ

Читайте романы примадонны иронического детектива Дарьи Донцовой

Сериал «Виола Тараканова. В мире преступных страстей»:

Дарья Донцова

Муха в самолете

Москва
ЭКСМО
2005

ИРОНИЧЕСКИЙ ДЕТЕКТИВ

Глава 1

Неприятности никогда не приходят внезапно. Добрая судьба всегда посылает нам предостережения, иногда завуалированные, в виде вещих снов или странных предчувствий, либо откровенно прямые, но большинство людей просто не понимают, что Мойры их решили предостеречь, и отмахиваются от этих знаков, словно от назойливых мух. Я сама не раз игнорировала такие намеки и бывала наказана. Далеко за примером ходить не надо. Не так давно я собралась пойти в издательство и обнаружила, что в моей квартире заклинило входную дверь. Я и так и эдак вертела ключ в замке, но дверь не собиралась открываться. Нет бы мне сообразить: добрый ангел-хранитель предостерегает Виолу Тараканову, то бишь писательницу Арину Виолову, не высовывать нос на улицу. Что стоило внять предостережению, полученному свыше! Ан нет! Я твердо решила достичь поставленной цели и, вместо того чтобы преспокойно усесться у телика, позвонила папеньке и устроила скандал.

Не прошло и получаса, как рукастый Ленинид примчался ко мне и справился с замком, я понеслась к метро, попала каблуком в выбоину на тротуаре, сломала его и чуть не зарыдала от злости. Наверное, другой женщине пришла бы в голову простая мысль: две неприятности подряд — это уж как-то слишком, кто-то явно предостерегает меня, предлагает остаться дома. Но я, закусив удила, с тупым упорством решила двигаться к издательству и побрела в «Марко» на цыпочках.

Ну и чем закончилась моя затея? На станции «Войковская», выйдя из вагона, я налетела на старушку — толпа, вытекающая из поезда, толкнула меня, вот я и не удержалась на ногах.

— Извините, — пролепетала я, подхватывая падающую бабулю, — ей-богу, это не нарочно!

Старушонка ничего не сказала, и я было подумала, что незначительный инцидент исчерпан, но тут откуда-то сбоку вырулил здоровенный бугай и заорал:

— Мамонька! Она тебя убила!

— Убила, сыночек, убила, — мигом запричитала пенсионерка, — вон, телефон сломала!

Мужик двинулся на меня.

— А ну, покупай мамоньке новую трубу!

Я удивилась и попыталась спокойно объяснить ему:

— Я всего лишь слегка задела вашу маму.

— Вашу маму? — взвился здоровяк. — Ты еще и ругаешься!

Вокруг нас мгновенно собралась толпа, тут же прибежал парень в форме и оттащил участников происшествия в отделение. Там бугай наврал с три короба. По его версии получалось, что я сшибла бабуську, та, упав, разбила: лицо, зубы, очки, телефон; выронила кошелек с десятью тысячами долларов и потеряла из ушей антикварные бриллиантовые серьги — семейное достояние, передающееся от матери к дочери на протяжении многих веков.

Я захлопала глазами и закричала:

— Он врет! Старушка лишь слегка покачнулась, и потом, я сильно сомневаюсь, что она имела при себе все вышеперечисленные деньги и украшения. Только сумасшедшая станет раскатывать в подземке с такими суммами!

— Докажи обратное! — взревел бугай.

Милиционер, похоже, сочувствовал мошеннику, и мне пришлось вызвать в отделение Олега.

Муж приехал лишь через пару часов, и все это время здоровяк и мент «ломали» меня. Сначала огромный мужик потребовал:

— Гони деньги, живо!

Я расстегнула кошелек и вытащила сто рублей. «Потерпевший» обозлился:

— Ну сейчас милиция ущерб оценит, поедем к тебе домой! Придется заначку распатронивать.

— Сядьте, гражданин, — нарочито официальным голосом велел милиционер и тут же поинтересовался: — Мобильничек какой разбили?

— Супернавороченный, — мигом ответил дядька, — эксклюзивная модель, стоит две тысячи евро, купил мамочке два дня назад, хотел на Новый год подарить, да не утерпел, отдал раньше.

Дежурный положил ручку, взглянул на меня и тихо сказал:

— Может, дело миром уладим? Съездите домой, я вам сопровождающего дам, возьмете денежки. А то ведь дело на хороший срок потянет.

Тут до меня дошло, что, скорей всего, этот трюк, бабушка — сынок — мент, давно отработан мошенниками.

— Ничего я вам не привезу, — заявила я, — сейчас мой муж появится, с ним и разбирайтесь, он у нас по деньгам главный.

Бугай хмыкнул, а дежурный окинул взглядом мое не слишком новое зимнее пальто и кивнул:

— Ладушки, подождем парня.

Представляете себе выражение лица мерзавца, когда в небольшую комнату ввалились Олег и Славка Ремизов. Они предъявили служебные удостоверения, мошенники перепугались почти до потери пульса. Бугай мигом испарился, мент попытался порвать протокол, но Славка схватил оборотня за руку...

Короче говоря, в издательство я не попала, а Куприн и Ремизов до вечера разбирались с парнями, которые зарабатывали нехилые деньги, обманывая и пугая наивных теток. Самое интересное выяснилось позже: «бабушка» была моложе меня, седые волосы оказались париком, а морщины и дряблая кожа — мастерски нанесенным гримом.

— Все люди как люди, а от тебя сплошные неприятности, — сердито заявил Олег, когда мы вернулись домой.

— Ты же видел, они мошенники, — попыталась отбиться я, — выбирали в толпе пассажиров подходящую кандидатуру и «ощипывали» ее. Кто-то сразу «отступные» платил, но были и такие, что домой ехали, и тогда в руки мерзавцев попадал особо крупный куш.

— Интересное дело, — продолжал злиться муж, — почему это из сотен пассажиров они остановили взгляд именно на тебе? Вот Славкина жена Нинка спокойно по городу ходит, к ней никто не привязывается. А ты вечно в неприятности вляпываешься: то твою сумку разрежут, то цыганки кошелек вытащат, теперь еще к «разгонщикам» попала. Что у тебя в лице есть такого, а?

Я отвернулась к окну. Нинка Ремизова в юности была капитаном баскетбольной команды, потом вышла замуж за Славку, родила ему кучу детей и сейчас при почти двухметровом росте весит сто пятьдесят килограммов. Ну и как вы думаете, станут с ней связываться воришки и мошенники? Ясное дело — нет, ежу понятно, коли Нинок двинет локотком, так и убить ненароком может.

— Впрочем, зря я задал вопрос, причина у тебя на лбу написана, — раздраженно продолжил Олег, —

глупость в обнимку с тупостью. Шла небось разинув рот. О чем ты думала? Сюжет очередного детективчика плела?

Вот тут я разозлилась и парировала удар:

— Лучше размышлять о книгах, чем соображать, как разобраться с висяками. Между прочим, в моих, как ты выразился, детективчиках всегда есть логичное объяснение происходящему. А в твоем отделе частенько не дорываются до истины. Ну-ка, нашли вы, кто убил Виноградову?

Услыхав о деле, над которым безуспешно ломали голову специалисты, Куприн посинел, разинул рот и...

Скандал у нас получился феерический, такого еще не случалось ни разу. Обычно, если Олег или я начинаем беседовать на повышенных тонах, тут же появляется Томочка и быстро задувает пожар. Но в тот день мы, вот уж редкость, были дома совершенно одни. Семен, Томуся, Никита и Кристина уехали в подмосковный дом отдыха, купили путевки на десять дней. Мы с Олегом должны были присоединиться к ним 31 декабря, чтобы весело справить вместе Новый год.

Поэтому сейчас нам никто не мешал ругаться. Сначала Олег заявил, что жена «лентяйка, безалаберное существо, отвратительная хозяйка, думающая лишь о глупостях». Я обиделась и ответила:

— Кстати, эти глупости, то есть мои книги, кормят семью.

— Всего-то два раза хороший гонорар получила, а уже пальцы растопырила, — зашипел Куприн.

— Не два, а четыре, — напомнила я, — лучше вспомни, на какие деньги ты смог иномарку купить, а? Именно из моих гонораров нужная сумма накопилась, твоя зарплата целиком на еду уходит!

Олег скрипнул зубами.

— Ты Салтычиха! — внезапно заявил он.

Можно я не стану вам пересказывать весь скандал? Закончился он ужасно, Олег схватил дубленку и выскочил из дома с воплем:

— Развод!

Я побегала по пустой квартире, потом неожиданно заснула, прокемарила почти до полудня следующего дня, зевая, вылезла на кухню и вдруг сообразила, что вчера в издательство так и не попала, а ведь меня там ждут с названиями для новой рукописи.

Я схватила телефон. Моя редактор Олеся Константиновна, увы, теперь сидит дома с ребенком. Вернее, я очень рада, что у Олеси родился сынишка. Как Виола Тараканова я пришла от этого известия в полный восторг, но писательнице Арине Виоловой стало очень трудно. Немногословная, спокойная, никогда не рвущая волосы ни на своей, ни на чужой голове, Олеся тащила огромный воз, набитый рукописями. Непостижимым образом она всегда ухитрялась вовремя прочитать их, исправить и сдать в производство. Говорят, даже в предродовой палате она читала очередную Смолякову. Кстати, с Олесей произошел совершенно анекдотический случай. Едва родив сынишку, она схватилась за новую повесть Милады. Рукопись следовало быстро отредактировать, издательство крайне заинтересовано в книгах Смоляковой, а Милада, милая голубоглазая блондинка, с самой ласковой улыбочкой заявила хозяину «Марко»:

— Мои детективы будет править только Олеся, больше никому свои романы не доверю. Олеся в роддоме? Значит, книгу я вам не сдам.

Вот поэтому бедная Олеся Константиновна отправилась рожать в обнимку с очередной нетленкой Милады и, едва оправившись, схватилась за ручку, дабы облагородить очередной опус детективщицы.

Муж Олеси устроил любимую жену в боксе (это

такой отсек из двух комнат, между которыми находится санузел). Олеся лежала в одной палате, а вторую занимала дама, за которой ухаживала очень активная, говорливая мамаша.

Поработав над рукописью, Олеся решила отложить стопку бумаги на тумбочку, и тут в комнату заглянула та самая болтливая мать соседки.

— Вам ничего не надо, деточка? — спросила она.

Очевидно, дочь тетки заснула, и даме было некуда направить льющуюся через край активность.

— Спасибо, — ответила Олеся, — все в порядке.

Она надеялась, что дама уйдет, но та и не собиралась покидать палату.

— Ой, вы совсем одна!

— Муж поехал кроватку покупать, — спокойно пояснила редактор.

— Ой, вам скучно!

— Нет, — попыталась отбиться Олеся, — мне просто замечательно!

— Вы грустите!

— Нет, все чудесно.

— Ой, я сейчас!

Не успела Олеся охнуть, как дама метнулась в соседнее помещение и мигом вернулась, держа высоченную стопку книг.

— Вот, дорогуша, — радостно заявила она, — почитайте. Ей-богу, вам понравится, развеселитесь, про печаль забудете. Что же вы с собой книжечек не прихватили? Кстати, знакомы с этим автором? От души рекомендую!

Из груди Олеси вырвался протяжный стон. Суетливая дама протягивала бедной редакторше десяток томиков Смоляковой. Представляете, как обрадовалась несчастная молодая мать, только что отложившая рукопись Милады? Все принесенные романы она лично довела до ума и знала их почти наизусть.

Но я не Смолякова, в произведениях Арины Виоловой «Марко» не слишком нуждается, поэтому моими рукописями теперь занимается девушка по имени Фира. Пообщавшись с новым редактором пару раз, я пришла в глубочайшее изумление: ну с какой стати «Марко» держит такого работника? Сдав новую книгу Олесе, я через некоторое время получала список недочетов, которые следовало устранить. Олеся Константиновна никогда не подсмеивалась надо мной и не выражалась туманными фразами, Фира действует иначе.

— Ваша книга мне категорически непонятна, — заявила она сразу после нашего знакомства.

— Да? — испугалась я.

— Чушь какая-то, — скривилась Фира, — на пятнадцатой странице пропала собака, а на сорок восьмой ее вроде видели.

— В конце книги есть объяснение этому факту, — напомнила я.

— Я еще не дочитала до эпилога, — сообщила Фира, — но уже непонятно и не нравится. Пишите лучше.

— Давайте исправлю, — предложила я.

— Нет необходимости, так выйдет. Пишите лучше.

— Как? — растерялась я.

— Лучше.

— Вы что имеете в виду?

Фира закатила глаза:

— Ну... я, если бы время нашла, написала книгу по-другому, лучше, то есть талантливее. Только я вынуждена чужое барахло править, в общем, работайте над собой.

Сами понимаете, что после подобного разговора желание общаться с Фирой у меня испарилось навсегда. А еще моя нынешняя редакторша страшно необязательная, постоянно болеющая девица. То у нее проблемы с зубами, то с ушами, то голова болит. Наверное, по этой причине лицо Фиры не покидает недовольная гримаса, а в голосе слышится не высказанная вслух фраза: «Как вы мне все надоели».

— Алло, — донеслось из трубки.

— Фира?

— Да, — буркнула девчонка и отчаянно закашляла.

Все понятно, теперь у нее бронхит, зато она перестанет жаловаться на сердце и гастрит.

— Арина беспокоит. Моя...

— О-о-о, — перебила меня Фира, — опять вы!

— Ну да, — слегка растерявшись от откровенного хамства, ответила я. — А что? Я так вам надоела?

— До смерти, — сообщила Фира, — хватит трезвонить! Вы всех уже до обморока довели.

На какое-то мгновение я оцепенела, но потом, собрав всю волю в кулак, прошептала:

— Хотите сказать, что моя книга...

— Послушайте, — перебила меня Фира, — в «Марко» подобрались одни мямли, неспособные сообщить человеку правду. Но я, слава богу, другая. Вы абсолютно бесталанный человек, прекратите шляться по коридорам издательства, вам просто не могут сказать: «Оставьте нас в покое». Рукопись ужасна, в ней...

Я отбросила трубку, как ядовитую змею. Странно, но слез не было. Наверное, потому, что я давно ожидала подобной отповеди, считая, что занимаю чужое место: Виоле Таракановой лучше было не начинать писать детективы, Арина Виолова тихо скончалась, над ее могилой не прозвучал салют и не стали рыдать толпы фанатов. Следовало признать: стезя прозаика не для меня.

Не успела в душе утихнуть буря, как раздался

звонок, я осторожно взяла трубку и, приготовившись к очередным неприятностям, спросила:

— Кто там?

— Сто грамм и огурчик, — ответил Ремизов, хихикая. — Ну ты даешь! Кто же так разговаривает?

— Ты позвонил мне, чтобы преподать урок ведения беседы по телефону? — обозлилась я.

— Экая ты злая, — вздохнул Славка, — ясно теперь, почему Олег разводиться надумал. Я-то, дурак, решил тебя успокоить, сказать: «Не переживай, Вилка, Олег пока у меня, Новый год встретим вместе». Ну не хочет он тебя видеть, ничего, потом помиритесь. А ты как собака: гав-гав. Нет бы подумать головой: кому ты нужна с таким характером? Писательница, блин.

Я снова отшвырнула телефон, похоже, год заканчивается просто замечательно, разводом. И потом, Славка ошибся, я больше не писательница, а так, не пришей кобыле хвост. И что делать?

Главное, не зарыдать! Слезы потоком хлынули по щекам, я побежала в ванную и больше часа ревела, облокотившись на рукомойник. Потом, кое-как успокоившись, уставилась в зеркало, обозрела распухший нос, глаза-щелочки и попыталась начать мыслить. Что делать? Ясно одно, Томочке пока ничего сообщать не надо, подруга расстроится, и все празднование Нового года пойдет насмарку. Ладно, про ситуацию в издательстве Томуся узнает не сразу, в принципе я могу полгода помалкивать о том, что мне дали от ворот поворот, но как объяснить отсутствие 31 декабря за праздничным столом Олега? Сказать: «Куприн заболел»?

Томуська всплеснет руками и ринется лечить его. Наврать: «Олега оставили дежурить на работе»? Семен моментально начнет звонить другу на мобильник, желая принести свои соболезнования. Куда ни кинь — везде клин.

Я вернулась в спальню, рухнула на кровать и в ту же минуту опять вскочила, потому что на тумбочке начал возмущаться телефон. Взяв в очередной раз трубку, я прошептала:

— Слушаю.

— Вилка, — послышался голос Тамарочки, — что поделываешь?

Собрав все отпущенные мне господом артистические способности, я с фальшивой радостью заявила:

— Сижу в полной тишине, дописываю рукопись.

— Не скучаешь?

— Нет, что ты.

— Все в порядке?

— Абсолютно!

— Ну-ну, — протянула подруга.

— Почему ты интересуешься моим настроением? — насторожилась я.

В голову внезапно пришло простое соображение: вдруг Олег позвонил Семену и сообщил о предстоящем разводе?

— Понимаешь, — смущенно забубнила Томуська, — тут такая штука...

— Какая? — встрепенулась я. — Говори!

— Ты не обидишься?

— Нет. Что произошло?

Тамарочка заговорила. Чем дольше она излагала новости, тем яснее я понимала: наконец-то мне повезло.

В доме отдыха Сеня неожиданно наткнулся на своего давнишнего приятеля Петра. Теперь Петя владелец крупного турагентства, богатый, но одинокий человек, ни жены, ни детей, ни близких друзей у него нет. Увидав Сеню, Петя обрадовался до потери пульса и тут же предложил встретить Новый год вместе, на Кипре. Он решил подарить семье вновь обретенного приятеля путешествие.

— Мы отказывались как могли, — лепетала Томуся, — но он такой прилипчивый, прямо пластырь. Сегодня приволок билеты, а когда Сеня сказал, что мы хотели праздновать Новый год в Подмосковье с родственниками, заявил: «Ладно, значит, я тебе не нужен. Хорошо, прощайте, пойду повешусь!» В общем, Сеня сейчас у этого идиота в номере сидит, а я не знаю, как поступить!

— Езжайте на Кипр! — заорала я.

— А вы?

— Встретим праздник вдвоем!

— Правда?

— Точно! Давно мечтали об этом, — самозабвенно врала я, убеждая подругу. — Кипр — это классно, Кристя будет в восторге.

Итак, большая половина нашей семьи улетела в Ларнаку, я осталась одна, от Олега на следующий день не было ни слуху ни духу. Сам он не звонил, а я тоже решила проявить твердость характера. В конце концов, я не сделала ничего плохого, стала жертвой мошенников и вместо сочувствия и утешения услышала от супруга вопль: «Развод!»

Из издательства тоже не было вестей, похоже, в «Марко» поставили крест на писательнице Арине Виоловой. По всем статьям выходило, что я оказалась в пролете, как муха в самолете.Надо использовать двухнедельное отсутствие домашних, чтобы найти работу, я категорически не умею сидеть на чужой шее.

Глава 2

Жизнь полосатая, извините за банальность, но это чистая правда. Проснувшись утром, я подумала, что плакать не о чем, сбегала к метро, купила газету бесплатных объявлений, вырезала из нее купон и, старательно написав: «Опытный преподаватель немецкого языка. Недорого. Езжу в любой конец Москвы», хотела вновь нестись на проспект, чтобы бросить конверт в почтовый ящик, но потом передумала и решила сначала выпить кофе, а затем лично отвезти объявление в редакцию и попросить, чтобы его побыстрей опубликовали.

Поставив перед собой чашку с арабикой, я от скуки стала просматривать страницы только что купленной газеты и наткнулась на большое объявление: «Предлагаем работу Деда Мороза и Снегурочки. Оплата сдельная». Я моментально расплескала кофе. Нет, не зря умные люди говорят, что из любого безвыходного положения непременно найдется выход. Сейчас поеду в это агентство, узнаю, что к чему, в конце концов, роль Снегурочки несложная, вот и работа на то время, пока не появятся ученики.

Я хотела уже бежать одеваться, но потом окинула взглядом стол и решила написать мужу письмо. Олег не хочет разговаривать со мной, перебрался к Славке, не звонит, не приезжает домой, но в конце концов он явится, хотя бы за одеждой, и не факт, что в этот миг я окажусь в квартире, как же объяснить Куприну свою позицию?

Ручка забегала по бумаге. Излив мысли, я перечитала письмо и в задумчивости стала ерошить волосы. Может, текст слишком резкий? И вообще, очень длинно получилось, надо сократить! Разорвать послание? Или так оставить? Может, я, как обычно, недовольна «рукописью»?

Пока в голове кружились эти мысли, ноги сами собой побежали в прихожую, я схватила куртку, ключи, сумочку, письмо осталось на столе.

Начавшееся везение продолжалось: контора, нанимавшая людей на новогодние праздники, находилась в центре, прямо у входа в подземку. Я вошла

внутрь и увидела полную пожилую тетку с всклоко-
ченной «химией».

— Вам Снегурочки нужны? — с порога спросила я.
Женщина кивнула.

— Я могу приступить к исполнению обязаннос-
тей, — заверила я ее.

Работодательница вздохнула:

— Дедушка есть?

— У меня?

— Ну да!

— Нет, он, наверное, давно умер, — удивилась
я, — и при чем тут мой дед, которого я никогда не
видела?

Нанимательница улыбнулась.

— Да уж! Ваш дедушка нам не нужен! Мы пригла-
шаем на работу пары — Дед Мороз и Снегурка. Поняли?

Я призадумалась.

— Снегурочкой в одиночестве работать нельзя?

— Никак. Кстати, какое у вас образование, надеюсь, театральное? Нас интересуют только професси-
оналы.

— Я закончила ГИТИС, — мигом соврала я, —
сразу два факультета, могу и на сцене играть, и спектакли ставить.

— Диплом имеете?

— Ой, не захватила его с собой! Потом принесу, — с абсолютно честным выражением на лице заявила я.

— В принципе, я могу и на слово поверить, —
миролюбиво ответила тетка, — только дедушки у вас
все равно нет, поэтому говорить не о чем!

Не успела я сообразить, что предпринять, чтобы
преодолеть возникшее препятствие, как хлопнула
дверь и в комнату вошел высокий мужчина в крас-
ном, расшитом золотом халате.

— Вася, ты зачем пришел? Неужели все заказы выполнил? — изумилась администратор.

— Угу, — кивнул пришедший, швырнул в угол мешок из пурпурного бархата, клочкастую бороду, лохматую шапку и добавил: — Спекся я, Наина Львовна!

— Но еще и двенадцати нет, — возмутилась та, — зачем вернулся, ступай работай, вызовов полно, народ ждет. Сейчас трезвонить начнут, деньги назад требовать.

— Один не могу, — покачал головой Вася, — детей только вдвоем удержать можно, иначе каюк Дедушке Морозу. А Снегурка моя, внученька мерзопакостная, тю-тю. В общем, чистая авария.

Наина Львовна схватилась за виски.

— Боже, вы разбили машину!

— Не, — вяло откликнулся Вася, — че ей сделается.

Администратор покраснела.

— Зачем тогда чушь про аварию несешь?

— Ну, в смысле, группа такая есть, «Дискотека «Авария», — пояснил Василий, — они стеб про Новый год поют. Ну, типа, он к нам мчится, скоро все случится. А дальше такие слова от лица Деда Мороза, вроде «простите, только нету Снегурочки со мной, мы вместе шли с Камчатки, но она ушла на ...». Извините, Наина Львовна, сами понимаете, куда девка двинула! В общем, жопа Новый год!

— Рита опять прогулять решила, — всплеснула пухлыми ручками Наина, — нет, это...

Ее гневную речь прервал звонок телефона. Наина Львовна схватила трубку, на ее лице появилось сладко-приторное выражение.

— Агентство слушает. Да, да, конечно, приедут. Извините, бога ради, я понимаю, что ребенок ждет, но на дороге заносы. Скоро будут, совершенно точно!

Положив трубку, тетка взглянула на Васю.

— Вот, пожалуйста! Собирайся!

— Без Снегурки никак не могу.

— Ерунда, выкрутишься, ну объяснишь там, внучка потерялась по пути.

— При чем тут это! — взвыл Вася. — Меня же затопчут. Не, делайте что хотите, один не пойду, боюсь.

— Ты трус! — возмутилась Наина Львовна.

— Ага, — кивнул Вася, — точно. А давайте вы со мной поедете! Наденете прикид Снегурочки — и вперед.

— С ума сошел, — воскликнула дама, — мне шестьдесят два года!

— И че? — спокойно отреагировал Василий. — Никто ни фига не поймет! Хотите выполнить все заказы, собирайтесь!

Наина Львовна ткнула в меня пальцем:

— Вот тебе Снегурочка. Нравится?

— Тощевата будет, — резюмировал «дедушка», оглядев меня с головы до ног, — никакого мяса.

— Никак ты котлеты готовить собрался, — хихикнула я.

— Не, — удивился Вася, — при чем тут жрачка?

— А зачем Снегурке жирное тело? — отбрила я.

Вася поскреб в затылке:

— Ну, ладно, пошли.

— Стой, — слегка остудила его пыл Наина Львовна, — сначала надо анкету заполнить. Паспорт есть?

Я кивнула:

— Да, меня зовут Виола.

— Давай, — оживилась администратор.

— Потом оформите, — заныл Вася, — мы опаздываем.

— Надо о репертуаре поговорить, — вздохнула Наина Львовна, — потешки, прибаутки, сказки, стишки знаешь?

— Да ладно вам, — снова влез в беседу Вася, — я

сам справлюсь, пусть она молчит, лишь бы нас двое было, отобьет меня, если что, хватит к девке приставать. Тоже мне, МХАТ нашелся, подавай вам репертуар. Сами знаете, приличные люди сюда на работу не пойдут. Дайте я ее лучше поспрашиваю. Слышь, Виола, как тебя по батюшке?

— Можно просто Вилка, — сказала я, — без отчества, оно у меня трудное.

— Ты пьешь? — в лоб спросил Вася.

— Ни грамма, — заверила его я.

— Это плохо, — поморщился «дедушка».

— Почему? — удивилась я.

— Значит, ширяешься!

— Мне и в голову не придет колоться!

— Нюхаешь кокаин? — не успокаивался Вася.

— Не пью, не курю, не колюсь, веду праведный образ жизни, — быстро сообщила я, — являюсь тихой женщиной, без серьезных пороков.

— Совсем никуда, — загрустил Вася, — не доверяю я шибко правильным. Лицемеры они, так и жди пинка исподтишка. Ну какой человек без изъяна?

— Хватит, — оборвала его Наина Львовна, — забирай Снегурку и отправляйся на работу.

— Другой нет? — пытался избавиться от меня Вася.

— Бери что дают! — рявкнула Наина Львовна.

— Эту не хочу, — гундосил Вася.

Я почувствовала себя тухлой курицей на прилавке рыночной торговки. Весьма неприятное, скажу вам, ощущение.

— Тогда ступай один, — уперлась Наина.

Вася повздыхал, но в конце концов выдавил из себя:

— Ну ладно, делать нечего.

Наина Львовна распахнула большой шкаф, выдала мне голубую «шубку», отделанную серебряной тесьмой, и парик: светло-желтые длинные косы с челкой. На ноги предлагалось обуть белые сапожки.

Верхняя одежда, отчего-то сильно пахнущая табаком, пришлась мне впору, парик, воняющий дешевым одеколоном, без проблем «сел» на голову, а вот сапожки оказались малы.

Наина Львовна пожевала нижнюю губу.

— Чего делать-то!

— Дайте ей вон те боты, — велел Вася, показывая пальцем на безобразно большие белые штиблеты. — Они точно на ее лапы налезут.

— Это обувь от костюма покемона, — задумчиво протянула администратор.

— Однофигственно, — буркнул Вася, — покемон, Шрек, Белоснежка, семь гномов, лишь бы белое на ногах. Эй, внучка, влезай в чувяки, и тронулись.

— Если костюм испортишь, вычту из зарплаты, — пообещала мне вслед Наина.

— Не волнуйтесь, я аккуратно ношу вещи, — заверила я ее, застегивая слегка обтрепанную «шубку».

— Дуй к машине, аккуратная, — легонько ткнул меня в спину «дедушка».

Шаркая спадающими с ног ботинками покемона, я поторопилась на улицу.

— В машину садись, — велел Вася, выбираясь во двор.

Я завертела головой.

— В какую?

— Так в самую шикарную, — очень серьезно заявил «дедушка», — моя тачка крутая, тюнинговая.

Слегка удивившись, я еще раз обозрела проспект и пошла к белому «Мерседесу», на капоте которого была нарисована голова тигра. Для тех, кто не знает, поясню: загадочное слово «тюнинг» означает, грубо говоря, «улучшение» автомобиля. Мне, вообще-то, непонятно, по какой причине мужчины, купив тачку, начинают перешивать салон, разрисовывать кузов и обвешивать бока машины лишними накладками. Но Олег и большинство его приятелей частенько вздыхают, говоря:

— Эх, денег лишних нет, а то бы...

И дальше следует часовой рассказ о тюнинге; муж, забыв обо всем на свете, перечисляет детали, подлежащие замене. А еще он бы тоже с удовольствием сделал на крышке багажника картину: волк на опушке леса.

Но тюнинг очень дорогое удовольствие, единственное, что Куприн смог себе позволить, — это подсветку днища. Приделал под свой автомобиль маленькие лампочки и теперь несется по ночным дорогам, словно НЛО, испуская из-под колес синие лучи. По-моему, ужасная глупость, но Олег в восторге. Понимаете теперь, почему я была удивлена, направляясь к «мерсу»? Стоимость тюнинговой машины возрастает как минимум на треть, а Василий меньше всего походил на человека, способного сначала заработать на «мерина», а потом на его «красоту».

— Эй, — затрубил Вася, — ты куда поперла? Вот моя тачка!

Я притормозила и обернулась, «дедушка» невозмутимо открывал нечто невероятное. Сначала мне показалось, что я вижу гигантскую табуретку, выкрашенную сумасшедшим хозяином в клетку, темновишневые участки кузова чередовались с оранжевыми, но потом я сообразила: это же «Ока», продукт отечественного автомобилестроения, так называемый народный автомобиль. Почему-то, по мнению кое-кого из российских конструкторов, народ должен ездить на крохотной машинке, полностью лишенной подушек безопасности. Может, у нас слишком много народа и от части его было решено избавиться при помощи «Оки»? Хотя, как установить на «Оку» подобный прибамбас? Если сработает подушка безопасности, автомобильчик просто разорвет на части.

— Садись, — велел мне Вася.

Я попыталась открыть дверь, но не нашла ручку.

— Ну, ё-мое, неумеха, — покачал головой Дед Мороз, — там кнопка есть.

С трудом сообразив, как справиться с замком, я втиснулась в узкое пространство и только сейчас поняла: «Ока» тонирована по полной программе, даже часть ветрового стекла затемнена.

— Поехали! — азартно выкрикнул Вася и понесся по проспекту.

Через пару минут я вжалась в сиденье, «дедушка» оказался из категории водителей-экстремалов. Отъехав от тротуара, Вася мгновенно перестроился в левый ряд и полетел, словно на реактивной тяге. Вел он себя так, будто восседал в том «мерсе» с тигром на капоте, да еще с подстраховкой джипа охраны.

Увидев впереди себя «Ауди», Вася принялся включать и выключать фары. Водитель шикарной машины не собирался уступать никому дорогу, и тут Вася нажал на клаксон.

— Кря-кря-кря, — завозмущалась «Ока», «Ауди», подпрыгнув от неожиданности, подалась вправо.

Представляю, что подумал шофер дорогой иномарки представительского класса, увидев, что его прогнала прочь тюнингованная, тонированная «Ока».

— Йес, — воскликнул Вася, — мы его сделали!

Не успела я вздрогнуть, как Вася догнал джип «Лендкрузер» и снова закрякал. Но дорогостоящее изделие концерна «Тойота» и не подумало уйти в сторону.

— Ну погоди, — прошипел Вася, тыча пальцем в какую-то кнопку.

В потолке «Оки» заморгала маленькая синяя лампочка.

— Что это у тебя? — удивилась я.

— Где?

— Ну вот, над головой.

— А! Струбоскопы работают, — объяснил Вася, потом вытащил из-под сиденья пластмассовую коробочку и заорал: — Ну ты, козел! Тормозной жидкости выпил? Уступи дорогу транспорту со спецсигналом!

«Лендкрузер» улетел вправо, «Ока» легко обошла его. Я в ужасе посмотрела на спидометр — 140 километров.

— Кто бы мог подумать, что она так быстро ездит, — вырвалось у меня.

— Еще шибче может, — заверил Вася, — только надо, чтобы сзади кто потяжельче сел, а то мотает «окушку», легкая она очень. Эй, гад, дай дорогу!

Последняя фраза относилась к серебристому «Бентли».

Когда Вася, насвистывая, обгонял один из самых престижных и бешено дорогих автомобилей, я повернула голову и увидела за рулем «Бентли» молодого мужика с отвисшей от удивления челюстью.

— Меня все боятся, — гордо пояснил Вася, — скажи, классная тачка, ниче ей не страшно. Видала? Пробка! А я вот так, шмыг-шмыг...

Пока он делал «шмыг-шмыг», чуть не задевая бока других машин, я, сжавшись в комок, медленно покрывалась потом. Господи, спаси и сохрани! Я нахожусь в маленькой машине, сделанной, похоже, из картона, сижу, словно на ночном горшке, очень низко, задрав кверху колени. Ну поставил Вася крякалку, сирену и струбоскопы, ну оснастил «Оку» всякими прибамбасами, затонировал ее, только все эти причуды не спасут нас, если малолитражка вломится в «КамАЗ». Зачем он несется с такой скоростью? Уже сто шестьдесят!

— Похоже, нам сюда! — рявкнул Вася и, включив сирену, попытался рвануть направо.

Лента машин не собиралась расступаться.

— Эй, идиоты, — загремел в громкоговоритель «дедушка», — козлы, блин, расступились немедленно, живо, кому говорят! Чего вас по дорогам носит, а? Чего на месте не сидите? А ну, притормозили, не видите, я еду на работу!

Я зажмурилась, Вася, продолжая ругаться, лихо свернул в переулок, нажал на тормоз и сообщил:

— Класс! За шесть минут доехали. Но это еще не рекорд. Ладно, день только начался! Чего сидишь? Примерзла? Косички поправь — и ходу.

Мой дебют в роли Снегурочки прошел весьма успешно. Маленькая девочка при виде нас с Васей завизжала от восторга, потом быстро рассказала выученный стишок про елочку, Вася вынул из мешка куклу Барби, ловко подсунутую нам мамой ребенка, и вручил малышке.

— Ну, прощай, Катенька, — сказал «дедушка», — меня другие детки ждут!

Катя помахала ручкой, а ее папа быстро предложил:

— Давай за Новый год.

Нас проводили на кухню и налили по сто грамм. Я отказалась от выпивки, зато с огромным удовольствием съела «Оливье» и кусок холодца, предложенный хозяйственной мамой, расстались мы почти друзьями.

Следующий визит оказался таким же. Девочка — стишок — кукла — посиделки на кухне. Правда, вместо родителей были бабушка с дедушкой, но особенно на ход событий эта рокировка не повлияла. От холодца я, правда, отказалась, а вот «Оливье» снова откушала с удовольствием.

В третьем доме нас ждал мальчик, и Вася вытащил из мешка машинку. Дальнейшие события развивались по плану: стишок — водка — «Оливье» — холодец.

К четырем часам дня меня стало интенсивно тошнить от вида излюбленного россиянами салата и запаха студня. Но Вася, вливший в себя море водки, не ощущал никакого дискомфорта.

Глава 3

Около шести мы вошли в шикарный загородный дом, обставленный с роскошью дворца. Молоденькая блондинка-мама сверкала бриллиантами, коротко стриженный папа благоухал французским парфюмом. Еще в апартаментах присутствовали пара гориллообразных охранников и мальчик лет семи, ради которого и затевался весь сыр-бор.

— Смотри, Костик, — засуетилась мама, — кто к тебе пришел! Дед Мороз и Снегурочка!

Чадо скривилось.

— Они не настоящие.

Вася затопал валенками.

— Э, нет, я тот самый, у-у-у...

— Не идиотничай, — спокойно сказал паренек и ушел.

Папа кинулся за ним, а мама, заламывая руки, затараторила:

— Костик такой чувствительный, ранимый. Боже, у него будет стресс, вы уж постарайтесь.

— Слышь, дед, — заявил вернувшийся в зал папа, — мне надо, чтобы пацан поверил, что ты живой!

Вася кашлянул:

— Так вроде я на мертвого не похож.

— Костик говорит, что Мороз на оленях приезжает, — пояснил папа.

— И где я вам их возьму? — вытаращил глаза Вася.

Хозяин достал кошелек, выудил оттуда пару бумажек, дал Василию и заявил:

— Сайгаков ща сделают, ты, главное, изобрази, что на них прискакал!

— Сергей Петрович, — всунулся в комнату один из секьюрити, — готово.

— А ну, валите во двор, — приказал папа.

Мы с Васей покорно вышли на улицу, я попятилась. Недалеко от ворот стояла упряжка из странно маленьких оленей, запряженных в снегокат. Животные были слишком мелкими, отчего-то темно-коричневыми и худыми, зато их головы украшали небольшие, аккуратные рожки.

— Ты давай бери вожжи, — деловито распоряжался папа, — Снегурка сзади пристроится, уцепится как-нибудь. Ваша задача по дорожке до бани проехать, и все дела.

— Ни за что, — рявкнул Вася, — я с детства собак боюсь!

Тут только до меня дошло, что никакие это не олени, а доберманы, на макушки которых кто-то приделал декоративные рожки на обручах.

— Не выжучивайся, — велел папа, — садись!

— Нет, — мотал головой Вася.

— Хорош кривляться, на вот, возьми еще деньжат.

— Сказано, я псов не перевариваю, — трясся Дед Мороз.

— Они мирные, — уговаривал Васю папаша.

— Не!

— Ребенка пожалей, он должен Дедушку Мороза на оленях видеть, — влезла в разговор мама.

— Ни за что.

— Сергей Петрович, можно я его пристрелю? — подал голос секьюрити.

— А тело куда денем? — задумчиво поинтересовался папа.

— Так в ливневую канализацию сунем, — деловито предложил охранник, — там пять метров глубина, еще и девка уместится, вместе с машиной.

Я вздрогнула, Вася начал икать.

— В ливневку не надо, — вмешалась мама, — там уже забито, лучше в овраг свалить.

Я присела на корточки, а Вася побежал к доберманам.

— Эй, Снегурок, — ласково пнул меня ногой другой секьюрити, — какого хрена ты расселась, чеши к олешкам, Костик наш нервничает!

Кое-как я добрела до снегоката. Синий, словно прокисший кефир, Вася сунул мне вожжи.

— На, управляй!

— Я?

— Ты.

— Но я не умею ездить на доберманах.

— Можно подумать, у меня есть аттестат гонщика собачьих упряжек, — проблеял Вася, — я боюсь дико, сделай милость, выручай нас.

Понимая, что выбора нет, я села на снегокат и дернула вожжи.

— Эй, пошли, залетные!

Доберманы нехотя двинулись вперед.

— Костенька, — хором закричали родители, — смотри-ка, он на олешках едет!

Одно из окон первого этажа с треском распахнулось.

— Вау, — понесся над тихим лесом звенящий крик, — прикольно!

Услыхав вопль, доберманы сначала осели на задние лапы, потом стрелой рванулись вперед. Я попыталась натянуть постромки, но тут перед глазами возник забор. Дальнейшее помнится с трудом. Вроде охрана выудила нас с «дедушкой» из сугроба и притащила на кухню, потому что в конце концов я пришла в себя возле большого стола, на котором в ряд выстроились бутылки, миска с салатом и лоток со студнем. То, что водка оказалась супердорогой, а в «Оливье» была черная икра, не спасало положения, меня затошнило.

К счастью, все закончилось быстро. Нас проводили до машины, и охранник, тот самый, что хотел пристрелить «дедушку», вежливо сказал:

— Вот тут вам, ребятки, еще денежки от хозяина, а хозяйка велела сумочки с харчами дать. Осторожней только, там бутылки и коробки с салатами, не рассыпьте.

Вплоть до следующего объекта я тряслась, как болонка, попавшая под дождь, но, когда «Ока» ворвалась во двор самой простой московской хрущевки, слегка успокоилась и подумала: «Ну тут, слава богу, никаких катаний на оленях не будет, нечего ждать неприятностей от обычных людей». О, как я ошибалась!

Впрочем, сначала все шло хорошо. Насупленный мальчик, понукаемый мамой, кое-как пробормотал стишок про заиньку.

— Очень хорошо! — бодро воскликнул Вася. — Коля заслужил самый лучший подарок, я принес то, о чем ты просил Деда Мороза.

Глазенки ребенка засверкали, Вася, сделав самое загадочное лицо, порылся в мешке и вытащил небольшую машинку.

— Ну, иди забирай, — поторопил он малыша.

Мальчик на секунду впал в ступор, мне показалось, что он не ожидал такого роскошного подношения и сейчас от счастья попросту потерял дар речи. Но следующие события ярко продемонстрировали, что госпожа Тараканова абсолютно не разбирается в детях.

Школьник подошел к Васе и вдруг со всего размаху пнул его ногой по коленке. «Дедушка» взвизгнул.

— Козел, — заорал мальчуган, — чего врешь-то! Я у тебя компьютер просил! На фиг мне эта дрянь!

Мама бросилась к сыну, но тот, ловко вывернувшись из рук родительницы, вцепился в бороду Деда Мороза. Бабушка ухватила внука, но мальчик, укусив старушку, снова начал лягать Васю.

Я, согнувшись в три погибели, хотела удрать, но тут мальчик понял, что Снегурочка пытается покинуть поле боя, и метнул в меня табуретку. Она угодила прямехонько в окно, послышался оглушительный звон.

— Ах ты, негодник! — завопила мама и набросила на сына плед, таким образом хозяева успокаивают разбушевавшуюся кошку.

Пока орущий безобразник выпутывался из шерстяного одеяла, мы с Васей ринулись к двери и благополучно ретировались.

— Вот мерзавец, — с чувством произнес Дед Мороз, — хотя бывали в моей жизни ситуации и похуже. Вот в прошлом году...

— Эй, ребята, — прервал его тихий голос.

Мы с Васей одновременно повернулись и увидели маленькую приятную женщину.

— Сделайте одолжение, — попросила она, — поздравьте мою девочку.

— Никак, маманя, не получится, — покачал головой Вася, — следующий заказ у нас ровно в семь, велено не опаздывать ни на минуту.

— Очень прошу вас, — со слезами в голосе стенала тетка, — инвалид она, в коляске сидит, да и идти далеко не надо, моя квартира на первом этаже, вот окно.

Мы с Васей переглянулись и, не сговариваясь, пошли за женщиной. В темной прихожей пахло бедностью и горем.

— Вот, — шепнула несчастная мать, — потом подарок ей дадите.

Я увидела, как она кладет в мешок Деда Мороза шоколадку, и почувствовала резкое пощипывание в носу, очевидно, Вася ощутил те же эмоции, потому что он тихо сказал:

— Я тут пока ля-ля, а ты сносись на проспект, там палатка вроде стоит с игрушками, на ключи от «Оки», возьми деньги, что нам хмырь с оленями дал.

Вася оказался прав, и я без всяких проблем купила Барби, потом вытащила из машины сумки с продуктами и пошла к бедной женщине.

Спустя десять минут мы с Васей ощутили себя настоящими Дедом Морозом и Снегурочкой. Маленькая девочка плакала от счастья, прижимая к себе куклу, мама металась по комнате, накрывая на стол, каждую вынутую мной коробку с салатом она сопровождала восклицанием:

— Ну и роскошь, смотри, Ниночка!

В конце концов мы сели за стол.

— Эх, «Оливье», — потер руки Вася, — ба, да он с икрой!

Я поморщилась, к горлу подступила изжога.

«Тра-ля-ля-ля», — запел кто-то в комнате.

Вася порылся в «шубе» и вытащил мобильный.

— А! Да, конечно, во, слушай!

Держа в одной руке сотовый, Вася выудил другой из кармана брюк, надетых под красный халат, фляжку, сделал пару глотков и сказал:

— Готово!

Потом запихнул аппарат в карман и сообщил:

— У меня того, с желудком беда, вот пью гомеопатию, жена напоминает, эту дрянь в растворе надо точно по часам глотать, без пятнадцати семь, иначе не подействует. Кстати, нам бы поторопиться, у меня следующий заказ ровно в девятнадцать ноль-ноль. Где список-то? Во, Вилка, гляди, видишь, напечатано: «Клиент требует ровно в 19.00. Сюрприз для хорошего человека». Я специально так маршрут составил, чтобы успеть.

— Не страшно на десять минут опоздать, — ожила хозяйка, — да вы ешьте скоренько, Снегурочка, чего сидите?

— Желудок скрутило, — призналась я, — и зуб сильно заболел. Прямо пошевелиться не могу!

Вася сунул мне фляжку.

— Глотай.

— Это что?

— Пей, не сомневайся, от желудка гомеопатия, мне сразу помогло и тебе боль снимет в животе, от зубов, правда, не поможет.

Я повиновалась, отхлебнула немного снадобья и подивилась его противному вкусу.

Вася налил рюмку, а женщина принялась рассказывать о своей жизни, о больной дочери, отсутствии хорошей работы, зарплаты...

Спустя некоторое время я спохватилась, встала и сказала:

— Простите, но у нас еще заказы.

Вася тоже поднялся и, пошатываясь, побрел в прихожую. Я с тревогой посмотрела на него, похоже, он из той же породы, что и мой папенька. Ленинид способен выпить ведро водки и даже не измениться в лице, но потом прибавленная к общему количеству крохотная рюмочка мгновенно уносит родителя, валит его с ног, и поднять папеньку просто невозможно.

Кое-как, спотыкаясь, Вася добрел до «Оки», сел в салон и уронил голову на руль.

— Эй, проснись, — велела я, с радостью отмечая, что боль в желудке как рукой сняло, кстати, и зуб перестал ныть, гомеопатия оказалась волшебной.

— М-м-м.

— Пересядь на пассажирское сиденье.

— М-м-м.

— Попробуй перебраться в соседнее кресло.

— Зачем? — еле-еле ворочая языком, осведомился он.

— Я поведу машину.

Василий задвигался, засопел, потом с видимым трудом сложил из весьма грязных пальцев фигу и повертел конструкцией перед моим носом.

— Видала?

— Отдавай ключи!

— Мартышка за рулем — смерть на дороге, — сказал Вася и начал икать.

Я попыталась сдвинуть его, но с таким же успехом мышь может толкать троллейбус.

— Ты забыл про заказы?

— М-м-м.

— Нас ребенок ждет!

— М-м-м.

— Немедленно пусти меня за руль и скажи адрес! Вася повернул голову.

— Ты кто?

— Снегурочка.

— Не-е-е! Ты — Баба Яга, зуда с подзаводом, родная сестра циркулярной пилы!

Я прикусила нижнюю губу. И что делать? Бросить пьяного дурака и поехать к Наине Львовне? Сесть в метро в костюме и парике Снегурочки и в ботинках покемона? И потом, администратор не выдаст мне зарплату, заказы-то не выполнены полностью. Впрочем, моя «родная» одежда в машине, в пакете, можно переодеться, но денег-то я все равно не получу!

— Васенька, — сменила я тактику, — котенька, давай я поведу «Оку», осторожно, тихо.

— Слышь, возьми у меня бумагу, — внезапно почти трезвым голосом сказал Вася, — работы на двадцать минут осталось, и ехать никуда не надо, это рядом, в соседний дом иди. Я специально так маршрут продумал, чтобы очень не мотаться, ровно в семь велели!

Я полезла в карман шубы Деда Мороза. Действительно, это последний заказ, здание имеет тот же номер, что и то, где мы сейчас гостили, просто другой корпус.

— Отрыла? — просипел Вася.

— Да.

— Ступай.

— А ты?

— Тут посижу, — он начал медленно уходить в себя, — посплю чуток, одна справишься?

— У меня есть альтернатива?

— Ежели ему, твоему альтернативу, шуба с бородой нужна, нехай берет, — пробормотал Вася, — смотри только, чтобы не запачкал.

Потом из его глотки понесся молодецкий храп, я оглядела безнадежно пьяного Деда Мороза и решила, что попытаюсь сама справиться с трудностями, после гонок на доберманах мне сам черт не брат. Тяжело вздохнув, я пошла в соседний двор.

На звонок мигом выглянула молодая женщина.

— Вы кто? — изумленно спросила она.

— Снегурочку вызывали?

— Нет, — захихикала хозяйка.

— Но у меня заказ по этому адресу.

— А! Может, соседки Бирюковы начудили.

— Позовите кого-нибудь из них.

— Сами пройдите, — предложила она, — по коридору, налево.

Таща за собой пустой мешок, я дошла до нужной створки, постучала, сначала тихо, потом громче и, не дождавшись ответа, бесцеремонно толкнула дверь. Перед глазами открылась дивная картина.

В небольшой грязной комнате, на вытертом диване спала совершенно голая девушка. В кресле, неудобно скрючившись, храпела вторая красавица, правда, одетая. У стола, заставленного пустыми бутылками из-под дешевой водки и вспоротыми банками с рыбными консервами, дремала старуха. Никаких маленьких детей в помещении не было.

— Снегурочку приглашали? — попыталась я нарушить отдых алкоголиков.

Ответа не последовало. Я набрала полную грудь воздуха и гаркнула:

— Здравствуйте, ребята! Дед Мороз к вам мчится!

Девушки, ни голая, ни одетая, даже не пошевелились, а бабулька вдруг приоткрыла мутные глазки.

— Снегурочку приглашали? — обрадовалась я. — Вот, я пришла, подпишите мне заказ, и разойдемся с миром.

Старушонка медленно подняла руку, перекрестилась и вдруг тоненьким голоском заявила:

— А ить зря я на доктора злилась! Сказал ведь мне: не станешь таблетки пить, черти по столу прыгать будут. Во оно как! Теперича незнамо кто вместо них припер, сгинь, рассыпься! Уйди, кикимора болотная, шишига колодезная, не боюсь тебя!

Высказавшись, бабуля снова смежила морщинистые веки и впала в нирвану. Я вышла в коридор и столкнулась с женщиной, открывшей дверь.

— Ну и как? — засмеялась она. — Вручила подарки?

— Мрак! Куда они ребенка подевали?

— Какого?

— Ну не себе же они Деда Мороза вызывали! Женщина засмеялась.

— Вот уж не знаю, с чего им в голову подобное пришло! Прикол! Небось посмеяться решили. Девчонки вообще-то не пьют, это бабушка зашибает. Только они сегодня на работе Новый год отмечали, в разных местах служат, а набрались одинаково, явились домой очень рано и задрыхли. Тебя как зовут?

— Виола, — машинально ответила я, — можно Вилка.

— Ася, — представилась женщина, — ты чего такая расстроенная?

— Да заказ они мне подписать не могут. — Я стала объяснять Асе ситуацию. — На фирме его невыполненным посчитают и денег не дадут. А еще у меня Дед Мороз наклюкался, что, впрочем, неудивительно, ему везде наливали. Спит теперь в машине, пушкой не разбудить!

Ася звонко рассмеялась.

— Давай я тебе на бумаге фамилию намалюю.

— Надо заказчику роспись поставить.

— Ой, не смеши, у вас там на фирме образцы подписей есть?

— Нет, — сообразила я.

— Так и дело с концом, — продолжала веселиться Ася, — вот что, пошли в комнату, чаем тебя угощу, ты меня с Новым годом поздравишь. Давненько ко мне Снегурка не приходила.

Я поколебалась секунду, потом шагнула в сторону Аси, зацепилась несуразно длинным ботинком покемона за какой-то ящик, стоящий у стены, и, не удержавшись на ногах, шлепнулась на четвереньки.

Нет бы мне понять, что судьба предписывает срочно покинуть квартиру, бежать прочь от милой Аси. Но госпожа Тараканова поднялась и, подумав: «Пока Вася проспится, выпью спокойно чаю», пошла навстречу беде.

Глава 4

— Вино будешь? — спросила Ася.

— Извини, я совсем не пью.

— Я тоже, но сегодня можно.

— Уже Новый год отмечаешь? — кивнула я.

— Чай будешь? И «Оливье»! — засуетилась Ася.

При упоминании о салате меня снова затошнило.

— Спасибо, сыта по уши, — вырвалось у меня, — просто пить хочется.

— Конфеты есть, — заулыбалась Ася, — и лимончик, давай устраивайся, сейчас чайник принесу.

— Чего кипяток туда-сюда таскать, давай на кухне посидим, — предложила я.

— Ну и отлично, — мигом согласилась Ася, — кстати, я картошечку сварила. Ты селедку любишь?

Я кивнула.

— Да, делаю из нее форшмак, с яблоком.

— Это как? — удивилась Ася.

Мирно болтая о способах приготовления рыбы, мы переместились в кухню.

— Можно руки помыть? — спросила я.

Ася кивнула:

— Сколько угодно, вон дверь.

Я вошла в санузел и с наслаждением стала умываться. Очень хорошо знаю, что от усталости и плохого настроения я легко избавляюсь, сняв с лица косметику. Пудра, тушь, румяна действуют на меня угнетающе, но нельзя же выйти на люди росомахой, поэтому сейчас с огромным облегчением я принялась смывать макияж Асиным гелем, скоро поеду домой, хватит с меня «красоты». Из коридора послышался звонок.

— Иду, — крикнула Ася, — кто там?! Ой, входите, классно как! Вот прикол! Можете пока в комнате подождать, я попробую Ленку с Катькой распихать, вас теперь Снегурочек две штуки, цирк прямо.

Договорить фразу Ася не успела, послышался глухой удар, потом стук, и воцарилась тишина. Я, щедро намылившая физиономию хозяйским гелем, принялась плескать на лицо воду, но мыло сразу не смывалось.

Избавившись от пены, я, решив не брать чужое полотенце, промокнула лицо туалетной бумагой, посмотрела на себя в зеркало, горестно вздохнула и вышла в коридор.

Я сразу увидела Асю, ничком лежавшую на полу, бросилась к ней, наклонилась и отшатнулась. Большие серые глаза не мигая смотрели в потолок, на губах Аси застыла улыбка, казалось, что она очень довольна, даже счастлива. Идиллическое впечатление портило небольшое темно-красное входное отверстие от пули. Располагалось оно между бровями несчастной, чуть повыше переносицы, там, где, по мнению оккультистов, находится третий глаз.

Мне стало сначала жарко, потом холодно, тело заколотил озноб. Плохо понимая, что делаю, я выскочила за дверь и тут же налетела на полную старушку, стоявшую на лестничной клетке. За руку пенсионерка держала девочку, по виду первоклассницу.

— Ой, баба, — заверещал ребенок, — смотри, Снегурочка! Еще одна, отсюда только что такая же выходила!

— Под Новый год случаются чудеса, — не преминула воспользоваться моментом для поучений бабка, — только Снегурка к хорошим детям приходит, а не к двоечникам.

Девочка выпятила нижнюю губу.

— В той квартире детей нет, одни пьяницы!

— Лена! — возмутилась бабушка.

— А чего, — занудила внучка, — правда ведь. Там алкоголики живут, мама так говорит.

— Надо папу слушать, а не маму, — едко заметила старуха.

— Разрешите пройти, — нервно попросила я.

Старуха посторонилась, но девочка была настроена пообщаться со Снегурочкой.

— А где твой Дед Мороз? — игриво воскликнула она.

Я попыталась подвинуть девочку, но та, вцепившись в перила, вскрикнула:

— А почему вас тут двое? А? Для меня кукла есть?

И тут из квартиры Аси донесся вопль.

— Помогите, люди...

Очевидно, кто-то из Бирюковых проснулся и обнаружил в коридоре тело Аси.

Испугавшись, я отпихнула девочку и побежала по ступенькам вниз, сопровождаемая разноголосыми воплями. К звуку из апартаментов Аси прибавились негодующая ругань старухи и визг школьницы.

Глава 5

Вася спал в «Оке», по-прежнему стоявшей в соседнем дворе, опустив голову на руль. Я распахнула дверь и рявкнула:

— Двигайся вправо!

— Тише, Линда, — прошептал Вася, — не злись.

Продолжая бормотать, он покорно переместился на пассажирское место, я завела мотор и понеслась куда глаза глядят.

Минут через пять ужас утих, я припарковалась в каком-то дворе, посмотрела на пьяного Васю, потом толкнула его.

— Эй! Просыпайся.

— А-а-а, — простонал «дедушка».

— Все заказы выполнены.

— А-а-а.

— Нам куда?

— Мне... домой!

— А в контору к Наине, за деньгами когда?

— З-з-завтра дадут, — выдавил из себя Вася, — отвези меня.

— С какой стати? — рассердилась я. — Устала не меньше твоего, домой хочу. Сейчас доеду до метро, и чао!

Честно говоря, работа Снегурочкой совсем мне не понравилась: слишком много хлопот, мало денег и совершенно непредсказуемые люди вокруг.

Внезапно перед глазами возникло тело Аси, и меня заколотило в ознобе.

— З-замерзаю, — заклацал зубами Вася, — отвези меня домой! Линда! Не бросай меня! Куплю тебе новые...

Молодецкий храп прервал обещание, я пнула Васю раз, другой, третий, потом взяла его барсетку, открыла и увидела паспорт. Василий Петрович Никандров, улица... Положив документ назад, я стащила с себя голубой камзольчик, парик, засунула прикид Снегурочки в пакет, накинула куртку, решила надеть свои сапожки, глянула на ноги и онемела. Одного ботинка покемона как не бывало. Вот почему мне было так холодно: напуганная смертью Аси, я потеряла неизвестно где слишком большой башмак и не поняла, что бегу почти босиком, одна нога обута, другая нет. Рассердившись на себя, я выехала на проспект, ладно, придется Васю и впрямь доставить домой, похоже, парень женат на даме с непростым именем Линда. Хотя в паспорте отметки о браке нет. Сдам ей на руки муженька и забуду все произошедшее, как страшный сон, хорошо хоть ехать недалеко.

Я поплутала по улицам, повернула пару раз направо, налево и наткнулась на нужный дом. Вася по-прежнему спал мертвым сном, издавая чудовищный храп.

Покачав головой, я вошла в подъезд, поднялась на лифте на нужный этаж и ткнула пальцем в звонок квартиры. Дверь распахнулась, меня резко затошнило, на пороге стояла толстая тетка с поварешкой в руке, запахло холодцом.

Внезапно у меня закружилась голова и снова заболел зуб. Чтобы не упасть, я уцепилась за косяк и прошептала:

— Ты Линда?

— Не, — приветливо ответила тетка, — Зина я.

Меня снова заколотил озноб.

— А где Линда?

— Тама, — ткнула рукой в сторону длинного, темного коридора Зина, — где-то шарахается, ступай поищи.

Чувствуя себя хуже некуда, я побрела в глубь неожиданно огромного помещения, пытаясь руками разогнать смрад жирной, переваренной говядины. По дороге я открывала бесчисленные двери и засовывала голову в комнаты, в которых находились самые разные люди. В первой, у нещадно орущего телика сидел мужичонка с всклокоченными волосами, он даже не обернулся, услыхав мои шаги. Сообразив, что Линдой дядька никак не может быть, я пошла дальше и наткнулась на даму в темно-вишневом халате.

— Ты Линда?

— Понимайт плохо, говорит нет, — сказала тетка, — Корнела зову, он русский знать.

Я махнула рукой, проследовала дальше, обнаружила чулан, а в нем на раскладушке черноволосого парня в спортивном костюме.

— Привет, — вежливо сказал он.

Я обрадовалась, мужчина выглядел трезвым.

— Добрый вечер, где Линда?

— Ахмет, — все так же улыбаясь, сообщил юноша.

— Очень приятно, где Линда?

— Ахмет.

— Замечательно, Линда тут?

— Ахмет.

— С ума сойти! Я уже поняла, кто ты, мне нужна Линда.

— Плиточник.

— Хорошо.

— Ахмет. Плиточник. Недорого!

Поняв, что каши с гастарбайтером не сваришь, я вышла в коридор и прислонилась к стене. Перед глазами затряслась серая сетка, стало очень жарко.

— Ты кто? — послышался из пелены тихий голосок.

— Линда где? — пролепетала я.

— Ну я Линда, — ответила невидимая девушка.

Я хотела улыбнуться, но ноги внезапно разъехались в разные стороны.

— Ахмет, черт идиотский, прислал больную, — взорвался в ушах голос и внезапно пропал.

Стало тихо-тихо, а потом, вслед за звуком, исчез и свет.

Из коридора послышался крик:

— Вася, я ухожу, включи телефон!

И в моей голове моментально ожили воспоминания. Дед Мороз, Снегурочка, убитая девушка Ася.

Я вскочила, выбежала из комнаты, долетела до кухни, увидела за столом Васю и тут же услышала:

— Только не ори!

На кухне повисло молчание, потом Вася шепнул:

— Я сказал, что ты моя троюродная сестра, из Колькина, на заработок в Москву приехала.

— С чего тебе подобная дурь в голову пришла? — тоже шепотом осведомилась я.

Вася приложил палец к губам:

— Тсс, посиди тут пока тихонечко, я погляжу, где Линда!

Я осталась одна и от тоски принялась изучать кухню. Да уж, похоже, сия Линда фиговая хозяйка. В раковине громоздится Эверест из грязной посуды, подоконник заставлен пустыми банками и бутылками, на полу подсохшая лужа: кто-то уронил чашку с кофе и не удосужился убрать за собой. Кстати, я сама не слишком аккуратна, но такого безобразия никогда не допускаю.

— Мы одни! — заорал Вася, врываясь назад.

— Тише, — шикнула я.

— Не фиг бояться, умелись все, — радовался он, — тебя как зовут?

— Ты не помнишь? — удивилась я.

Вася пригорюнился.

— Беда прямо, пью я спокойно, не косею, потом бац — и в отрубе! Приду в себя — забыл, чего делал!

— Дедом Морозом работал, — напомнила я.

— Ты это, того, — нервно оглянулся Вася, — ладно, слушай, ща разберемся, чё к чему!

Я села на табуретку и кивнула:

— Начинай.

Через несколько минут ситуация стала прозрачной, ничего особенного в ней не было. Василий работает на заводе. Династия Никандровых хорошо известна на предприятии, фундамент ей заложил дед

Васи, токарь от бога. Завод дал своему рабочему все — квартиру, дачу, звание Героя Соцтруда, одним словом, финансовое положение и статус. В цеху дедушка Васи, в те времена молодой и красивый, встретил уборщицу Лену, женился на ней, и у них родилось четверо сыновей.

Все мальчики окончили училище и отправились на то же производство, что и отец, но карьера у них не задалась, отпрыски токаря любили выпить и настоящими мастерами своего дела не стали. Более того, все они, кроме отца Василия, Пети, погибли после обильных возлияний. Иван утонул на рыбалке, Михаил попал под поезд, Семен сгинул без вести. Вася дядек не помнил, зато о деде сохранил самые лучшие воспоминания. Когда Петр и его жена Анна таки допились до смерти, дед Сергей Михайлович заменил внуку родителей. Ясное дело, что Вася тоже отправился в училище при заводе, а потом пришел в цех.

— Поклянись, что не прикоснешься к бутылке, — потребовал Сергей Михайлович, когда внучок хотел идти в кассу за первой получкой.

Вася кивнул и, пока любимый дедушка оставался жив, слово держал. Старика на заводе уважали, поэтому другие пролетарии не дразнили Васю и не подбивали на подвиги. Большинство сотрудников жалело Сергея Михайловича, у которого от пьянки погибли дети. Но не все относились к правдолюбу Сергею хорошо. Токарь любил выступать на собраниях и гневно осуждать лентяев и прогульщиков. После подобных «митингов», как правило, следовали карательные меры начальства, поэтому кое-кто шипел вслед языкастому токарю:

— Господь не фраер, все видит: давил других, да сам и получил. Не задались детки, и внучок тоже сопьется.

После кончины Сергея Михайловича Вася стал пить и быстро покатился вниз. Сначала его отстранили от станка, посадили на электрокар, затем сняли и с него. В конце концов Василий стал «оператором механической уборки цеха», в просторечии уборщиком. Окончательно выставить за ворота внука прославленного мастера директор не решился, он помнил, сколько хорошего сделал для завода Сергей Михайлович.

Неизвестно, куда бы завернула жизнь Васи, но однажды, покупая у метро бутылку, он познакомился с симпатичной девушкой Линдой, та прибыла в Москву на заработки и не имела ни жилья, ни знакомых. Вася привел красавицу в свои огромные, оставшиеся от многодетного деда апартаменты и через месяц стал женатым человеком.

Линда мгновенно взяла мужа в оборот. Когда Вася, не слишком хорошо знавший еще характер жены, пришел домой на бровях, Линда не пустила его в квартиру. Он устроил скандал, колотил в дверь ногами, ругался, соседи вызвали милицию. Но Линда не высунула носа из квартиры, сидела тихо, словно мышь, даже когда супружника уводили в отделение.

Наутро Вася заявился домой побитым, но трезвым, и тут Линда объяснила ему, что «под газом» он может даже не приближаться к родным пенатам, внутрь его не пустят. Никогда! Может, вам это покажется странным, но Вася испугался и боится Линду до сих пор. Опасаясь жены, он почти бросил пить, и его снова посадили на кар. Но совсем без выпивки Василий не может, он теперь, правда, не квасит ежедневно, а уходит в запой, причем делает это очень оригинальным, не характерным для большинства пьяниц способом.

Как только Вася ощущает, что желание выпить хватает его за кадык, он моментально крадется к своей соседке, медсестре Валечке, которая за небольшую мзду приносит ему из поликлиники самый настоящий бюллетень. Каким образом Валя ухитряется получить необходимую бумажонку, Васю не интересует, главное, что он получает оправдательный документ. Дальше — просто. Утром Вася уходит якобы на работу, вечером возвращается трезвый. Если дело идет о выпивке, русский мужик хитер. Василий не исключение, он очень хорошо знает, как следует себя вести, чтобы Линда не заподозрила дурного. Сильно облегчает парню задачу тот факт, что после перенесенного в детстве гайморита Линда практически потеряла обоняние и не способна унюхать запах спиртного.

Поэтому утром Вася покупает энное количество бутылок, быстро опустошает их и идет спать все к той же медсестре. Только не надо думать, что Василий изменяет жене, нет, он человек честный, просто храпит на диване, потом Валя распихивает его, получает мзду, и все довольны. Вася выглядит трезвым, ну, слегка уставшим, как человек, честно трудившийся весь день. Валечка, в одиночку воспитывающая двух деток, никогда не выдаст соседа, потому что боится потерять дополнительный заработок. На работе Васю считают заболевшим, на предприятие Линду никто не пропустит, на заводе с этим строго, она никогда не узнает, что мужа нет на посту. В общем, сплошная лафа. Единственная проблема — деньги. Сколько Вася ни пытается делать заначки, Линда находит их с поразительной быстротой и немедленно устраивает муженьку разбор полетов. Но в позапрошлом году Василию так повезло, что и оценить трудно.

Медсестра Валечка вызвала к своим деткам Деда Мороза со Снегурочкой. Парочка явилась подшофе, Василий, в очередной раз «заболевший», как раз продрал глаза, когда «дедушка» и «внучка» начали водить хоровод вокруг чахлой елочки, изображая из себя волшебников. Потом Валечка выставила на стол бутылку, и Дед Мороз, потирая руки, рассказал Васе о том, как он здорово устроился.

— Работа не бей лежачего, — крякал «дедуся», опрокидывая рюмки. — Спрос превышает предложение, коли не в крутую контору наниматься, так и не надо ничего. Ну паспорт в залог за костюм возьмут. Мы вот с Ленкой пару стишков выучили и пятый год пашем. На еду в эти дни не тратимся, в каждом доме и накормят и напоят, еще и с собой дадут. Разные, конечно, люди встречаются, но в основном народ классный, могут еще и подарить кое-что. Кстати, и не в Новый год подзаработать можно, мы с Ленкой в отпуск Белоснежкой и гномом ходим по дням рождения.

Вася призадумался и на следующий Новый год принялся за дело. В Снегурочки он взял разбитную Маргариту, свою коллегу по работе. Две недели пролетели, словно дивный сон. Во-первых, Василий неплохо заработал, во-вторых, отлично погулял, в-третьих, Линда ничего не заподозрила. В этом году Вася решил повторить опыт, но авантюра с самого начала не задалась.

Абсолютно неразборчивая в связях Рита, придя в очередную квартиру в качестве Снегурочки, мигом снюхалась с братом хозяина и отбыла с ним в неизвестном направлении. Оставшиеся заказы в тот день Василий отрабатывал один, потом добрый боженька послал ему меня, даму негулящую и непьющую, но тут сам Вася дал маху.

— С чего я так в тот день ужрался? — вопрошал он сейчас. — Прикинь, даже имя твое забыл!

Я пожала плечами.

— Тебе плохо стало у девочки-инвалида, помнишь, мы к ней зашли?

Вася поскреб в затылке, вдруг его чело просветлело.

— Точно! Ты еще из машины сумки принесла, а там бутылка виски лежала. Вот где собака зарыта, ну никак мне нельзя виски жрать, чумею от него мигом. Ты только прикинь, как я перепугался! Прихожу в себя, ба, в машине сплю, в костюме Деда Мороза, под родным домом! Хорошо, Линда на улицу не высовывалась, иначе такая жуть приключиться могла. Ну, переоделся я по-быстрому и попер в квартиру, Линда выходит и орать:

«Ахмед маляршу больную прислал! Упала без сознания!»

Я внимательно слушала корявую речь Васи и через некоторое время разобралась в ситуации.

Оборотистая Линда сделала из огромной квартиры мужа некое подобие гостиницы. Здесь останавливаются строители, желающие поработать у москвичей. Впрочем, Линда не только сдает кубатуру, она еще и служит, так сказать, менеджером по трудоустройству гастарбайтеров, находит для них объект и получает деньги за посредничество. Благодаря активности жены семья хорошо живет, ну, может, не так сладко, как некоторые, но на еде не экономит. А еще Линда была не против, когда муж купил «Оку», меньше пить будет, по этой же причине жена не пилит Васю и за тюнинговые штучки. Чем бы дитя ни тешилось, лишь бы про водку забыло. Впрочем, «улучшает» «Оку» Василий почти даром, ему помогает бывший коллега, а нынче владелец автосервиса.

Известие о больной малярше Васю не смутило, он быстро шмыгнул в ванную, а когда вылез оттуда, услыхал, как Ахмед в недоумении сообщает:

— Не мой маляр! Не знать ее!

— Кто она такая? — растерялась хозяйка. — Меня по имени назвала, а потом в обморок упала. Василий! А ну, иди сюда!

Вася покорно вошел в комнату и вздрогнул, он тут же узнал свою Снегурочку и сообразил, как обстояло дело. Баба непостижимым образом вычислила его адрес, отогнала машину во двор, не сумела вытащить тяжелого мужика и пошла за помощью к Линде. Слава богу, что эта активная идиотка свалилась без чувств, не успев довести начатое дело до конца, подцепила небось грипп и теперь валяется в отключке.

Вася просто похолодел, представив, что могло произойти, окажись Снегурочка здоровой.

Наверное, на лице мужа отразились какие-то чувства, потому что Линда нахмурилась.

— Ты ее знаешь! Не вздумай врать! Кто она?

Василий вздрогнул и помимо воли ляпнул:

— Ольга, моя троюродная сестра.

— Кто? — изумилась Линда.

Вася сгреб в охапку все свои способности и начал выкручиваться:

— Ну, я ее сестрой считаю. У моего деда был брат, у того сын, а это его дочь... э... Оля! Да, Оля. Свалилась на голову! Небось работу искать приехала. Я с ней недавно по телефону разговаривал, она просилась пару деньков у нас пожить. Портнихой хочет пристроиться, шьет здорово, я ей про тебя рассказал, имя твое назвал.

— А почему меня не предупредил? — прищурилась Линда.

— Ну... когда Ольга звонила, тебя не было, а потом я забыл, — вывернулся Вася, — думал, она не прикатит, просто болтает.

— Ясно, — кивнула Линда, — пусть живет, не жалко.

— Из-за тебя я третий день дома сижу, — сказал Вася.

— Как третий? — отшатнулась я.

— Вот так, — спокойно заявил Василий, — боялся, что в себя придешь и Линде наболтаешь ненужного, сказал, отгулы у меня на Новый год.

— А Новый год где? — растерянно поинтересовалась я.

— Ты его проспала, — вздохнул Василий, — ваще все время дрыхла, только пила и на горшок ходила, а я за тобой ухаживал, боялся, что ты говорить начнешь и Линда правду узнает. Хорошо-то как, что ты в себя вовремя пришла, Линда на объект поехала. Давай договоримся, ты у нас пару дней поживешь, ну вроде и впрямь приехала работу искать, а потом прощайся и уходи. Иначе нельзя, Линда очень подозрительная.

Я молча смотрела на Васю, уж не знаю, отчего он такой идиот: может, алкоголь сровнял извилины, а может, добрая жена регулярно лупит муженька по голове скалкой. Он ведь совсем не знает меня и предлагает остаться! А вдруг Снегурочка воровка?

— Тебя как зовут-то? — догадался спросить Вася.

— Ви... — начала было я, но вдруг решила не говорить правду. — Видишь ли... Меня зовут Ольга, ты случайно угадал. Жить мне временно негде. Хотела подработать, да никак устроиться не могла, вот и набрела на фирму с Дедами Морозами.

Вася хлопнул в ладоши:

— Классно! Живи тут. Фамилия у тебя какая?

— Та... Тарасова.

— Здорово! Оля Тарасова, — забормотал Вася, — главное, не забыть. Шикарно получится! Ты молчишь про Снегурку, я ни гугу о том, что мы друг друга не знали раньше. Линде наврешь, что ходишь портнихой наниматься, а сама со мной будешь ездить Снегурочкой по людям. Заказов у меня до тринадцатого января, затем исчезнешь, вроде домой покатила, идет?

— Нет, — ответила я.

— Почему? — оторопел Вася.

— Недосуг мне с тобой по квартирам ходить, — объяснила я, — своих дел полно, извини, я ухожу!

— А я как без Снегурки?

— Не знаю.

— Ну ваще! Вот скажу Линде, что ты мне не сестра, а воровка, — пригрозил Вася.

Я усмехнулась:

— Попробуй. Линда очень обрадуется, когда узнает о твоих подвигах и артистической деятельности.

Василий заморгал, было видно, что он не ожидал от меня такого коварства. Может, и нехорошо разговаривать с дурачком подобным образом, но во мне неожиданно проснулись все черты характера, похороненные за время брака с Олегом.

— Слушай внимательно, — велела я.

Вася приоткрыл рот.

— Ну!

— Я поругалась с мужем, сейчас съезжу домой и посмотрю, что к чему, если супруг продолжит скандал, вернусь сюда, понял?

— Ну, — растерянно повторил Вася.

— Сколько проживу у тебя, не знаю, это зависит от некоторых обстоятельств, над которыми я не властна. За комнату заплачу.

— Ага, — кивнул Вася.

— И скажу Линде, что являюсь твоей родственницей.

— Угу.

— По рукам? — улыбнулась я.

— А Снегурка? — деловито осведомился Вася. — Мне без нее кирдык.

— Найдешь ты себе внучку, кстати, мой заработок возьми за тот день себе.

— Согласен, — кивнул Вася, — впрочем...

— Что еще?

— Линда за комнату двести баксов в месяц берет.

— Дорого, но ничего.

— С тебя двести пятьдесят.

— Это почему?

— Полтинник мне за сохранение тайны.

— Наоборот бы надо.

— Как это? — попался Вася.

— С меня сто, а еще столько же ты доплачиваешь, чтобы я язык за зубами держала!

— Офигела! — подпрыгнул он.

— После тебя, — невозмутимо отбила я мяч. — Как аукнется, так и откликнется!

— Ладно, уж и пошутить нельзя, — пошел на попятную Вася, — экая ты гоношистая!

— Сама посмеяться люблю, — кивнула я, — в общем, договор подписан и обратного хода не имеет.

Глава 6

На улице стало совсем холодно, поглубже натянув на голову капюшон, я понеслась к метро и по дороге купила в будочке булочку с сосиской. Конечно, это не слишком полезная еда, но голод скрутил желудок, а от ларька исходил замечательный аромат.

Вцепившись в хот-дог, я вскрикнула. Вот беда, снова заболел зуб, вверху справа. Наверное, выпала пломба, или еще какая-то неприятность приключилась. Если честно, то зуб ныл уже давно, реагировал на холодное, горячее и на сладкое. Но поскольку боль потом проходила, я не шла к стоматологу, очень некрасиво в этом признаваться, но я предпочитаю садиться в кресло дантиста только в самых крайних случаях.

Мой лечащий врач Наталья Алексеевна Колесникова и медсестра Татьяна Михайловна постоянно говорят:

— Виола, милая, поймите, легче справиться с маленькой бедой, чем решать глобальную проблему.

Но я все равно оттягиваю визит к ним до того момента, когда уже не пойти просто невозможно, глаза на лоб от боли вылезают!

В последний раз я приползла к Наталье Алексеевне со слезами на глазах и с порога застонала:

— Мне заморозку по полной программе.

— Обязательно, — заверила Колесникова.

— Виолочка, — осторожно напомнила Татьяна Михайловна, — нам не жалко для вас ампулы, но ведь, душенька, вы хорошо знаете, что в случае воспаления анастезия практически не действует.

— Тогда полный наркоз, — заныла я.

— У вас ничего серьезного нет, — сообщила Наталья Алексеевна, — это не зуб, воспаление на десне, дела на три секунды.

— Хочу полную заморозку от головы до плеч, — заявила я.

Татьяна Михайловна ласково предложила:

— Давайте, я за ручку вас подержу?

Если бы милые врач с медсестрой наорали на меня, я бы, прикусив язык, спокойно полезла в кресло, но Наталья Алексеевна и Татьяна Михайловна квохчут, словно наседки, над любым пациентом, из них рекой изливаются забота и участие, поэтому я начинаю капризничать по полной программе, великолепно понимая: в этом кабинете меня будут гладить по голове, жалеть, ласкать...

— Только наркоз, — уперлась я.

— Таня, — сказала Наталья Алексеевна, — ты видишь?

— Угу, — качнула головой медсестра.

— Давай пленочку.

— Сейчас.

Через секунду у меня во рту все онемело, Наталья Алексеевна позвякала железками и спросила:

— Вам не было больно?

— Ни секунды, — восхитилась я, — даже укола не почувствовала!

Колесникова улыбнулась.

— Эта пленочка наклеивается на слизистую, обезболивает не сильно, но в вашем случае вполне было достаточно.

— И где такую берут? — спросила я.

Татьяна Михайловна погрозила мне пальцем:

— Ох, сдается мне, вы решили ее себе сами клеить и к нам не ходить!

— Что вы! — воскликнула я, хотя на самом деле именно эта мысль поселилась в голове.

Наталья Алексеевна протянула мне конвертик.

— Вот, держите. Если сильно заболит десна, отрежете кусочек и приклеите сами, это очень просто, но потом сразу к нам.

— Конечно, — заверила я и схватила подарок.

С тех пор упаковка лежит на столе, под карандашницей, сейчас возьму ее, и мне сразу станет легче.

Родное гнездо выглядело совсем уныло. В прихожей и по коридору мотались клоки пыли, на тумбочке у зеркала высилась банка из-под растворимого кофе, почти вся забитая окурками, но больше всего меня удивила непонятная обувь, кучей громоздившаяся на полу. Какие-то сапоги на платформе, ботинки. Поизумлявшись пару секунд, я подняла голову, увидела открытую настежь антресоль и все сразу поняла. В связи с надвигающимися морозами Олег решил найти свои меховые сапоги, залез туда, где мы храним обувь, и вывалил то, чем никто давным-давно не пользуется. Надо же, я совсем забыла про эти сапожки. Кстати, чьи они? Мои или Тамарочкины? И с какой стати я запихнула их подальше? Они вполне прилично выглядят, так сказать, вне моды, толстая подметка и «начинка» из цигейки. Может, у них не работает «молния»? Надо как-нибудь собраться с силами, вытащить с антресолей все узлы, чемоданы и порыться в них как следует, вон какие хорошие вещи можно там отыскать!

Дверь кухни приоткрылась, и оттуда выбралась зевающая собака Дюшка, увидав меня, она бросилась вперед. Я обняла собаку и стала гладить спутанную шерсть. Дюшка похудела, впрочем, ей это только на пользу, но, похоже, собачку не расчесывают и не моют ей после гуляния лапки.

Внезапно острая игла вонзилась в сердце. Ну какого черта я решила «держать фасон» и обозлилась на мужа? Что хорошего получилось в результате? Почему я обиделась на Олега? В семье может случиться скандал, но это не значит, что следует закусывать удила. Да уж, наваляла я дров, наделала глупостей. Вообще-то, я надеялась, что Олег первым сделает шаг к примирению, испугается, начнет звонить, но Куприн, похоже, продолжает злиться на меня. Впрочем, небось он тоже тоскует, только не признается. И как ужасно выглядит квартира, да и Дюшка смотрится не лучше. Представляю, в какой шок придет Томочка, вернувшись с Кипра.

На глаза навернулись слезы. Все, решено, хватит, на сердитых воду возят! Сейчас, засучив рукава, я вычищу комнаты, перестираю кучу грязного белья, сделаю обед, а когда муж вернется домой, брошусь ему на шею и скажу: «Милый, прости. Я считала себя гениальной писательницей, но из «Марко» меня выгнали вон, наверное, поэтому я неадекватно отреагировала на нашу пустяковую ссору. Дома меня не было лишь по одной причине: похоже, я заболела и проспала у чужих людей пару дней! Прости, пожалуйста, я люблю тебя!»

Естественно, Олег моментально обнимет меня, а если все же будет продолжать сердиться, я заною: «Зубы болят, сил нет!» — и муж начнет меня жалеть.

Не успела я вспомнить про клык, как в десну словно воткнулся горячий нож. Тихо повизгивая от боли, я ринулась в спальню, распахнула дверь, подлетела к письменному столу и схватила спасительную упаковку. Так, где ножницы? Ну куда они подевались! Может, они на столике у кресла?

Я обернулась и вздохнула. Постель выглядит безобразно, правда, Куприн сменил белье, но заправлять кровать перед уходом не стал, более того, похоже, муж спал ровно посередине ложа, оба одеяла скомканы... Кстати, вот и ножницы. Олег зачем-то положил их на тумбочку, я шагнула вперед и замерла.

Пуховое одеяло зашевелилось, из-под него высунулась всклокоченная голова.

— Вы кто? — прошептала я.

— Лена, — ответила хрупкая девушка, — Кратова Лена, а вы?

У меня отчего-то похолодели уши, озноб пробежал колючим ручейком по спине.

— Я? Разрешите представиться, Виола Ленинидовна, жена Куприна, хозяйка квартиры, в которой вы столь бесцеремонно почиваете!

— Ж-ж-жена Олега? — прозаикалась нахалка.

— Да.

— Но он сказал, он сказал, он сказал... э...

— Что вам сказал мой муж? — прошипела я.

— Якобы Вилка уехала к больной маме, и мы можем пока спокойно пожить в этой комнате, — ляпнула девица, машинально поправляя вздыбленные кудряшки.

Комната завертелась у меня перед глазами, плохо понимая, что делаю, я схватила стоявшую на столе пластиковую бутылочку с клеем и швырнула в хамку. Пузатая бутылочка попала прямо в лоб любовнице Олега. Отвратительная особа молча свалилась в подушки, а я, схватив из ящика деньги, потом полоску для десны, опрометью бросилась из квартиры вон, единым духом долетела до метро, плюхнулась в вагоне на сиденье, закрыла глаза и попыталась унять озноб.

Вот оно что! Олег воспринял нашу дурацкую ссору всерьез и решил, что я навсегда покинула его. Вместо того чтобы бить в набат, поставить на ноги всю московскую милицию и искать пропавшую жену, Куприн решил оттянуться по полной программе! И у него есть любовница!!! Муж изменяет мне!

Стараясь не зарыдать, как кликуша, я изо всей силы прикусила нижнюю губу, моментально заныл больной зуб, но физическое страдание было ничто по сравнению с моральными переживаниями.

Спокойствие, Виола, главное, спокойствие! От того, что ты сейчас заревешь на глазах у пассажиров, ситуация не изменится. Плач — это эмоция, дадим ей выход позднее, сейчас следует решить более конструктивные задачи. Что делать?

Неожиданно слезы высохли, на смену им пришла злость. Значит, Олег променял меня на эту кудлатую крысу. Ладно, еще посмотрим, кто окажется на вершине горы! Пусть Куприн пока радуется жизни с этой дешевой девицей. Скоро домой вернется

Томочка, а при ней майор не посмеет даже заикнуться о том, чтобы оставить у нас сию, с позволения сказать, Лену. Впрочем, и Семен, и Кристина тоже будут исключительно на моей стороне, значит, Олегу и крысе придется встречаться где угодно, но не в нашей супружеской спальне. Хорошо, я позвоню Томочке и успокою подругу, расскажу ей все в деталях и объясню:

— Пожалуйста, не беспокойся, я живу в комфортных условиях, но домой пока возвращаться не стану, появлюсь лишь после того, как напишу и опубликую новый роман, замечательный бестселлер. Войду в квартиру, осыпанная цветами поклонников. Вот когда руководство «Марко» сгрызет от злости все письменные столы в новом здании издательства! Поймут, какого автора турнули, да поздно будет. Да и Олег...

На глаза снова накатили слезы, я сердито потрясла головой: хватит! Трудности надо решать по мере их поступления и радоваться самым маленьким удачам! Однако, я молодец! Несмотря на шок, прихватила из квартиры обезболивающие полоски, приду к Линде, наклею одну на десну и попробую составить план действий.

Тут я призадумалась. Нет, Куприн решил со мной развестись. Последнее время мы очень часто с ним выясняли отношения на повышенных тонах. Я-то, наивная Чебурашка, никак не могла понять, отчего муж столь переменился, ну почему он вдруг трансформировался в раздраженного, злого, нетерпимого субъекта, а, оказывается, дело-то простое. У Куприна появилась новая любовь, и, естественно, жена стала ему не нужна, я столько раз писала об этой более чем банальной коллизии в книгах и теперь внезапно стала героиней одной из таких историй.

Надо же, я так доверяла мужу, мне и в голову не

могли прийти мысли о его измене. Нет, с Олегом общаться нельзя, домой возвращаться противно, местные кумушки, бабушки, обожающие прогуливаться перед подъездом в любую погоду, уже вовсю обсуждают животрепещущую новость. И я совершенно не способна лечь спать на кровать, где ночевала Лена. И что мне делать? Позвонить в «Марко»? Но меня выгнали из издательства, никто не собирается искать Арину Виолову и уж тем более помогать ей. В этом мире, знаете ли, каждый за себя.

К глазам подступили слезы, в горле заворочался комок. Я моргнула, тяжелая капля поползла по щеке, вслед за ней покатилась вторая, третья. Боже, какая я несчастная, одинокая, никому меня не жаль.

Внезапно из глубины души поднялась волна злости. Я встряхнулась. А ну, приди в себя, Вилка, и прекращай нюнить. На этом свете не бывает безвыходных положений и доводят себя до слез только истерички, а я никогда не испытывала уважения к плаксивым, слабым личностям. С обстоятельствами следует бороться, и надо стать назло всем счастливой.

Слезы мгновенно высохли. Значит, так, Олег нашел себе любовницу и решил уйти от меня? Семь футов ему под килем, трусу. Настоящий мужчина честно скажет супруге: «Прости, дорогая, я разлюбил тебя».

Только, похоже, истинных представителей мужского пола можно по пальцам пересчитать. Впрочем, я и раньше об этом знала, но наивно полагала, будто обладаю одним из раритетов. Что ж, иллюзия лопнула, но это не повод для соплей.

Издательство «Марко» надумало выбросить Арину Виолову? Его сотрудники тоже поступили не лучшим образом, но я не стану рыдать у них на пороге.

Я сильная, смелая, умная, выплыву. Сначала отыщу того, кто убил Асю, потом напишу об этом расследовании книгу и отнесу ее... нет, не в «Марко», а в другое издательство. Роман обязательно напечатают, я получу за него престижную премию, супергонорар, и тогда посмотрим, кто в конце концов станет рвать на себе волосы от горя! Давай, Вилка, действуй, да поторопись, чтобы поскорей утереть нос изменщику! Олег еще зарыдает от злости, когда увидит на всех лотках мое новое произведение и поймет, что я не переживаю, а работаю. Я еще докажу им всем! Увидят, на что я способна.

Глава 7

Около пяти вечера я, плотно надвинув на голову капюшон куртки, звонила в дверь квартиры, где еще недавно жила Ася. Палец давил на пупочку, за створкой заливалась веселая трель, чем дольше я стояла на лестнице, тем яснее понимала: Бирюковы опять спят. Может, постучать в дверь ногой? Не успела эта мысль прийти в голову, как послышался тоненький голосок:

— Иди, иду, нечего нервничать.

Замок щелкнул, на пороге появилась белокурая, худая до прозрачности девушка.

— Вы к кому? — без тени страха или волнения спросила она.

Я приветливо заулыбалась.

— Я Асю ищу.

— Локтеву? — попятилась девушка.

— Вы, наверное, ее соседка? — пошла я в атаку.

Худышка кивнула и молча уставилась на меня.

— Можно войти?

— Э... да... пожалуйста!

Я осторожно ступила в прихожую и, подавив неприятные воспоминания, прощебетала:

— Ася где?

— Вы ей кто? — отмерла девица.

Я махнула рукой:

— Объяснить трудно, родня, одним словом. Только мы сто лет не встречались. Ася в Москве живет, а я в... в... Брумбейске![1] Это город такой... в... в... Молдавии. У нас с работой плохо, ну я и решила в Москву податься, у Аси временно остановиться.

— Бабуля, — заорала девица, — выгляни!

Послышалось шарканье, и в коридор выползла старуха, на этот раз, похоже, трезвая. Я совершенно не опасалась быть узнанной. В тот день, когда убили Асю, милая старушка лежала пьяной, а на мне был костюм Снегурочки и парик с большой челкой, прикрывавшей лоб. Накладные волосы сильно изменяют внешность, если не верите, купите себе белокурые косы, померяйте и посмотрите в зеркало, ей-богу, воскликнете: «Это кто же такая?»

— Ба, — забубнила девица, — а ну, разберись с ней, она Асю ищет!

Старушка уставилась на меня выцветшими глазами и очень ласково осведомилась:

— А ты кто, деточка?

Я бойко изложила только что придуманную версию про гастарбайтершу из Брумбейска. Бабушка широко улыбнулась.

— Звать тебя как?

— Ольга, — быстро представилась я, — Тарасова!

— А я Вера Ивановна, ты на кухню проходи, — предложила пожилая женщина.

Усадив меня на колченогую табуретку, Вера Ивановна вдруг сказала:

— Нехорошо людей обманывать.

Я заморгала.

— Вы о чем?

---

[1] Название населенного пункта выдумано автором.

— Да о тебе, милая. Вот уж придумала! Из Молдавии она, — тихо зажурчала бабушка, — куртка на тебе с рынка, в таких полстолицы ходит, и сапожки, как у моей Катьки, она их у метро в магазине распродаж взяла.

Наверное, следовало начать выкручиваться и сказать Вере Ивановне: «Верхнюю одежду шили в Китае, а обувь в Италии, с чего вы взяли, что только москвичи такую купить могут». Но я, пораженная наблюдательностью старухи, не нашла сразу нужных слов.

— И еще в одном ты ошиблась, — мирно журчала Вера Ивановна, — мы с Асиной матерью целую жизнь в одной квартире обретались, я все про нее знаю, никаких родственников у Ники не имелось, ни о ком она не рассказывала! Так зачем ты ищешь Асю?

В моей голове лихорадочно завертелись мысли, по большей части глупые: прикинуться социальным работником, агитатором от какой-нибудь партии, школьной подругой Аси...

— Да знаю я, кто ты! — неожиданно заявила Вера Ивановна.

— Кто?!

— Решила удостовериться, правда ли разлучница умерла?

— Кто?!!

Старуха выдвинула ящик стола, вытащила из него пачку дешевых сигарет, чиркнула зажигалкой, с видимым удовольствием затянулась и шлепнула ладонью по столу.

— Хорош кривляться. Ты — Роза Башметова, жена Ильяса, в одном садике с Асей работаешь, так?

Я молчала, не зная, как реагировать, но старуха приняла мою растерянность за подтверждение своих слов и кивнула.

— Ага, сказать-то и нечего. Я, между прочим, на твоей стороне была. Когда Ася про Ильяса заговорила, сразу ей сказала: «Не лезь в чужую семью, дети у них, не уводи мужика, счастья тебе это не принесет. Ищи холостого». Понимаешь?

Я кивнула.

Вера Ивановна сделала пару затяжек и продолжила:

— А она только смеялась!

Старуха сердито раздавила окурок в пустой консервной банке, служащей тут, видимо, пепельницей, потом встала, подошла к двери, выглянула в коридор, поплотнее прикрыла створку, приблизилась ко мне, задрала рукав халата и показала шрам на предплечье, неровный, уродливый.

— Всем говорила до сих пор, что в юности обожглась, — заявила бабка, — вот след и остался!

— Случается подобное, — кивнула я, плохо понимая, куда клонит Вера Ивановна.

— Так ведь я и правда обожглась, — вздохнула старуха, — татуировку сводила. Наколка у меня была, это сейчас татушка у каждого второго, а в мою юность рисунок на теле позором считался: раз у человека тату имеется, значит, на зоне сидел. Мужики, правда, в армии себе отметины делали, а бабы только по уголовке получали. Так-то.

— Вы отбывали срок? — уточнила я.

Вера Ивановна кивнула:

— Да, давно очень, только девки не знают, да и незачем им, я бы и сейчас ничего не сказала, да жаль тебя, сама на твоем месте была. Мужа имела, Степана. Красавец хоть куда, весь наш городок по нему сох, из богатых семей девки себя предлагали, а выбрал Степа меня, нищету горькую. Три месяца вместе прожили, а потом соседки стали нашептывать: «Твой-то с Анфисой, с телятницей, шуры-муры в сарае крутит». А я молодая была, глупая, мозгов никаких, ну и решила муженька на любовнице взять. Подстерегла парочку и собственными глазами факт измены и увидела. Знаешь, что дальше случилось?

Я покачала головой.

— Вилы там стояли, — вздохнула Вера Ивановна, — у меня, как спину мужа увидела, всякий разум отшибло. Сама не помню, как железку в него воткнула, Степана убила, Анфиса жива осталась, даже не поцарапанная вылезла. Судили меня и дали мало, бабы все в нашем колхозе на моей стороне были, адвокат речь толкнул такую, что даже прокурор слезами умылся. Отправили меня на зону, вышла я, потом в Москву уехала, на кирпичный завод подалась, опять в ЗАГС сбегала, и все, жила хорошо. Только нет-нет да приснится Степа. Стоит, пальцем грозит: «Ну, погоди, Верка, свидимся мы с тобой в загробной жизни, покажу тебе, где раки зимуют». Поняла?

— Зачем вы передо мной свои тайны раскрываете? — настороженно спросила я.

Вера Ивановна снова потянулась к сигаретам.

— Да к тому, что я сразу сообразила, кто Асю пристрелил, Роза Башметова, жена ее любовника Ильяса.

— Но...

— Слушай внимательно, — сурово сказала старуха. — Аську не вернуть, хоть она мне и вроде внучки была, только не жалею я о девке, тот еще фрукт гнилой, всего тебе рассказывать не стану, но только поверь, много чего за ней водилось. А Ильяс, похоже, дурак, раз к такой уйти надумал. Да и ты без особого ума, если на убийство решилась. О детях подумала? Их кто на ноги поднимать станет? Полагаешь, коли жену за решетку сунут, муженек начнет передачи таскать? Никогда! Мигом разведется и забудет тебя, ребят в интернат сдаст. Кому ты хорошо сделала? Если кобель на сторону побежал, так и будет шляться: тут надо либо делать вид, что ничего не знаешь, либо уходить. А ты чего придумала? Мне как про Снегурку рассказали, я сразу врубилась, что к чему! У себя в садике ты костюмчик взяла! Правильно?

Глаза старухи будто сверлили меня, и я невольно поежилась.

— Значит, верно, — вздохнула Вера Ивановна, — ступай домой и сиди тихо. Я ментам ничего не сказала, терпеть их еще со старых времен не могу, никаких намеков не дала. Смотри не проговорись сама, затаись, а весной уезжайте из этого района, в другой переберитесь, садиков полно, няньки везде нужны. На новом месте и болтовни не будет. К нам больше не ходи, Ася умерла, убила ты ее! Все, ступай и скажи спасибо, что на меня нарвалась, другая бы не пожалела убийцу, а я тебя очень хорошо понимаю! Убирайся! Никаких следов ты тут не оставила, ничего менты у нас не нашли чужого. Соседи болтают, на лестнице ботинок лежал, здоровенный, так он от костюма, бояться нечего. Давай, давай, а то сейчас Катька прибежит и расспрашивать начнет. Ты что в садике сказала? Как объяснила свое отсутствие во время рабочего дня?

— Э...

— Впрочем, ясно, — отмахнулась Вера Ивановна, — выходная ты, небось сменами, как Аська, работала!

— Да, — согласилась я, пятясь к двери, — именно так!

— Вот и торопись назад, пока твоя малышня вопль не подняла, — велела Вера Ивановна, — забудь сюда дорогу!

В прихожей я наткнулась на Катю, та перекрестилась.

— Жуть!

— Да, — кивнула я, — скажи, в каком садике работала Ася?

Катя, не задавая лишних вопросов, быстро сказала адрес.

Выйдя на проспект, я проехала пару остановок на автобусе, потом вышла, завернула за угол дома и увидела типовое двухэтажное здание из светлого кирпича. Дверь оказалась незапертой, я толкнула ее и вошла в узкий коридор, выложенный желто-коричневой плиткой. Сразу вспомнились школьные годы, точь-в-точь такой «кабанчик» лежал у нас в столовой и на первом этаже около раздевалки.

В воздухе пахло едой, похоже, деткам сегодня подавали мясной суп и гречневую кашу. Оглядевшись по сторонам, я увидела стенд «Уголок родителя» и стала читать вывешенные на нем объявления. «Дети, приведенные после завтрака, в сад не допускаются». «Внимание! Всем оплатить квитанции до двадцатого января». «Открывается кружок мягкой игрушки, занятия платные, запись у Розы Башметовой, девятая группа».

— Вы к кому? — крикнула появившаяся в коридоре тучная особа в белом халате.

— Хочу деньги сдать за кружок мягкой игрушки, — спокойно пояснила я, — тут написано, что их собирает Башметова.

— Второй этаж, налево, — сказала толстуха и ушла.

Я пошла вверх по крутой лестнице и уткнулась в дверь с табличкой «Группа 9», толкнула ее и обвела глазами помещение. Узкая комната казалась совсем тесной из-за шкафчиков, плотно натыканных по стенам. Перед ними тянулась невысокая скамеечка, на которой сидел с самым несчастным видом худенький мальчик, одетый в темно-синий комбинезон. Около малыша стояли две женщины. Одна, принаряженная в новую дубленку, очевидно, мама, вторая, скорей всего, сотрудница садика, потому что она была в платье и тапках.

— Мишенька, — кудахтала мама, — ты же дал папе честное слово, что будешь ходить в садик!

Мальчик тихо всхлипнул.

— Посидишь совсем недолго, — вступила в разговор воспитательница.

Миша снова зашмыгал носом.

— Все детки у нас спокойно мамочек ждут, — продолжала тетка, — слышишь, как тихо, не дерутся, не кричат, у каждого свое место. Видишь шкафчики, выбирай, какой тебе больше по сердцу, и устраивайся.

Миша робко протянул ручонку к дверце, украшенной изображением машинки.

— Этот занят, он Петин, — остановила его воспитательница, — бери другой, с вишенкой.

Мальчик захныкал.

— Миша! — закричала мать.

Сын кое-как справился с рыданиями.

— Поцелуй меня, — велела мама, — я скоро вернусь.

Ребенок покорно чмокнул ее в щеку, вел он себя, как человек, которого тащат на казнь, жертва палача не сопротивляется, она покорилась обстоятельствам.

— Ну все, дружочек, давай пошли, — решила ускорить прощание женщина в платье.

Миша безнадежно кивнул, потом тихо сказал:

— До свиданья, мама, буду тут сидеть, пока ты меня не заберешь!

С этими словами малыш открыл шкафчик и... с трудом впихнувшись внутрь, закрыл за собой дверку.

— Миша! — заорала мать, кидаясь к сыну. — Ты сошел с ума.

Вытащив мальчика наружу, мамаша сурово спросила у него:

— Зачем ты туда влез?

— Ты же сказала, что детки в саду хранятся до возвращения мамы, — горько зарыдал ребенок.

Женщина растерянно обняла сына.

— Да уж, — фыркнула воспитательница, — не похоже, чтобы вы хорошо подготовили мальчика к садику. Уводите его домой и объясните малышу, что в детском учреждении ребята не хранятся в шкафчиках, а играют со сверстниками.

Мамаша подхватила сына и, не сказав ни слова, убежала, воспитательница повернулась ко мне:

— Слушаю вас.

— Вы Роза Башметова?

— Нет.

— Позовите ее, пожалуйста, — улыбнулась я.

— Роза сегодня выходная, приходите завтра.

— Не подскажете, где живет Башметова?

Воспитательница прищурилась:

— Зачем вам адрес?

Я улыбнулась.

— Извините, что не представилась, я курьер из магазина электротехники. Башметова в кредит телевизор брала, я ей должна счет передать, обязательно сегодня, иначе штраф начислят.

Честно говоря, придуманный повод не выдерживал никакой критики, но работница детского садика то ли была не особо сообразительной, то ли сочла объяснение подходящим.

— Рядом она проживает, — без тени колебаний заявила тетка, — вон там, видите блочную башню?

Я посмотрела в окно.

— Какую из трех?

— Первую. Нашли?

— Да.

— Ну и отлично. Ступайте туда, девятый этаж, самая последняя квартира, номер не помню.

Поблагодарив ее, я побежала к дому, без особых проблем вошла в неохраняемый подъезд, добралась до нужной двери и позвонила.

Створка распахнулась мгновенно, явив взору крепенькую, похожую на репку молодую женщину.

— Здрассти, — кивнула она, вытирая руки о фартук, — вам кого?

— Розу Башметову.

— Это я, — сказала хозяйка, — а в чем дело?

— Ваш муж, Ильяс, дома? — вопросом на вопрос ответила я.

— Нет, — растерянно отозвалась Роза, — так вам Ильяса или меня?

— Вас, — спокойно сообщила я, — хотя разговор пойдет об Ильясе.

Неожиданно Роза съежилась.

— Я вас не понимаю.

— Можно войти?

— Ну... ботинки снимите, — после секундного колебания ответила Башметова, — я полы только-только помыла.

Тапочек она мне не предложила, пришлось идти по линолеуму в носках, ощущая под ступнями просто ледяной пол.

— Ты вообще кто такая? — решила отбросить всякие церемонии Роза, введя меня на кухню.

— Вы Асю Локтеву знаете? — вопросом на вопрос ответила я.

В лице Розы ничего не дрогнуло.

— Конечно, — кивнула она, — в одном садике работали, да в чем дело?

— Асю убили.

Роза кивнула:

— Да, вот жуть! Говорят, ее соседи Деда Мороза

вызвали со Снегуркой, а пока «дедушка» малышей развлекал, «внучка» решила по комнатам пошуровать. Влезла в гардероб, тут ее Аська и застала, вроде они подрались, и баба Асю пристрелила.

— Кто же вам эту версию изложил?

— Ну... все говорят... в садике, к директору милиция приходила.

— А вот у меня иные сведения.

— Какие? — отшатнулась Роза.

— Асю убила женщина из ревности, обнаружила, что Локтева закрутила роман с ее мужем, и решила наказать разлучницу.

— Вы кто? — прошептала Роза.

— Та, кто знает все.

— П-простите, — пролепетала Роза, — я не п-понимаю...

— Вашего мужа зовут Ильяс?

— Да.

— И он бросил вас, ушел к Асе!

Роза попыталась покачать головой, но внезапно зарыдала, слезы покатились по ее щекам потоком.

— Неправда! — закричала она. — Ни при чем я! Откуда вы узнали! Мы договорились между собой! За дачу! Для детей надо! Вместе решили! Он... я... она...

У Розы, похоже, начиналась истерика. Я встала, вынула из сушки чистую чашку, налила туда воды и поставила перед Башметовой:

— Пей.

Роза залпом осушила ее и прошептала:

— Ты кто?

Глава 8

— Оля Тарасова, — ответила я, — человек, который ищет убийцу Аси Локтевой.

— Я ни при чем совсем, — снова заплакала Роза, — ну откуда ты узнала? Мы так таились, ни одна живая душа...

— Послушай, — перебила я ее, — ты хочешь внушить мне, что знала об отношениях между мужем и любовницей и одобряла их?

— Если бы ты в нищете пожила, — вдруг очень зло ответила Роза, — так тоже б на все согласилась! Я у родителей девятая по счету! Девятая! Ну за фигом столько нарожали! Нет уж, ты слушай, раз пришла, слушай!

Дрожащими руками Роза вцепилась в мои плечи и сердито заявила:

— Видно, живешь хорошо, вон цепочка золотая на шее висит.

Я машинально потрогала украшение.

— Чем тебя эта скромная вещь обозлила? Муж мне подарил на годовщину свадьбы, недорого стоит, любому нормально работающему человеку по карману, отечественное производство, эту модель сто лет небось производят.

Роза отпустила меня и спросила:

— Сколько братьев и сестер имеешь?

— Никого, одна я.

Башметова горько улыбнулась.

— Не понять тебе меня, небось жила в достатке, папочка с мамочкой пылинки с тебя сдували, а мои... эх! Все из-за нищеты получилось!

Я молча смотрела на Розу. Рассказать истеричке, что матери я никогда не знала, а с отцом не была знакома до зрелых лет? Что воспитывала меня постоянно пьяная мачеха Раиса и особого достатка у нас дома никогда не было?

Башметова тем временем встала, вытащила из шкафчика темный флакон с каким-то лекарством, отхлебнула из горлышка, поморщилась и сказала:

— Значит, разнюхали наши бабы! Ты из милиции?

Я покачала головой:

— Нет, из частной структуры.

— Откуда? — не поняла Роза.

— Работаю в фирме, которая за деньги ищет виновных в преступлениях, — доходчиво пояснила я.

— И кто же тебя нанял? — неожиданно поинтересовалась Башметова. — У Аси никаких родственников нет, а друзья от нее давным-давно сбежали!

— Милиция нашла в подъезде паспорт на имя одной женщины, — быстро соврала я, — и теперь обвиняет ни в чем не повинного человека в убийстве, меня нанял супруг несчастной.

— А-а-а, — протянула Роза, — значит, она бедняжка! Хитро получается! С чего вы решили, что я с какого-то боку при этой истории? Может, эта баба и есть убийца! Зря, между прочим, милиция ее не арестует! Вон у нашей директрисы в садике сына посадили! Тоже ходила, пела: «Сереженьку несправедливо в тюрьму сунули, мальчика оговорили». А что все узнали потом? Ее Сереженька нескольких девочек испортил, да в конце концов на такую нарвался, которая стыда не побоялась и в ментовку побежала!

— Моя клиентка ни при чем, — резко перебила я Розу, — она просто документ выронила, с Асей Локтевой женщина никогда и знакома не была. А вот вы с убитой в одном месте работали и Ильяса поделить не могли. Похоже, ты, голубушка, постаралась! Живо говори, где пистолет взяла!

— Да что ты о моей жизни знаешь! — взвилась Роза. — Девятой у родителей была! Ничего хорошего отродясь не видела!

— Это еще не повод, чтобы людей убивать, — возразила я, — и потом, при чем тут количество членов семьи?

— Не трогала я Аську! Мы дружили!

— Очень часто нежные отношения трансформи-
руются в ненависть, в особенности если подружень-
ки поругались из-за мужика. Ладно, понятно, собирайся.

— К-куда? — испуганно спросила Роза.

— В отделение пойдем! — рявкнула я. — Неужели
тебя совесть не мучает? Сначала пристрелила женщину, а теперь хочешь невиновного человека под-
ставить!

— Не убивала я Асю, — заорала Роза, — не трогала ее, пылинки со сволочи сдувала! Что ты вообще
знаешь?..

— Можешь больше не упоминать про девятого
ребенка в семье, — ехидно ответила я, — но, по-
моему, ты зря считаешь, что младшему дитятке по-
зволено все. Впрочем, такое мнение часто имеют
люди, которых родители сильно избаловали.

— Мои предки были сволочи, — окончательно
перестала сдерживаться Роза, — и как я могла убить
Аську? От нее мои дети зависели!

— Твои дети? От Локтевой? — удивилась я. —
Что ты имеешь в виду? Ася была воспитательницей в
группе, куда они ходили?

Роза скривилась и замолчала, спустя несколько
минут она вдруг спросила:

— Значит, ты получаешь деньги за находку убийцы.

Я кивнула:

— Правильно.

— Следовательно, просто так от меня не уйдешь?

— Нет.

— И кто тебе растрепал про Ильяса и Асю? — в
отчаянии воскликнула Роза. — Ни одна живая душа
о них не знала!

— У стен бывают уши, а у шкафов глаза, — туманно ответила я.

— Сейчас ты вызовешь милицию...

— Верно!

— Я-то сумею доказать свою невиновность, — рассуждала вслух Роза, — но менты все равно в садик припрутся, с директрисой побеседуют, а у нашей начальницы язык как помело, мигом разнесет весть... Слушай, сколько ты хочешь за то, чтобы уйти? А? У меня кое-что есть! Немного, правда...

— Ты не убивала Асю?

— Нет. Детьми клянусь, нет!

— Ну-ка расскажи мне, что вас связывало. Если я пойму, что ты не виновата, то уйду сама и никому ни слова о своем визите не скажу.

— Да, конечно, — закивала Роза, — слушай. Я была...

— Девятым ребенком в семье. Уже наслышана о твоем ужасном детстве, переходи прямо к сути дела.

— Но ты иначе ничего не поймешь, — неожиданно твердо сказала Роза.

Внезапно мне вспомнился Олег, частенько повторявший:

— Допрашивать человека нелегкое искусство, тут свои правила. Первый закон гласит: не перебивай. Пусть говорит сколько хочет, потом кучу ерунды отбросишь и поймешь, что главное. Собьешь свидетеля, он детали упустит, а уж поверь мне, крохотные, незначительные на первый взгляд подробности подчас очень важны!

— Говори, — велела я, — значит, ты родилась девятым ребенком в семье...

Родители Розы, люди верующие, богобоязненные, не признавали никаких ограничений рождаемости. Сколько господь деток послал, столько и хорошо, нельзя душу живую губить. Но, очень заботясь о душе, Семен и Нина не подумали о теле, детей-то надо одевать, обувать, кормить, поить. Отец с матерью не были пьяницами или маргиналами, вовсе нет, оба работали не покладая рук, вернее, лопат и метелок, потому что были дворниками. Особого достатка в семье не было, и младшие дети донашивали вещи за старшими. Ели Башметовы в основном картошку и макароны, колбаса случалась лишь по праздникам, зато всем детям, как на подбор девочкам, романтик Семен дал красивые имена, назвал их в честь цветов: Гортензия, Анюта, Флокса, Пиона, Роза...

Будучи малышкой, Роза не задумывалась о материальном положении семьи и не расстраивалась, получив от Пионы абсолютно потерявшие внешний вид туфли, осознание нищеты пришло к девочке в первом классе, когда ее позвала к себе в гости на день рождения соседка по парте Леночка. Очутившись в шикарной квартире, Роза растерялась, увидала комнату Леночки и притихла. Чего только не было у одноклассницы: игрушки, книжки... А какая одежда висела в шкафу!

Придя домой, Роза со слезами на глазах бросилась к матери, та выслушала дочь и... поставила в угол.

— Зависть — страшный грех, — поучала Нина малышку, — вон какая ты нехорошая! Главное — не мирские блага, а вечное царствие божье, мешок с золотом туда пропуском не служит. Люди должны страдать, искупая свои грехи, только тогда им будет дарована вечная жизнь в раю.

В голове у Нины были весьма своеобразные понятия о вере и о том, как должны вести себя верующие люди. Посты она соблюдала постоянно, для детей скидок не делала, на все просьбы Розы: «Мама, кушать хочется», — сурово отвечала:

— Налей воды и выпей, голод пройдет, это тебя

бес искушает, послушаешься его, схватит и раздерет на части.

Роза, напуганная до одури, бежала к крану и покорно глотала пахнущую хлоркой воду. Но после посещения квартиры Леночки в душе девочки что-то перевернулось, и она поняла: не все люди несут жизнь, как тяжелый сундук с несчастьями, кое-кто живет радостно.

Принято считать, что в религиозных семьях вырастают хорошие дети, редко совершающие дурные поступки. От пьянства, воровства, хулиганства таких ребят удерживает вера. А еще полагают, будто многодетные семьи — это сплоченный коллектив, в котором один за всех и все за одного. Впрочем, в большинстве случаев так и бывает, однако то ли вера у Нины и Семена была кривая, то ли они имели некие генетические нарушения, но дети у них не задались. Сначала неприятность случилась с Гортензией, ее поймали в магазине, когда девушка пыталась украсть туфли, затем Флора связалась с какой-то компанией и ушла из дома. Нина и Семен ужесточили контроль за детьми, но, видно, плеткой дела было не исправить. Пиона начала пить, а Анюта ухитрилась забеременеть в четырнадцать лет. Вот тут Нина, забыв про святость, закричала:

— Аборт делать надо!

Анюта прищурилась и спросила:

— А как же душа невинная? Разве ее губить можно? Нас ты без счета нарожала! Значит, сама просто к врачу пойти боялась!

Разразился такой скандал, что Роза, тогда совсем маленькая, забилась под кровать, слушая дикие вопли мамы и хамски спокойные ответы сестры. Потом Анюта выбежала за дверь, а утром пришла милиция и начался настоящий ужас. Оказывается, Анюта повесилась на чердаке, оставив записку: «Лучше сдохнуть, чем так жить. В моей смерти виноваты родители».

Милиция, разбиравшаяся в деле, не нашла никакого криминала. Да, семья живет не слишком богато, даже бедно, но Нина варит еду и пытается привить детям лучшие качества, ни мать, ни отец не пьют, чего еще надо? В конце концов дело прикрыли за отсутствием состава преступления.

Нина же решила воспитывать оставшихся дочерей еще строже. Роза, лежа в постели, частенько думала: «Вот выйду замуж, рожу только двоих, и точка, и уж постараюсь, чтобы у них все-все было. Надо искать богатого мужа».

Можно сказать, что Розе повезло, ей на жизненном пути попался вполне благополучный Ильяс. У парня имелся собственный бизнес, он торговал подержанными автомобилями. Не олигарх, конечно, но особых проблем с деньгами Ильяс не имел, а еще он был высокий, очень красивый, смуглый, с бездонно-карими глазами и мягко вьющимися волосами. В придачу к симпатичной внешности Ильяс обладал ровным характером, не пил, не курил, не ругался. Ясное дело, Роза с удовольствием согласилась стать его женой. И снова произошел вселенский скандал, Нина уперлась, словно норовистый ишак.

— Не дам благословения, — шипела она, — Ильяс не нашей веры, мусульманской. Грех за инородца замуж выходить.

Роза по привычке послушалась маму, отец к тому времени уже умер, и Нина получила полную власть над дочерью. Но Ильяс был настроен решительно, не слушая слабые возражения Розы, он пришел к будущей теще и сказал:

— Понимаю, почему вы против нашей женитьбы, одна остались, хотите Розу около себя в бесплатных сиделках держать. Только не выйдет, не надо нам вашего благословения.

Свадьбу играли в маленьком кафе, Ильяс подарил Розе красивое белое платье и фату, девушка ощутила себя абсолютно счастливой.

В самый разгар праздника в кафе вошла Нина.

— Мама, — бросилась к ней Роза.

Она наивно полагала, что мать сменила гнев на милость и явилась порадоваться за дочку. Но как она ошибалась!

Нина вскинула вверх правую руку.

— Проклинаю тебя, ты предала нашу веру!

Роза попятилась, притихшие гости присмирели, а Нина выхватила из сумки пузырек с зеленкой и, выплеснув его на платье невесты, припечатала:

— Чтоб тебе счастья не видать!

Роза остолбенела, гости, присутствовавшие при отвратительной сцене, замерли, не растерялся лишь один Ильяс.

— Ну спасибо, тещенька, — радостно закричал он, — зелень — это к богатству, и вообще, цвет ислама. Ну угодила, ну уважила!

После этого жених подмигнул музыкантам, те схватились за инструменты, а Ильяс закружил в танце трясущуюся в ознобе Розу.

— Забудь, — шептал он на ушко молодой жене, — выкинь из головы.

— Хорошо, милый, — покорно согласилась Роза, но в душе у нее ежом ворочался испуг.

Ох, не будет им ни счастья, ни радости, материнское проклятье самое страшное.

Больше Роза с Ниной не виделась. Первый год она прожила с Ильясом словно в раю, муж баловал жену как мог, а когда Роза объявила о своей беременности, и вовсе потерял голову. Еще больше он обрадовался, когда на свет появилась двойня.

— Даже хотеть больше нечего! — воскликнул Ильяс, привезя домой супругу с детками. — Все имеем!

Роза только поежилась.

— Ой, не надо так говорить, счастье сглазишь.

— Ерунда, — засмеялся Ильяс, — не верю я в приметы.

Через два месяца после рождения внуков свекровь Розы, ставшая ее настоящей матерью, внезапно скончалась от сердечного приступа. Не успел Ильяс похоронить Фатиму, как приключилась новая беда: на его бизнес наехали налоговики, нашли какие-то неправильно оформленные бумаги. В результате Ильясу, чтобы не попасть в тюрьму, пришлось срочно раздавать нешуточные взятки, столько денег, сколько запросили жадные людишки, у Башметова не имелось, он влез в долги и был вынужден потом продать дело.

В конце года Ильяс стал почти нищим. Решив не сдаваться, он продал свою большую квартиру, новенькую иномарку, купил для семьи скромную двушку и подержанные «Жигули». Разницу Башметов пустил в оборот, надеясь снова стать хозяином дела. Но, видно, проклятье Нины не потеряло своей силы, очень скоро Ильяс разорился во второй раз.

Для Башметовых наступили суровые времена. Двойняшкам требовалась еда и одежда, поэтому Ильяс начал подрабатывать извозом, а Роза пошла служить нянечкой в детсад. Место показалось ей очень выгодным, зарплата, правда, копеечная, но детей сотрудников в учреждении держали бесплатно, и на еду тратиться не приходилось. Частенько Роза приносила Ильясу котлеты, рыбу и булочки, от которых отказались избалованные дети.

Коллегам по работе Роза о себе ничего не рассказывала и ни с кем особо дружить не собиралась.

Приходила на службу, молчком мыла полы, а вечером, подхватив детей, отправлялась домой. Еще одним плюсом в отношении садика было то, что они жили рядом с ним.

Через год после того, как Роза устроилась на службу, одна из воспитательниц, улыбчивая, кокетливая Ася Локтева, сказала ей:

— Видно, ты знавала лучшие времена.

Роза равнодушно пожала плечами:

— Все так живут, то хорошо, то плохо!

— Но не у всех имеются красивые бриллиантовые сережки, — отметила Ася.

Роза потрогала уши.

— Это подарок свекрови на свадьбу.

— Очень элегантные, — пробормотала Ася, — видно, не современной работы.

— Фатима их в наследство получила, — пояснила Роза, — от бабушки ей достались.

— Продай их мне! — воскликнула Ася. — Давно такие хотела, да найти не могла!

— Ишь чего захотела, — отшатнулась Роза, — ни за что.

— Отдай, хорошо заплачу.

— Нет, нет, я серьги от свекрови получила.

— Новые преподнесет, — настаивала Ася, — ну не последние же она тебе отдала! Ты вот чего, скажи ей, бандит напал и из ушей выдрал! Чего молчишь? Так многие поступают! Получишь крупную сумму, оставишь себе, а свекровка еще брюлики отстегнет.

— Фатима умерла.

— Тем более! Теперь точно не узнает ничего.

— Ни за что, — отрезала Роза, — никогда с серьгами не расстанусь!

— Не зарекайся, — предостерегла ее Ася, — ладно, сейчас не желаешь, и не надо, но пообещай, что если надумаешь от украшений избавиться, то ко мне первой придешь.

— Ладно, — кивнула Роза, хотевшая как можно быстрее завершить тягостную беседу.

Башметова не собиралась продавать серьги Фатимы, единственную по-настоящему ценную вещь, оставшуюся от любимой свекрови.

Но человек предполагает, а господь располагает. Спустя месяц после того разговора Ильяс попал в аварию, хорошо, сам остался жив, но машина-кормилица ремонту не подлежала. Ася мучилась до лета, глядя, как супруг, мрачный, насупленный, валяется день-деньской на диване. Характер у Ильяса начал меняться не в лучшую сторону, теперь он покрикивал на жену и детей, «строил» их по любому поводу, не забывая указать:

— Я в доме хозяин, всем молчать!

Жили на зарплату Розы, плохо, бедно, питались тем, что она приносила из садика, но женщина, имевшая трудное детство, не унывала, а вот Ильяс, похоже, не выдержал испытания. Увидав первый раз мужа пьяным, Роза с ужасом поняла: надо срочно покупать машину, пусть супруг снова «бомбит» на дороге, а то еще алкоголиком станет.

Глава 9

Решив не советоваться с мужем (в конце концов, Фатима подарила серьги ей, а не сыну), Роза сказала Асе:

— Ты хотела сережки? Сколько дашь за них?

— Приперло? — радостно подскочила воспитательница.

— Да, — кивнула Роза.

— Чего так?

— Машину хочу купить.

— Зачем она тебе?

— Не себе, мужу, — сухо ответила Роза.

— Он сам не способен заработать? — ехидно осведомилась Ася. — Я видела его пару раз, такой красивый.

— Ильяс работу потерял и устроиться не может, — сказала чистую правду Роза, — да какая тебе разница! Берешь серьги?

— Ага, — кивнула Ася, — завтра бабки приволоку.

На следующий день Роза положила перед Ильясом пухлый конверт и сообщила о сделке.

Супруг сначала возмутился, потом заплакал и выдавил из себя:

— Прости, Розочка, я сделаю все, чтобы разбогатеть, куплю тебе новые цацки, еще лучше.

— Ничего мне не надо, — отмахнулась супруга, — иди за машиной.

Муж бросился в салон и стал обладателем «Жигулей». Увидев радостное лицо Ильяса, Роза лишний раз убедилась в правильности своего поступка, но, наверное, Фатима, глядя с небес на землю, не одобрила невестку или проклятье Нины оказалось слишком сильным, только автомобиль не прожил у Башметовых и месяца, его угнали лихие люди в тот момент, когда Ильяс помогал очередному клиенту оттащить домой только что купленный телевизор.

Вот когда Роза полной чашей хлебнула беды! Муж пил неделю, вынес из дома последние копейки, а когда протрезвел, то обвинил в произошедшем... жену.

— Зачем серьги продала? — орал Ильяс. — Вот сейчас бы они как пригодились! И вообще, не принеси ты тогда деньги, я бы автомобиль не купил, а его бы не украли. Во всем ты виновата, безголовая!

Роза молчала. Любая другая женщина нашла бы много слов в ответ, сумела бы поставить супруга на место, объяснить ему, что если он завел семью, то несет ответственность за ее членов, но Башметова предпочла плакать потихоньку, рыдать на глазах у мужа она боялась. На работе Роза забивалась в укромный уголок и горевала, но разве в коллективе, состоящем из любопытных кумушек, хоть что-либо может остаться незамеченным!

В начале весны, а точнее седьмого марта, накануне женского праздника, Розу оставили дежурной. Детей из садика полагалось забирать не позднее восьми вечера, но, как правило, два-три ребенка просиживали до девяти, а то и до десяти часов. Их сводили изо всех групп в одну, оставляли дежурную воспитательницу и няню. Роза, кстати, охотно задерживалась в садике. Во-первых, ей совершенно не хотелось идти домой, где ее ждал со скандалом Ильяс, а во-вторых, припозднившиеся родители, как правило, благодарили работницу рублем.

В тот день в паре с Розой оказалась Ася. Оставив детей играть, Локтева заглянула в чуланчик, где сидела Роза.

— Что-то твой муж на машине не ездит, — сказала она.

Няня уставилась на воспитательницу, а та как ни в чем не бывало продолжала:

— Бережет, что ли, колеса? Отчего за тобой никогда не приедет?

— Чего кататься, — буркнула Роза, — в двух шагах отсюда живем.

— Все равно приятно.

— Сама дойду.

Ася прищурилась.

— А чего ревешь?

— Кто?

— Ты!

— Я?

— Ну не я же!

— И не думала плакать, — попыталась отбиться Роза, — аллергия у меня, весна на дворе.

Ася захихикала:

— Ага, повсюду снег, ничего пока не цветет. Кого другого обманывай, ты уже не первый день в чулан бегаешь и рыдаешь. Наши-то бабы языками мелют. Говорят, Ильяс тебе изменяет! Красивые мужики все потаскуны!

Роза хотела возмутиться, сказать: «Отвяжись, мой муж целыми днями сидит дома», — но неожиданно словно невидимая рука схватила няню за горло.

Башметова всхлипнула раз, другой, третий... Ася обняла ее.

— Эка беда! Наподдавай скотине как следует, живо уважать начнет!

И тут из Розы полился рассказ о ее несчастьях. Ася, забыв про брошенных детей, жадно слушала няню. Когда та наконец замолчала, Ася протянула:

— Ну, бывает всякое. А почему твой Ильяс на работу не пойдет?

Роза всхлипнула:

— Куда?

— Что он делать умеет?

— Машину водить.

— Можно шофером устроиться, — предложила Ася, — вон у меня сосед по подъезду какую-то шишку возит и очень доволен.

— Хорошее место так просто не найти, — повторила Роза не раз слышанный от Ильяса аргумент, — и потом, чего на чужого дядю работать, надо свое дело заиметь, а на него деньги нужны.

Ася скривилась:

— По мне, так лучше хоть копейку домой приносить, чем на диване гнить!

Роза, державшая в голове те же мысли, снова разревелась в голос.

— Ладно, ладно, успокойся, — воскликнула Ася, — хочешь, одолжу тебе немного?

— Мне отдать не с чего, — промямлила Роза.

— Потом вернешь, — улыбнулась Ася и сунула няне в руку купюру.

С тех пор Роза частенько просила у Аси в долг, а та давала, и длилось такое положение полгода. В конце августа Роза, привыкнув ходить с ведром к источнику, осмелела и выпросила у Аси довольно большую сумму, Башметова мечтала хоть на недельку свозить детей в Крым.

Семь дней на юге пролетели словно счастливый сон, успевшая загореть Роза вышла на работу и столкнулась с Асей.

— Хорошо выглядишь, — сказала та, — понравилось на море?

Не подозревавшая ничего плохого, Башметова вытащила фотографии.

— Вот, смотри!

Ася пошуршала снимками.

— И Ильяс ездил?

— Как же иначе!

— Ну, ну, — протянула Ася, — оно, конечно, верно... Кстати, когда ты деньги вернешь?

Роза почувствовала себя как человек, внезапно налетевший на кирпичную стену.

— Деньги? — растерянно переспросила она.

— Ага, — кивнула Ася, — баксы, доллары. А хочешь, рублями по курсу, я, в общем-то, не капризная. Ты помнишь, сколько мне должна?

— До копейки сейчас не назову, — прошептала Роза, — дома записано.

— У меня тоже отмечено, — кивнула Ася, — верни не позже десятого.

— Денег нет, — прошептала Роза.

— Зачем тогда на юг ездила?

Роза молчала.

— И мужа с собой таскала, — наседала Ася, — неужели полагала, что я тебе просто так деньги дарю? Погуляла ты, возвращать пора.

По щекам Розы потекли слезы.

— Дай мне сроку месяц.

— Нет, срочно принеси.

— Где же взять?

— Ну, это не моя забота, — пожала плечами Ася и ушла.

Следующая неделя оказалась чуть ли не самой тяжелой в жизни Розы. Продать ей было нечего, подруг, способных ее выручить, Башметова не имела, а Ильяс вместо того, чтобы вместе с супругой искать выход из непростого положения, принялся орать:

— За фигом на море каталась? И вообще, нужно по одежке протягивать ножки! Другие живут на зарплату, и ничего, а у тебя рубли между пальцев текут.

И это было правдой, при почти полной нищете Роза ухитрялась баловать своих деток, весьма неразумно покупая им игрушки и сладости.

Десятого числа Ася, проходя мимо Розы, шепнула:

— Вечером надо встретиться, приходи в кафе «Лисички», ну то, что у метро.

Испуганная Башметова прибежала на свидание, села за столик и, собравшись с духом, заявила:

— Делай со мной что хочешь, но денег я не добыла!

— Поняла уже, — кивнула Ася, — и хочу тебе помочь.

— Ой, — воскликнула Роза, — больше я у тебя ни копейки не возьму, и так в кабалу попала.

— Скажи, твой муж здоров? — неожиданно поинтересовалась Ася. — Чего дома сидит? Больной, или ему работать лень?

— Ильяс не лентяй, — бросилась защищать супруга Роза.

— Значит, больной! Жаль, — протянула Ася.

— Да здоровый он! — воскликнула Роза. — ...просто места в жизни найти не может, и...

— На обследование он пойдет? — перебила ее Ася.

— Какое? — изумилась Роза.

Ася спокойно ответила:

— Медицинское.

— Зачем?

— Я нашла Ильясу работу, весьма необременительную, всего пару раз в месяц с дивана встать придется. Правда, служба непостоянная, недолгая, но он получит либо машину новую, либо домик в Подмосковье.

— Лучше дачу! — воскликнула Роза. — Ее сдавать можно, да и самим будет где летом жить! А делать-то что надо?

— В сущности, ничего, — заулыбалась Ася, — ты только выслушай меня спокойно, не кричи раньше времени: «Не разрешу мужу таким делом заниматься».

— Если честно служить надо, то я на все согласна, — с жаром заявила Роза, — лишь бы деньги получал!

— Очень хорошо, — кивнула Локтева. — Разумная позиция! Значит, так.

По мере того, как ситуация прояснялась, у Розы начало стучать в висках. О подобном занятии она не могла и подумать, Башметова была не способна даже предположить, какую работу Ася нашла для Ильяса.

Коротко суть ее предложения выглядела так. У Аси есть подруга, вполне симпатичная женщина по имени Лиля. Лилечка очень хочет выйти замуж, и кавалер у нее имеется, достаточно обеспеченный дядечка по имени Виктор. Одна беда — избранник женат. Единственная возможность для Лили заполучить в свое полное распоряжение Виктора — это родить от него ребенка. Его жена Марина так и не сумела сделать мужа отцом, а Виктор мечтает о сыне, впрочем, согласится он и на дочку. Поразмыслив над ситуацией, Лиля перестала предохраняться, но вот уж год как она тщетно пытается забеременеть. В свое время Виктор ходил вместе с законной женой к врачу и получил на руки бумагу, в которой черным по белому написано: он здоров, проблемы у Марины. Лиля, втайне сходив к гинекологу, выяснила — она способна стать матерью, но некто на небесах, очевидно, решил, что от Виктора ей детей не иметь! И теперь Ася, совершенно не смущаясь, предлагала Розе:

— Пусть твой Ильяс Лиле ребеночка сделает. Виктор темноволосый, кареглазый, смуглый, твой муж такой же, никто плохого не заподозрит, все отлично уладится. Вы получите домик, у Лили дача от родителей осталась, будете ее сдавать.

— Нет! — закричала Роза. — Как тебе подобное в голову пришло!

— А что? — пожала плечами Ася. — Нормальный бизнес, если твой Ильяс ничего не может руками и головой, пусть поработает другим местом. Кстати, долг я спишу подчистую, поможешь Лиле — ничего мне отдавать не надо.

— Не смогу я Ильясу такое предложение сделать, — прошептала Роза, — он меня убьет.

— Ошибаешься, дорогая, — засмеялась Ася, — а давай его сюда позовем.

— Нет!

— Почему?

— Ну, нет!

— Ты против?

Роза растерянно молчала, Ася сунула Башметовой в ладонь свой мобильный.

— Давай, не тормози!

И дело завертелось. Лиля потребовала от Ильяса пройти полное медицинское обследование, и через несколько месяцев Башметов получил дачу, небольшой домик в старом подмосковном поселке. Роза, справившись с ревностью, успокоилась. Лиля не собиралась вешаться на шею Ильясу, она благополучно вышла замуж за Виктора и стала жить счастливо.

Через полгода Ильяс купил машину, новенькую «японку», не самую дорогую, но и не очень дешевую. Когда муж с гордостью продемонстрировал приобретение, Роза насторожилась.

— Где деньги взял?

— Заработал, — коротко бросил супруг.

Вот тут Башметова испугалась по-настоящему и шепнула:

— Каким же образом? Ты целыми днями дома сидел.

— Не твое дело, — буркнул Ильяс, — не украл! Честно получил, замолчи и радуйся. Больше в квартире сидеть не стану, снова извозом займусь!

Но Роза, тихая, молчаливая, безответная, устроила муженьку такой скандал, что он в конце концов был вынужден сказать правду.

— Ася нашла мне еще одну клиентку, ей муж условие поставил: либо рожай ребенка, либо уходи из дома.

Роза чуть не упала.

— Ты мне изменяешь!

— Вовсе нет, — ответил муж, — никакой любви, это такая работа!

На следующий день Ася, встретив в садике Розу, очень спокойно сказала:

— Не ревнуй Ильяса, у мужиков с этим делом просто, а платят хорошо, я еще заказы найду.

Роза замолчала.

— То есть твой муж... — осторожно начала я.

— Да, — быстро закончила Роза, — правильно, именно так. Нас с ним ситуация устраивала, главное, дети сыты и одеты. Вообще-то, мы на дом копили, хотели в Подмосковье небольшой особняк приобрести, с удобствами. Эту квартиру продать и начать свой бизнес.

— Какой же?

— Организовать маленький детский садик, — упоенно воскликнула Башметова, — так называемый семейный вариант, четверо, максимум пятеро ребятишек. Только все наши заказы через Асю шли, она Ильясу клиенток находила, без Локтевой бизнес лопнул. Конечно, теперь у нас положение лучше, чем раньше, дачку сдаем, машину имеем, поднакопили кой-чего, но с мечтой расставаться придется. Понимаешь теперь, что я ни при чем! От Аси наши деньги зависели, кто же убивает курицу, которая несет золотые яйца?

Я кивнула:

— Действительно, нелогично.

— Вот видишь, — повеселела Роза.

— А где сейчас твой муж?

— На дороге «бомбит», — горестно сообщила Башметова. — Мы вот с ним надеемся, может, удастся все же, не трогая запас, прожить? Ступай домой, мы Асе зла не делали, в другом месте ищи!

— Каком? — в задумчивости протянула я.

Роза хмыкнула:

— Разные заказчицы от Аси поступали, у кого-то

от мужа не получалось забеременеть, кто-то жениха к себе привязать думал, ну а кто-то, как Лиля, на чужого мужика позарился. Полагаешь, бывшие жены легко успокоились? Вполне вероятно, что одна из них Асе отомстить надумала!

Я с уважением посмотрела на Розу, самой в голову приходили подобные мысли.

— Когда Ильяс вернется?

— Не знаю, вечером, а зачем он тебе?

— Нам поговорить надо.

— Ой, — испугалась Башметова, — оставь нас в покое! Ильяс дико обозлится, если узнает, что я чужому человеку правду разболтала, он мне молчать велел.

— Хорошо, — согласилась я, — понимаю тебя. Но если не хочешь моего общения с Ильясом, сама порасспрашивай мужа и узнай, скольких женщин он осчастливил за последнее время.

— Он мне не скажет, — прошептала Роза, — мы на эту тему не беседуем.

Я развела руками.

— Либо ты допрашиваешь супруга, либо это делаю я. И времени нету, сведения нужны завтра с утра, ясно?

— Ага, — кивнула Роза, — попытаюсь.

— Уж постарайся, иначе я сама займусь этим делом.

— Не надо, не надо.

— Значит, до завтра. Кстати, какой у вас телефон?

— Зачем он тебе? — окончательно испугалась Роза.

— Позвонить и узнать список клиенток Ильяса.

— Ну пиши, впрочем, лучше приходи в садик, — понуро ответила Башметова, — после полудня. Ильяс дома по утрам, еще услышит ненароком, не сносить мне головы тогда.

— Хорошо, — кивнула я, — так и быть, завтра

ровно в полдень я загляну в садик. Но имей в виду, просто перечень имен и фамилий меня не устроит.

— Что же тебе надо?

— Еще адреса или номера телефонов!

— Ой!

— Не сумеешь, придется мне самой узнать их у твоего мужа.

— Сделаю все, — затараторила Роза, — вытащу из Ильяса необходимое, только потом ты оставишь нас в покое?

— Стопроцентно, — пообещала я и ушла.

Глава 10

На улице похолодало, «каша» на тротуаре превратилась в каток. Я осторожно побрела в сторону метро. Конечно, каждый из нас на протяжении жизни хоть раз да и испытывал материальные затруднения. И вовсе не у всех были умные, понимающие родители, кое-кому не повезло с рождения, но каждый находит свой путь выхода из тупиковой ситуации. Один безропотно покоряется обстоятельствам, плачет, ноет, жалуется, другой пытается выплыть, третий винит в неудачах свою семью. Подчас людям в голову приходят совсем уж нетривиальные решения, но о том, чтобы сдавать мужа в аренду, я слышу впервые. Интересно, что бы я сказала Олегу, приди Куприну в голову подобная затея? И почему мы с Олегом в последнее время стали ссориться? Может, у нас кризис брака? Говорят, он регулярно случается у семейных людей. И зачем вообще люди живут вместе? Почему сбиваются в пары? В древние времена требовалось выжить в суровом мире, убить дичь на обед, короче говоря, преодолевать бытовые проблемы. Сейчас-то, в век научно-технического прогресса, зачем двое живут вместе? Впрочем, мы уже врозь.

Я остановилась у лотка и стала обозревать новинки, зависть одолела меня. Да уж, пока госпожа Тараканова пытается решить философские проблемы, Устинова, Маринина и Куликова не дремлют, они спокойно пишут книги. А это чья новинка? Ба, Смолякова! Снова выпустила роман.

— Дайте-ка мне вон те книжки, — попросила я, роясь в кошельке, — впрочем, все я не потяну, лучше одну Смолякову.

Шмыгающая носом лоточница подала мне томик в яркой обложке, я сунула детектив под мышку и нырнула в подземку. Ладно, не стану сейчас терзать себя. Все, что ни происходит, делается к лучшему, во всяком случае, в отношении меня данное правило срабатывает на сто процентов. Арина Виолова более не нужна «Марко»? Но ведь в Москве существует не одно издательство, где-нибудь да пригожусь. Олег решил развестись со мной? Пусть сначала поживет без меня, ох, тяжело ему придется. И дело даже не в бытовых сложностях, их возьмет на себя Томочка. Кому Олег станет изливать душу? Кто будет выслушивать его, сочувствовать? Кстати, Куприну, наверное, сейчас уже плохо!

Я прижалась к двери несущегося сквозь мрак вагона. Зависть испарилась, теперь ее место заняла жалость. Нет, я дура! Взяла и закусила удила, Олег небось мучается, надо позвонить ему. Стоп, у него теперь есть крыса Лена. И вообще, каково мне сейчас возвращаться домой? Приползу, словно побитая собачонка, неудачливая писательница!

На глаза набежали слезы, я обозлилась и что есть силы топнула ногой: не рыдать! Не рыдать!

— Девушка, — укоризненно спросил стоявший

рядом прилично одетый мужчина, — у вас болезнь Паркинсона?

— Отчего вам в голову пришла такая глупость? — удивилась я.

— Бьете меня уже третий перегон подряд, — заявил он, — то рукой толкали, потом ногой колотить начали!

— Простите, — быстро сказала я и, протиснувшись сквозь толпу, выбралась на платформу.

Эскалатор вынес меня наверх, на улице стало еще холодней, поплотней запахнувшись в куртку, я побежала по тротуару, поскользнулась и со всего размаха шлепнулась на пятую точку. В ту же секунду к горлу подступило настоящее отчаяние. Боже мой, как мне не везет! Бедная я, несчастная, вон сколько прохожих вокруг, а свалиться ухитрилась одна Вилка!

Внезапно мягкий, интеллигентный голос проворковал:

— Девушка, что же вы так неаккуратно!

Симпатичный мужчина, тот самый, сделавший мне замечание в вагоне, протягивал руку.

— Вставайте, милая, так и простудиться недолго.

Преисполненная благодарности к доброму самаритянину, я вцепилась в крепкую ладонь.

— Спасибо.

— Не за что, дорогая. Ну как же вы так неосторожно, давайте курточку сзади отряхну.

Я почувствовала к незнакомцу почти любовь, а он, стряхивая с меня снег, мирно продолжал:

— Ну надо же! Возраст уже не юный! Нельзя быть такой неловкой клячей!

— Неловкой клячей? — повторила я. — Неловкой клячей не в юном возрасте?

— Увы, — вздохнул дядечка, — жизнь проходит, впереди смерть! Все течет, все изменяется, все там будем!

Сделав сие оптимистичное замечание, прохожий стряхнул со своих перчаток комочки налипшей грязи и был таков. Я осталась переживать ситуацию, подкатившие к глазам слезы высохли, жалость к самой себе испарилась без следа. Кляча! Неловкая кляча! Все там будем!

С одной стороны, это верно, но с другой!.. Никакая я не кляча!

Подняв с тротуара сумочку, я побежала вперед. Значит, так, каждый кузнец своего счастья, можно, конечно, рыдать, получая пинки от судьбы, а можно воспринимать их как уроки жизни. Счастье никто тебе не подарит, есть какие-то вещи, которые нужно делать самой. Ну кто починит за вас зубы? Нравится это или нет, сидеть в кресле у стоматолога придется вам лично. Но, с другой стороны, будете ли вы сытой, коли ужин слопает кто-то другой? Нет? То-то и оно! За свою радость надо бороться самостоятельно. Домой я вернусь победительницей, человеком, который узнал, кто убил Асю Локтеву, писательницей, создавшей новый роман, удачливой, молодой, красивой женщиной, а не неловкой клячей. Нечего жалеть себя, это не конструктивное поведение. Нельзя требовать жалости от других, это унизительно, с любыми обстоятельствами можно бороться, главное, не складывать лапки. Мышь способна сдвинуть гору, а если глыба не покоряется, ее нужно прогрызть, расковырять, расцарапать. И времени у меня мало, надо успеть завершить расследование до возвращения Томочки, та просто заболеет, узнав, что я пропала неизвестно куда!

С красными щеками я добежала до квартиры Васи и стала звонить в дверь.

— Работу искала? — сурово спросила молодая худенькая женщина, распахнув дверь.

— Ага, — кивнула я.

— Ну, входи, — сказала хозяйка, — небось меня не узнаешь, я — Линда!

Я с удивлением посмотрела на ее тощую фигурку. Линда даже меньше меня и ростом, и размерами. Интересно, каким образом она ухитрилась запугать громадного Васю?

— Топай на кухню, — велела Линда, — поговорить надо, срочно!

Не успела я сесть на табуретку, как Линда бесцеремонно заявила:

— Приехала ты без приглашения и с болячкой свалилась, место заняла на раскладушке.

— Извини, — я решила тоже обращаться к ней на «ты», — это случайно вышло, не нарочно.

— За тобой ухаживали.

— Спасибо.

— Поили чаем.

— Совсем не помню, но еще раз спасибо.

— Это одни слова, — отмахнулась Линда.

Я собралась спросить, чего она от меня хочет, но тут в кухню вошла здоровенная кошка и, сев около холодильника, трубным голосом заорала:

— Мяу-у-у-у!

Линда схватилась за дверку холодильника. Не успела хозяйка прикоснуться к ручке, как киска с ужасающим воплем кинулась в сторону, налетела на миску с водой и расплескала ее.

— Ну не дурак ли? — с изумлением спросила Линда, хватая тряпку. — Чего его колбасит, когда я холодильник открыть хочу! Ведь пришел жрать просить, знает, откуда еда берется, и прочь несется? Чего его плющит?

— Может, испугал кто? — предположила я.

Линда, методично убирая воду, вздохнула:

— Некому Бакса пугать.

— Это кот?

— Не видно разве?

— Нет, морда такая маленькая.

Линда хихикнула:

— Ты половую принадлежность по морде узнаешь? Вообще-то, на другое место смотреть надо. Бакса тут обожают, все безобразия ему прощают, умный он, как сволочь. Представляешь, он в унитаз ходит, сам научился.

— Какой хороший!

— Ага, — кивнула Линда, — года два лафа длилась, заберется на круг, хвостом к бачку и вперед.

— Молодец.

— Точно! Только один раз на него крышка-то и упала. Баксик внутрь свалился, чуть не утонул, хорошо, Вася на кухне сидел и вопль кота услышал, вытащил его вовремя.

— Вот бедняжка, — от души пожалела я несчастное животное, — небось он после этого случая даже близко к унитазу не подходит!

Линда ничтоже сумняшеся выжала половую тряпку прямо над раковиной, где с утра громоздилась гора посуды.

— Не угадала ты. Баксик наш по-прежнему туалетом пользуется.

— Ну надо же, просто подарочное издание!

— Ты не дослушала. Он садится на унитаз, но по-новому!

— Это как?

— Хвостом к двери, мордой к бачку, — пояснила Линда, — за крышкой во все глаза зырит, боится, что она его вновь накроет.

— Но тогда...

— Верно, — не дала мне договорить Линда, — на этот раз ты совершенно правильно скумекала, все вокруг загадит, и сантехнику, и пол, а Бакс доволен: и унитазом попользовался, и крышку видно.

— Поставь ему лоток.

— Сколько уж их переменила, все без толку, не приучается он.

— Ну... купи круг без крышки.

— И это делала. Только он все равно мордой к сливу устраивается, напугался, похоже, до конца жизни, — сказала Линда, — но если с унитазом понятно, то с холодильником сплошная загадка. Вот, гляди, маячит под дверкой.

Я посмотрела на гигантскую рыже-белую лохматую особь и кивнула.

— Верно.

— Ну а теперь дальше наблюдай, — предложила Линда и схватилась за дверцу.

С негодующим воем Бакс шарахнулся влево, на этот раз он вскочил на стул и свалил лежавшие на сиденье старые газеты.

— Во, чудо! — покачала головой Линда и распахнула морозильник.

В ту же секунду из него выпал кусок сильно замороженной говядины, с килограмм, не меньше, и угодил ровнехонько на то место, откуда спешно ретировался Бакс.

— Ну, Зинка, — возмутилась Линда, — напихала опять!

Подобрав пакет, хозяйка попыталась сунуть его назад, но не успела она поместить выпавшее внутрь, как из морозильника выпала новая «льдина», на этот раз окаменевшая пачка масла.

— Ой, беда, — заворчала Линда, — руки до хозяйства не доходят, работаю, как лошадь! А от Зинки какой толк? Плачу ей деньги, та берет и ни хрена не делает!

Я посмотрела на поднявшего шерсть Бакса.

— У тебя каждый раз так харчи вываливаются?

— Зинка, дура, насует под завязку.

— Чего же удивляешься реакции кота? — улыбнулась я. — Похоже, он у вас отличается острым умом и чрезвычайной сообразительностью, один раз получил по макушке крышкой и не желает повторения. Долбануло его чем-то замороженным по спине, вот он и отбегает прочь!

Линда замерла, потом расхохоталась.

— Верно! Мне и в голову не пришло!

— Самые простые решения на поверхности лежат, — сказала я.

Линда с треском захлопнула морозильник.

— Как ты сказала? Самые простые решения на поверхности лежат? И это верно! Собирайся!

— Куда?

— На работу.

— Куда? — еще больше удивилась я.

— Хватит кудакать, — рявкнула Линда, — ты портниха?

— Я?

— Вася так сказал. Оля швея, хочет в Москве службу найти.

— Да, да, — закивала я.

— Значит, поехали!

— Куда?

— Господи, — закатила глаза Линда, — на кудыкину гору, бить ворону. В твоей деревне все такие понятливые?

— В деревне?

— Ладно, колхозе, — захихикала Линда, выталкивая меня в прихожую. — Ты сегодня ходила работу искать?

— Да, — осторожно ответила я.

Линда, сопя, натянула на ноги короткие сапожки, выпрямилась и ехидно осведомилась:

— И нашла?

— Ну...

— Можешь не врать, ничего ты не нашла, — ухмыльнулась жена Васи, — в Москве без толкача никуда, небось по Ярославской дороге шлялась!

— Где?

Линда вышла на лестницу.

— Шевелись, храбрый портняжка. Неужели даже про Ярославку не слыхивала? Там строители кучкуются, гастарбайтеры. Только на шоссе бригадами нанимаются, соберутся человек по десять и предлагаются, одиночке не пристроиться. Тебе Вася говорил, чем я зарабатываю?

— Ну...

— Нахожу в столице людей, которые хотят квартиру или дом в порядок привести, — словоохотливо объясняла Линда, спускаясь вниз, — и бригаду собираю. Тут непросто, знать надо, кого на какую работу поставить. Если землю копать — это таджики, они лопатой, как экскаваторы, работают, лучшие штукатуры и маляры — украинцы, молдаване плитку кладут изумительно, а с паркетом кавказцы здорово работают, вот натяжные потолки только москвичи делают, и электрику им поручать надо. Усекла?

— В общем, да, — кивнула я.

— Сейчас у меня три бригады пашут, — восклицала Линда, открывая битую «четверку» с погнутым багажником на крыше, — а я между ними мотаюсь, одна на всех: и прораб, и дизайнер, и палач рабочим, и психотерапевт хозяевам! Одна нога там, другая здесь, только третьей конечности не хватает, да еще четвертую бригаду собираю, а ты раскладушку пролеживала за так, некуда было плиточника положить, я чуть не упустила его, спасибо, Ахмет на пол переехал, он не проблемный, всегда уступить готов. Плиточник этот прям короля из себя корчит...

— Я-то тебе никак пригодиться не могу, швеей наняться хочу!

— Она мне и нужна! — возбужденно воскликнула Линда, выруливая на проспект. — Слушай условия. Поскольку ты Васькина родственница, то жить станешь за полцены. Место на выбор, в большой комнате, у окна, но там еще три бабы кантуются, или в чулане, в нем темно, зато только одна софа влезла, хоть тресни, вторую не вперёть!

— Лучше в кладовке, — быстро решила я.

— Мне все равно, — кивнула Линда, — я плачу по завершении работы, вычитаю за жилье и жратву, остальное твое.

Я кивнула.

— Хорошо.

— Вот и поладили! — воскликнула Линда. — Мне тебя сам бог послал, хотела ведь выгнать, когда поняла, что ты заразу принесла, а потом Васька про швею рассказал. Валька, св... Кинула меня, удрапала, деньги у хозяев сама взяла, гадина. Во, приехали! К Самсоновым!

Вклиниться в поток речи Линды было практически невозможно, пока мы шли к квартире заказчиков, я успела узнать, что ремонт на этом объекте закончен, остались некоторые мелочи. Наглая Линда, абсолютно не стесняясь, представлялась хозяевам архитектором-дизайнером и смело бралась за окончательную отделку помещения. Она покупала мебель, ковры, шила занавески. Вот с последними в этой квартире вышла незадача. У Линды работала швея, молчаливая Валечка, ловко управлявшаяся с шелком, парчой и велюром. Линда предполагала отправить ее к Самсоновым, в апартаментах которых завершились работы, «дизайнер» поджидала, пока рукастая Валечка сошьет портьеры на окна в коттедже на Рязанском шоссе, но неожиданно скромная швея выкинула фортель. Воспользовалась тем, что Линда перестала наезжать каждый день в коттедж, сляпала драпировки не к понедельнику, а намного раньше, еще в субботу, и, взяв у хозяйки гонорар, смылась домой. Линда обозлилась до крайности. Крыса Валечка прихватила не только свои кровные, но и процент, положенный «дизайнерше». А еще она поставила Линду в безвыходное положение. Рита Самсонова хотела праздновать Новый год в обновленной квартире, но без занавесок окна смотрелись голыми, и Маргарита пригрозила Линде:

— Не повесишь до десятого января портьеры — не отдам деньги за отделку, сама виновата, поставила меня в дурацкое положение.

Линда заметалась вспугнутой кошкой, но найти драпировщицу не такое легкое дело. Конечно, можно обратиться в одну из многочисленных фирм, коих нынче словно грибов после дождя развелось, но Линда хочет побольше заработать сама, а не отдавать деньги на сторону. Когда положение стало казаться безвыходным, неожиданно появилась сестра Васи, швея!

— Я думала, ты один денек после болезни слабая будешь, — вещала Линда, таща меня на пятый этаж дома из светлого кирпича, — вот и поехала с утра по объектам. Возвращаюсь к обеду, матерь божья, учапала швейка. Ну и здоровье у тебя, ломовое. Неужели нормально себя чувствуешь?

— Просто прекрасно, — честно ответила я, — может, и не грипп у меня был, просто от стресса в спячку впала.

— Чего же тебя из колеи вышибло? — поинтересовалась Линда, нажимая на звонок.

— С мужем разошлась.

— Он от тебя ушел или наоборот?

— Сам решение принял расстаться, — честно призналась я.

— Нашла из-за чего переживать, — фыркнула Линда, — у меня Вася чудить боится, знает, что мигом по башке сковородкой получит. Имей в виду, мужика бить надо каждый день, даже если он ничего плохого не сделал, для профилактики. Я очень хорошо понимаю, коли Васька гадостей не навалял, значит, он о них думает, замышляет плохое. Здрассти, Маргарита, вот, как и обещала, занавесочки приехали.

Последняя фраза относилась уже не ко мне, а к хозяйке помещения, дородной тетке лет пятидесяти, облаченной в атласный халат.

— Наконец-то, — хмуро ответила та, — а ну, входите.

Я шагнула в просторный зал, служивший в этой квартире гостиной, и ощутила легкую дурноту. Стены тут были оклеены ярко-бордовыми обоями с орнаментом из золотых листьев, с потолка свисала люстра, похожая на миску с сильно взбитой пеной. Потом, приглядевшись, я сообразила, что это не скопище пузырьков, а клубок тонких, светящихся волосинок. Из мебели были белый кожаный диван на золотых лапах, стеклянный журнальный столик и некое подобие буфета с медальонами из начищенного желтого металла, три торшера в виде колонн, огромный телевизор, секретер и еще куча всяких этажерок, в углу маячил бюст, неудачно имитирующий скульптуру, отрытую археологами.

— Красиво, да? — с жаром воскликнула Линда. — Апартаменты решены в стиле «Античная Греция», а чтобы все поняли идею, я поставила в угол фигуру Нерона!

— Но он великий император-тиран, велевший убить свою мать Агриппину, самодеятельный певец и хитрый властитель правил Римом, к Греции он не имел никакого отношения, — выпалила я.

Линда быстро наступила мне на ногу и, увидев, что я захлопнула рот, повернулась к хозяйке.

— Маргариточка, где швея устроиться может?

— Ленка, — заорала Рита, — эй, недотепа, поди сюда! Опять телевизор смотрит, ну сейчас ей мало не покажется.

Возмущенно сопя, хозяйка ушла.

— Слишком ты умная, — воскликнула Линда, — кто тебя за язык тянет! Греция, Рим, какая, на фиг, разница! Клиентка счастлива, и ау! Помалкивай больше, целей будешь. Кстати, где твои инструменты?

— Какие? — удивилась я.

— Ножницы, иголки, швейная машинка...

— А... на вокзале оставила, в камере хранения, — мигом сориентировалась я, — не знала ведь, пустит меня Вася к себе или выгонит, зачем тяжести таскать?

— Понятно, — кивнула Линда, — на Валькиной поработаешь, она свои причиндалы бросила, утекла с бабками, попросила хозяев машинку пока припрятать, только я ее арестовала и сюда перевезла. В общем, начинай!

— Что?

Линда покачала головой:

— Сразу видно: родня вы с Васей, оба полудурки. Занавески шить! Ща тебе место освободят, давай, убогая!

Я заморгала. В принципе, я не боюсь никакой работы, те, кто не первый раз встречается со мной, хорошо знают, что, прежде чем стать писательницей Ариной Виоловой, госпожа Виола Тараканова перепробовала кучу профессий: бегала с ведром и тряпкой, моя полы и лестницы, преподавала детям немецкий язык, служила репортером в журнале.

Я считаю, что любой труд почетен, если работаешь честно, но вот шить не умею совсем. В школьные годы в моем дневнике среди сплошных пятерок имелась лишь одна тройка, по рукоделию. Все другие девочки в конце концов научились мастерить фартук, нарукавники, ночную сорочку и юбку в складку, я же постоянно кололась иголками и путалась в нитках, даже пришить пуговицу для меня невыполнимая задача, ну какого черта мне в голову пришла гениальная идея назваться портнихой. Хуже только было представиться парикмахером!

Пока я пыталась справиться с ужасом, Линда развила кипучую деятельность. В комнату притащили два рулона ткани, машинку, ножницы, коробку с иголками и нитками.

— Кроить можно на полу, — разрешила Маргарита, — и имей в виду, домой не уйдешь, пока не сошьешь шторы на это окно, мне надоело голое стекло видеть.

— Не сомневайтесь, — заверила ее Линда, — до утра просидит, а работу выполнит. Эй, Ольга! Ау, не слышишь?

— Да, — спохватилась я, вспомнив, что мое имя Оля.

— Дверь я запру, — деловито пообещала Линда, — захочешь в туалет, позовешь хозяйку.

Не успела я издать и звука, как створка захлопнулась, в скважине заворочался ключ. Госпожа Тараканова осталась наедине с кусками материи.

Глава 11

Первой моей эмоцией был ужас. Мама родная, что делать? Честно признаться в неумении шить невозможно, Линда с позором выгонит меня вон, и куда идти? Потом, слегка успокоившись, я вспомнила мачеху Раису и часто произносимую ею поговорку: «Глаза боятся, а руки делают» — и приступила к работе.

Ну и ничего особенного, сейчас отмерю нужную длину, отрежу необходимое количество материала, пришью колечки, и все, нечего бояться.

Рулонов с тканями оказалось два, один большой: парча золотого цвета, другой маленький: ярко-бордовый шелк. Наверное, первая ткань предназначалась для основных полотнищ, а вторая на отделку.

Насвистывая, я отмотала ленту парчи и решила определить высоту потолка. Схватила сантиметр, влезла на стремянку и приложила край измерительной тесьмы к потолку, второй конец повис в воздухе, не доставая до пола.

Отругав себя за несообразительность, я слезла с лестницы, придвинула ее к стене и повторила операцию, приметила место, где заканчивался сантиметр, и потом, сойдя вниз, закончила процедуру, получилось ровно три метра. Страшно довольная собой, я размотала рулон до конца и стала мерить ткань, ее получилось, на мой взгляд, слишком много, следовало отрезать всего два полотна, ну зачем хозяйка купила такое количество парчи? Внезапно в голову пришло понимание: драпировки должны ниспадать красивыми складками, вот для чего «лишние» метры.

Восхищенная собственным умом, я придавила материю стульями и мигом раскромсала ее на две половинки. Кто сказал, что создавать занавески непосильный труд, чик, брык — и готово. Теперь осталась сущая ерунда, пришить колечки, мне даже не понадобится швейная машинка!

Следующий час я пыталась приляпать колечки к противно колючей ткани. Описать мои мучения невозможно. Ну скажите, кому пришло в голову, что ушко у иголки должно быть размером с маковое зерно! И как в него впихнуть нитку? Я решила слегка облегчить себе жизнь, отмотала длинную-предлинную нить, внезапно весьма ловко продела ее в иглу, принялась притачивать очередное кольцо и запуталась. Не скрою, именно в этот момент я чуть не зарыдала от злости, но тут вдруг глаза заприметили на подоконнике коробку скрепок.

Радостное возбуждение охватило меня, в глубоком детстве я, украшая елку, подвешивала игрушки на скрепки, разгибала их, но не до конца, с одной стороны цепляла шарик, а вторую использовала вместо крючка. Кто мне мешает поступить точно так же с колечками?

Напевая от радости, я за пятнадцать минут справилась с нудным делом, потом в ажиотаже взлетела на стремянку, в мгновение ока повесила драпировки, слезла вниз и отошла в сторону, чтобы оценить результат. В принципе, отлично, вот только с длиной получилась промашка, отчего-то занавеска лежала на ковре. Слегка поудивлявшись, я сообразила, где допустила ошибку. Мерила высоту прямо от потолка, но ведь карниз-то повешен ниже!

Ругая себя за глупость, я схватила ножницы и быстренько укоротила одно полотно, потом проделала ту же операцию с другим и вновь отошла к противоположной стене, дабы оценить свои усилия. Просто классно, но левая драпировка короче правой. Нечего расстраиваться, следует взяться за ножницы. Отлично! Однако теперь получилось наоборот. Я снова пощелкала ножницами, а теперь как? Снова неровно. Вспотев, я без конца орудовала лезвиями и остановилась только тогда, когда край несчастной занавески приблизился к середине батареи. Дальше ровнять полотнища было нельзя, иначе они закончатся у подоконника. Ну и пусть слегка кривовато, многие люди и не замечают подобной ерунды, вполне даже ничего, одно некрасиво: из края торчат в разные стороны нитки. Сейчас очень осторожно, не трогая ткань, уберу их.

Но не тут-то было, на месте срезанных ниток откуда ни возьмись появились новые.

И тут в голове возник голос преподавательницы по труду, Тамары Федоровны:

— Тараканова, ну что за гадость ты сшила! Подол у юбки подрубить надо, загнуть и подшить, а не оставлять росомахой болтаться.

Молния озарения пронзила мозг, так вот почему тут стоит машинка. Теперь нужно снять парчу и подшить ей подол, вернее, нижний край.

Абсолютно непосильная для меня задача, потому что я не способна включить агрегат, вот уж здесь никогда не сумею вдеть нитку в иголку. В памяти вновь заворочались осколки школьных знаний, вот Тамара Федоровна вещает, тыча указкой в допотопное изделие советской промышленности:

— Девочки, запомните, катушка ставится на штырек, потом нить проходит сквозь колечко вверху, продевается в регулятор, цепляется за...

Фонтан знаний иссяк, наверное, в этот момент пятиклассница Тараканова мирно заснула или принялась читать под партой очередной роман Жюля Верна, так и не узнав никогда, куда следует вдевать нить, чтобы начать строчить на машинке.

И что прикажете делать? Зарыдать от отчаянья? Ну, это всегда успеется...

Я заметила на том же подоконнике большой степлер. Взвизгнув от радости, я схватила его и ринулась к несчастным драпировкам. Меньше чем за пятнадцать минут проблема оказалась решенной.

Ощущая себя путешественником, который в одиночку, в плавках и ластах добрался до Северного полюса, я обозрела «наряд» для окна и спокойно отметила: в целом вышло недурно, колечки на месте, нитки снизу не торчат и обе половинки одинаковой, ладно, почти одинаковой длины. Но теперь во всей красе встала новая, на этот раз, похоже, совершенно неразрешимая задача — парча заканчивается на уровне верхнего края батареи, она слишком короткая, и длиннее ее не сделать никак.

Я было снова приуныла, но потом стряхнула с себя печаль, столько трудностей преодолела благополучно, неужели споткнусь о ерунду? Между прочим, в моем распоряжении имеется еще рулон шелка. Хозяйка явно намеревалась сделать из него ламбрекен. На мой взгляд, это просто лишний пылесборник, но кое-кто в восторге. И вообще, желание клиента закон! Шелка много, его с лихвой хватит на ламбрекен и на удлинение основной части.

Ровно час понадобился мне, чтобы сделать из окна конфетку. По истечении этого срока я снова обозрела «пейзаж» и пришла в восторг. Занавески из парчи ниспадают складками, сверху ламбрекен из шелка, он же прикреплен при помощи степлера внизу. Длина нормальная, вид восхитительный, можно звать хозяйку, вот только нужно аккуратно собрать обрезки и спрятать степлер со скрепками.

— Мяу, — раздалось за спиной.

Я обернулась, из-под дивана вылезла симпатичная белая кошечка.

— Мяу, — повторила она, — мяу.

— Тебе нравится? — улыбнулась я и наклонилась, чтобы погладить Мурку.

Обычно животные не шарахаются от меня, понимая, что ничего дурного я им не сделаю, но эта киска оказалась чрезмерно нервной.

Пугливо вздрогнув, она вскочила на стол.

— Эй, уходи, — велела я, — нельзя безобразничать.

Кошка зашипела и перелетела на сервант, скинув по дороге железный подсвечник. Жуткая вещица, позолоченная, как и все предметы интерьера комнаты, с громким звоном покатилась по полу. Звук испугал животное еще больше, оно резко присело, прижало уши к голове, затем, легко оттолкнувшись всеми лапами, прыгнуло на занавеску и вцепилось в шелк.

— Стой! — завопила я.

Киса свалилась с драпировки, пытаясь удержаться, она выпустила когти и изодрала часть ламбрекена в клочья. Вот теперь мне стало по-настоящему плохо, ткани-то больше нет.

— Оля, — постучала в дверь хозяйка, — все хорошо?

Я хотела бодро воскликнуть: «Да», но язык прилип к гортани. Мерзкая кошка, услыхав голос хозяйки, распласталась камбалой и юркнула под сервант. Эвакуацию она проделала молча, испарилась так, словно ее и не было.

В скважине заворочался ключ, поняв, что Маргарита сейчас войдет сюда и вспыхнет вселенский скандал, я попыталась кое-как исправить положение. Пока хозяйка открывала дверь, я успела вскочить на лестницу, замотать кое-как за карниз кусок изуродованного шелка и снова очутиться на полу.

— Что у вас случилось? — озабоченно спросила Маргарита. — Отчего шум стоит, вы с лестницы упали?

— Нет, — заулыбалась я, — подсвечник свалила, уж извините.

— Ерунда, — отмахнулась Рита, — железка не стеклянная. Долго вам еще работать?

— Все уже!

— Да ну! — обрадованно восхитилась Маргарита и стала приглядываться к занавескам.

Я внимательно следила за ее медленно вытягивающимся лицом и, когда щеки Риты стали краснеть, перепугалась окончательно, но тут на пороге появилась Линда и быстро поинтересовалась:

— Нравится? Это называется... э... «Рассвет в Греции».

— Ага, — растерянно кивнула Рита.

— Понимаете, можно было просто повесить занавеси, ну такие, самые обычные, — жестикулировала Линда, — без затей, мещанский вариант: две тряпочки и ламбрекен. Но вы, похоже, женщина с утонченным вкусом, в вашей гостиной подобный ляп неуместен.

— А-а-а, — протянула Рита.

Поняв, что хозяйка пока не собирается бить меня, я расслабилась, а Линда, очевидно, ощутила прилив вдохновения, потому что затараторила со скоростью взбесившейся кофемолки:

— Идея оформления окна проста: победа дня над ночью или, если хотите, возьмем шире, торжество света над тьмой. Видите парчу?

— Ну...

— Это Солнце, а шелк олицетворяет тучи. Ясный луч поднимается из тьмы и вновь уходит в нее, это яркий философский текст, попытка объяснить окружающим: жизнь полосатая, она состоит из чередования добра и зла. Вы ведь такую идею выразили, объясняя мне свое виденье оформления окна?

— Я? — вздрогнула Рита.

— Ну да, я еще подумала, наконец-то встретился клиент, который готов к пониманию сути вещей, а не желает просто обвеситься тряпками. Окно — это выход в мир, а занавески — образец ощущения действительности, квинтэссенция дизайна, аура помещения, инь и ян кубатуры, смысловая нагрузка, концептуальная вещь.

— Э... э...

— Именно так! Опять вы правы, это элемент вашего дао!

Маргарита стушевалась, потом пролепетала:

— Вообще-то здорово, а почему ламбрекен за карниз замотан?

— Это показывает окружающим, что зло конечно! Ваше окно эксклюзивная вещь, созданная лучшим дизайнером Москвы, Оля...

Я вздрогнула.

— ...лауреат многих престижных премий, — безостановочно тарахтела Линда, — она имеет золотые ножницы, платиновый наперсток и... и... еловую ветвь на Каннском фестивале.

— Надо же, — с уважением глянула на меня Рита.

— Я с трудом уговорила ее у вас поработать, Олечка нарасхват.

— Спасибо, Линда.

— Так вам нравится?

— Супер! Очень модно.

— И многофункционально, — защебетала Линда, — захотите, низ отстегнете, останутся короткие занавески, перемотаете ламбрекен — иной вид получите, главное, есть место для фантазии, когда расплачиваться будете?

— Прямо сейчас, — выпалила Маргарита.

Линда вытащила из сумочки блокнот, нацарапала в нем пару строк и подала хозяйке.

— Вот чек.

— Вау, отчего так дорого? — вздрогнула Рита.

— Сами должны понимать, что обладателя еловой ветви в Каннах за две копейки не позвать, — отрезала Линда.

— Ну да, верно, — бормотнула Маргарита и ушла.
Линда пихнула меня кулаком в спину:

— Иди, убоище, одевайся.

Очутившись в машине, я ехидно сказала:

— В Каннах проводится кинофестиваль, человек, шьющий драпировки, никак не может получить там пальмовую ветвь, а уж еловую и...

— Молчи лучше, — вздохнула Линда, — умная больно, про Нерона все знаешь, а руки к заднице приделаны. Ты хоть раз дело с драпировками имела?

— Нет, — решилась признаться я.

— Зачем тогда набрехала? И чем до сих пор занималась?

— Пи... — начала было я и тут же замолчала.

Сообщить правду про написание детективных романов просто невозможно.

— Что «пи»? — ухмыльнулась Линда. — Пила горькую?

— Никогда, — возмутилась я, — разве я похожа на алкоголичку? Преподавала немецкий язык детям.

Линда стукнула кулаком по рулю.

— Так какого хрена наврала?

Я опустила голову.

— В Москве без меня репетиторов тьма, я думала, занавески строчить дело нехитрое, вот и решила попробовать. Ловко ты с Ритой справилась! Она уже собралась скандал закатить.

Линда улыбнулась:

— Главное, подход к клиенту найти! Ритка селедкой торгует и страшно хочет умной казаться, боится в собственном невежестве расписаться. Я ей кучу барахла впарила, имею процент от одного мебельного магазина, если мой клиент у них, допустим, шкаф берет, мне копеечка капает, вот я и придумала про Древнюю Грецию, с Нероном, правда, лажанулась, но не беда. Ритка ничего не поняла.

Глава 12

Утром я проснулась от вопля:

— Ольга!

Не успев раскрыть глаза, я села на раскладушке.

— Дрыхнешь? — осведомилась Линда. — Собирайся, я нашла тебе работу. Сейчас отвезу бригаду на объект и за тобой вернусь. Ау, усекла?

Высказавшись, Линда исчезла, я подождала пару минут и слетела с кровати. Так, я молодец, несмотря на шок при виде любовницы Олега на нашем семейном ложе, я даже швырнула в мерзкую бабу флакон с клеем. Но при этом, находясь почти в отключке, прихватила деньги из ящика и лекарство от зубной боли. В кошельке теперь водятся рублики, никакая работа мне не нужна. Сейчас надо поторопиться и бежать к Розе, пока Линды нет.

Увидав меня, Роза покраснела и быстро шепнула:

— Подожди во дворе, сейчас выйду.

Пришлось покорно маячить на территории, утыканной грибками и песочницами. Наконец Башметова выскочила на улицу, прямо в тапочках и без верхней одежды.

— Их трое было, — затараторила она, — вот список, держи, надеюсь, это все?

— Да, — кивнула я, выхватила бумажку и уставилась на текст. «Емельянова Лилия, Кожухова Альбина, Туманян Лиана», далее указаны их телефоны.

Слегка поразмыслив над ситуацией, я пошла по

улице, сейчас надо найти большое офисное здание, с охраной и бюро пропусков.

Минут через пять я наткнулась на красивую башню из стекла и бетона, вошла внутрь и с самым спокойным видом приблизилась к турникету.

— Ваш пропуск? — лениво спросил охранник.

— Ой, а он нужен?

— Конечно.

— А где взять?

— Если заказан, то вон там, в окошечке, — приветливо ответил секьюрити.

— Думаю, мне не сделали пропуск.

— Позвоните и попросите, пусть закажут, телефоны на стене.

— У меня нет местного номера!

— Там и городской висит, бесплатный.

Я кивнула и пошла к таксофону. Молодец, Виола, правильно рассчитала, солидные фирмы для удобства клиентов, как правило, устанавливают неподалеку от поста охраны городские телефоны. Все складывается удачно. Ну, с кого начать? Кто там первый?

Я набрала номер.

— Алло, — раздался тихий голос.

— Здравствуйте, можно Лилю Емельянову?

— Хозяев нету.

— Ой, вот незадача! Простите, а вы кто?

— Няня, с девочкой их сижу.

— Вау, у Лилечки ребеночек родился! — радостно воскликнула я.

— Да, — ответила женщина, — Люсенька.

— Очень здорово! Понимаете, мы с Лилей дружили, но потом я уехала за границу и связь прервалась, значит, она вышла замуж.

— Да, — без тени раздражения ответила няня, — и дочку родила.

— Как вы думаете, если я подъеду позднее, ближе к вечеру, застану Лилю?

Няня замялась:

— Знаете, сегодня лучше не надо.

— Но почему? У меня всего два дня в Москве, хотелось поболтать, отдать подарки.

Собеседница закашлялась:

— Ну... ладно, сейчас объясню. У Лилиного мужа вчера умерла жена.

— Какую-то глупость вы говорите, — протянула я.

— Звучит по-идиотски, — согласилась няня, — я неточно объяснила. Супруг Лилечки был ранее женат, на Марине. Потом они развелись, и Виктор Семенович сошелся с Лилечкой, ясно?

— В общем, да.

— Марина спустя некоторое время тоже вышла замуж, — продолжала няня, — влюбилась в парня значительно моложе себя, тот оказался наркоманом. Виктор Семенович переживал, конечно, что у прежней супруги теперь такой супруг, но Марина так в юношу влюбилась! Ну и результат? Скончалась от СПИДа. Что Лиля пережила, страшно сказать! Она беременная ходила, а Марина в клинику угодила, какая-то ураганная форма болячки, очень быстро женщину съела. Виктор Семенович, святой человек, все расходы на себя взял, Лилечка к Марине ездила, еду мы готовили, только бывшая супруга в идиотку превратилась, разум потеряла. И вот, слава богу, умерла, освободила всех. Уж извините, им сейчас не до гостей.

— Понимаю, конечно, — пробормотала я и повесила трубку.

Емельянову можно смело вычеркивать из списка. Весь мой расчет опирается на простые размышления: Асю убила женщина, одетая в костюм Снегурочки, и, скорей всего, это одна из бывших жен тех мужчин, которые бросили их ради забеременевшей любовницы. Узнав каким-то образом, что Ася поспособствовала разрыву, дама пришла в неистовство и решила пристрелить Локтеву. Почему ее, а не саму разлучницу? Ну, не знаю! Другой версии у меня нет!

Только Лиля Емельянова ухаживала за Мариной, а та, по рассказу няни, была тяжелобольным, потерявшим разум человеком, такому не под силу замыслить и совершить убийство.

Я набрала следующий номер.

— Слушаю, — послышался девичий голос.

— Это квартира Туманян?

— Нет, дорогая, — с легким акцентом ответили с другого конца провода, — Тевекелян.

— Извините.

— Ничего.

— Можно Лиану?

— Лиану?

— Ну да.

— Так они уехали, вместе с Арамом.

— Куда?

— Во Францию, Арамчика пригласили в оркестр, сначала ненадолго, но, думаю, они совсем там осядут.

— Значит, укатили... вот незадача.

— Кто вы и зачем ищете Лиану?

— Я первая жена Арама, — принялась я врать, — и... Девушка рассмеялась.

— Глупо шутишь, мой брат до Лианы женат не был, когда ему успеть, молодой совсем, едва восемнадцать стукнуло. Он бы и с Лианой в ЗАГС не пошел, только ребеночек у них случился, пришлось расписываться. Так зачем тебе Лиана?

— Наверное, я не туда попала...

— Вероятно, всего тебе хорошего, — пожелала собеседница и отсоединилась.

Я в задумчивости покосилась на телефон. Так, пожалуй, и тут пустой номер. Хитрая Лиана ни у кого не отбивала Арама, просто решила во что бы то ни стало женить парня на себе, используя старую, как мир, уловку — «залет». Но, видно, забеременеть сразу от возлюбленного не получилось, а время поджимало, Арам собирался на работу за границу, ну и пришлось прибегнуть к услугам Ильяса. Интересно, каким образом все эти женщины находили Асю? Вряд ли они рассказывали потом кому-либо о «донорских» услугах.

Глубоко вздохнув, я набрала третий номер и услышала дребезжащий старушечий голос:

— Але.

— Здравствуйте, можно Альбину?

— Кого?

— Альбину Кожухову.

— Тут такая не проживает.

— Вы уверены?

Старушка кашлянула:

— Деточка, если мне сравнялось восемьдесят лет, это еще не означает, что я полностью выжила из ума.

— И Альбина здесь не бывала?

— Вы имеете в виду неприятную особу, бывшую временно нашей родственницей?

— Да, — согласилась я, — Альбину Кожухову.

— Мой сын с позором выставил обманщицу вон, — каменным голосом возвестила старушка, — нам крайне неприятно упоминание об этой, с позволения сказать, женщине. Она убралась прочь, уехала.

— Не знаете куда?

— Понятия не имею, и слава богу.

— Видите ли, я из женской консультации, районный терапевт Ольга Тарасова.

— Очень приятно, — интеллигентно ответила старушка, — я Мария Степановна.

— Извините, что беспокою.

— Ерунда, ничем особым я не занята.

— Альбина Кожухова оставила этот телефон в качестве контактного.

— Вычеркните его, она съехала.

— Да, но понимаете, я попала в сложную ситуацию, помогите мне, пожалуйста!

— Попытаюсь, если объясните суть проблемы.

— Альбина Кожухова встала в нашей консультации на учет.

— Так.

— По беременности.

— Понятно.

— Но потом исчезла.

— Ясное дело.

— Теперь главврач от меня ответа требует: что с женщиной? Никаких отметок в карте нет, ни о том, как она донашивала ребенка, ни о родах, Кожухова испарилась. Я сейчас решила сменить место работы, но меня не отпускают из консультации, пока все истории болезни в порядок не приведу. Поэтому сделайте одолжение, если знаете местонахождение Кожуховой, сообщите мне. Ничего от нее особенного не надо, лишь карту дооформить.

Мария Степановна тяжело вздохнула:

— Ну что вам, дорогая, ответить? Кожухова аферистка, она вышла замуж за Володю пять лет назад. Сын тогда был на коне, владел вполне успешным бизнесом, небольшим, но стабильно приносящим доход. Другая женщина радовалась бы, вела дом, заботилась о муже, но Альбина оказалась иной. Она свиристелка, предпочитавшая совершенно не думать о хозяйстве. Прибежит, съест приготовленный мной обед и к подружкам или на танцульки. Даже посуду в раковину не уберет. А уж неряха! Расшвыривала повсюду нижнее белье без стеснения, в ванной набрызгает — пола не вытрет. Но я молчала, спокойно порядок наводила и в свою комнату уходила. В конце концов, Володя сам себе судьбу выбрал, моего мнения не спрашивал.

Может, Володя с Альбиной и прожили бы вместе много лет, большое количество мужчин терпит дома плохих хозяек, но некоторое время назад бизнес мужа начал спотыкаться и в конце концов рухнул. Из хозяина фирмы Володя превратился сначала в безработного, а потом в наемного служащего с небольшим окладом.

Мария Степановна не ругала сына, она, вдова военного, помотавшаяся в свое время по гарнизонам, привыкла стойко переносить трудности, а вот Альбина стала выражать недовольство. В семье начались скандалы, градус бесед накалялся, и в конце концов Альбина объявила:

— Ухожу от вас!

Володя страшно переживал, уход жены он воспринял как предательство. Мария Степановна, видя мучения сына, решила поговорить с невесткой и тайком от Володи поехала к Альбине домой.

Представьте себе удивление пожилой дамы, когда Альбина встретила свекровь... беременной. Живот был небольшой, но вполне заметный. Мария Степановна всплеснула руками:

— Так вот почему ты в последние месяцы так нервно себя вела! Деточка! Скорей собирайся!

— Куда? — противно прищурилась Альбина.

— Так домой, к нам.

— Я живу здесь!

Свекровь сокрушенно покачала головой: ох уж эта молодежь, никакого ума!

— Ну, повздорили, — зажурчала она, — пожили некоторое время врозь, всяко случается, и мы с Петром Сергеевичем один раз расплевались. Хватит упираться, поехали, мой ангел, Володечка счастлив будет.

— С какой стати Владимиру радоваться? — продолжала кривляться Альбина.

— Он мечтал стать отцом!

— Ну вряд ли Володя испытает особое счастье, — засмеялась Альбина, — ваш сын не может иметь детей, мы ходили к врачу и установили сей факт точно.

— Но ты беременна, — попятилась свекровь.

— Верно, — кивнула Альбина, — только на земле, кроме вашего драгоценного чада, имеются еще мужчины. Я нашла другого супруга, он хорошо обеспечен, в отличие от Володи не неудачник, и мой ребенок от него. Вы меня тут случайно застали, я давно живу за городом, в коттедже. Более сюда не катайтесь, квартира будет сдана, документы на развод поданы. Чао-какао! Слава богу, мой будущий муж не имеет никаких родственников: ни мамы, ни сестры, ни бывшей жены. Знаете, как вы мне надоели? До смерти!

— Больше мы с ней не сталкивались, — спокойно закончила рассказ Мария Степановна, — никаких сведений об Альбине и ребенке я не имею. Впрочем, что господь ни делает, все к лучшему, Володечка встретил Настеньку и сейчас счастлив. Такая замечательная девочка...

Из уст Марии Степановны полились хвалебные речи, я с тоской слушала старуху, изредка бормоча:

— Да, да, да.

Снова вытащила пустышку, никаких бывших обиженных жен нет. Одна нашла себе богатого и сумела привязать его посредством ребенка, другой женился вновь.

Я медленно повесила трубку на рычаг. Да, я бежала не в том направлении. Но ведь кто-то убил

Асю! Значит, был зол на нее, или Локтева мешала какому-то человеку. Ее не ограбили на улице, она не упала под трамвай, кончина Локтевой не случайная трагедия, а тщательно срежиссированный спектакль, так кто поставил его? И почему?

Загребая сапогами грязь, я побежала к метро, надо немедленно ехать на квартиру к Асе, ее соседка, Вера Ивановна, обронила в разговоре со мной фразу:

— Та еще штучка Ася была, вспоминать все неприятности неохота.

Значит, она знает нечто про Локтеву! Только бы милая старушка не была пьяной!

Глава 13

От Веры Ивановны исходил достаточно крепкий запах спиртного, но глаза ее сохранили ясность, а речь твердость.

— Здрассти пожалуйста! — воскликнула она, увидав меня на пороге. — Чего пришла?

— Поговорить надо.

— О чем же?

— Об Асе!

Вера Ивановна покачала головой:

— Больно ты настырная! Нету больше соперницы! Живи себе счастливо, забудь все. Я же тебе посоветовала, съезжай в другой район!

— А почему вы решили, будто Ильяс любовник Аси? — воскликнула я.

— Поздно ты ситуацию прояснить решила, — уперла руки в бока бабка, — ступай с богом или с чертом, уж не знаю, с кем дружить предпочитаешь. Не о чем нам судачить.

— Вы ошибаетесь.

— Иди, иди, голова у меня болит.

— Наверное, не следует много пить, — резко сказала я, — алкоголь опасная вещь, а в вашем возрасте особенно! Запросто удар хватить может!

Вера Ивановна взбеленилась.

— Ты меня не пугай, — гаркнула она, — ишь, умная! Сообразила, что всю правду про тебя знаю, и решила меня порешить? Не получится, я...

— Меня зовут Оля, — перебила я старуху.

— И что? — удивилась та.

— Не Роза Башметова, а Оля Тарасова.

Вера Ивановна уставилась на меня круглыми глазами.

— Не понимаю.

— Ничего особенного, — улыбнулась я, — вы просто слегка перепутали, я не имею никакого отношения к Ильясу и не убивала Локтеву из ревности.

Бабка, казалось, начала трезветь.

— Да?

— Честное слово.

Вера Ивановна шумно вздохнула.

— Зачем тогда сюда шляешься?

— Ищу ту, которая застрелила Асю.

— Из ментовки ты, — отшатнулась старуха, — ну и ну! Как же я так лажанулась!

— Вот опять вы делаете неправильные выводы, — спокойно продолжала я, — я не имею ни малейшего отношения к людям в форме. Правоохранительные органы подозревают в совершении преступления мою близкую родственницу, абсолютно невиновного человека, поэтому я решила сама найти убийцу, понимаете?

Вера Ивановна закашлялась, запах спиртного усилился.

— Можно мне войти? — попросила я.

— Ну давай, — разрешила бабка. — А почему ты считаешь, что твоя родственница ни при чем?

Я помялась немного и изложила бабке правду,

про то, как сидела в ванной, а потом вышла и нашла Асю на полу.

Вера Ивановна вытаращила глаза.

— Ничего не помню, плохо мне было в тот день! Аську Катька нашла! Ты к Башметовой сходи!

— Она ни при чем!

— Как же, — затрясла нечесаной головой бабуся, — Ильяс тут частенько бывал. Прибежит днем, когда Розка на работе, и к Асе в комнату шмыг. Сидят там запершись, тишина стоит! Чем они, по-твоему, занимались? В лото играли?

— И долго он так ходил?

Вера Ивановна пожевала нижнюю губу.

— Ну... Не скажу. Аська его точно надумала увести, вот понять не могу — зачем? Красивый, правда, слов нет, такая конфета мармеладная, и на мужика не очень похож, смазливенький, глазки сладко блестят. Мне подобные прынцы никогда не нравились, сам улыбается в лицо, а отвернешься, ножик в спину воткнет! Слишком вид у него приветливый, или я непонятно объяснила?

Я пожала плечами:

— Встречала таких, шакал в шоколаде.

— Во, — подняла вверх палец бабка, — точно! Ладно, потолковать нам надо, пошли на кухню. Дома нет никого, девки на работе.

Я вошла в пятиметровую кубатуру и отметила, что ни бабушка, ни внучки не очень-то себя домашним хозяйством утруждают. Похоже, тут с Нового года никто не мыл посуду и не выносил помойное ведро. На столе громоздились лотки из-под готовых салатов и батарея вскрытых банок из-под джин-тоника и прочих отвратительных коктейлей.

— Чайку глотнешь? — радушно предложила старуха.

— Нет, — быстро сказала я, — спасибо.

— Не стесняйся, — подбодрила меня Вера Ивановна, пытаясь найти чистую чашку, — не объешь нас, внучки хорошо зарабатывают!

— Просто не хочется, — сопротивлялась я, глядя, как Вера Ивановна спокойно опускает пакетик с заваркой в кружку, на краях которой виднелся след розовой помады.

— Ну пусть постоит, — настояла на своем хозяйка.

— Так почему вы решили, что у Ильяса и Аси роман? — решила я вернуть разговор в нужное русло.

Бабка усмехнулась:

— Говорила же, запрутся и молчат. Чем занимались! А? Вот только я никак скумекать не могла, ну зачем ей этот сироп нужен? Аську всегда деньги интересовали, а Ильяс на богатого не походил. Нет, сам чистенький, рубашонка свежая, ботиночки блестят, но денег больших не имел, никогда ничего не приносил — ни цветов, ни конфет, ни вина...

— Вера Ивановна, — перебила я старушку, — а кто, кроме Розы Башметовой, мог желать смерти Асе?

Вера Ивановна взяла одну из банок, потрясла ее, потом вылила в рот остатки смеси и спокойно ответила:

— Ох, много бы их нашлось! Начну перечислять, пальцев не хватит. Накуролесила Аська, назапутывала узлов, хотя это она в мать пошла, в Веронику, покойницу. Вот та пройда была страшная, но, в отличие от Аськи, умная, своего не упускала, головой думать умела, не только нижним этажом пользовалась, но и мозгами шевелила. Окрутила Марка Матвеича и потом в масле каталась! Уж Луиза Иосифовна, наверное, злилась, а толку? Кабы у нее потом сын не появился...

У меня закружилась голова.

— Вера Ивановна, миленькая, — взмолилась я, — сделайте одолжение, объясните понятно, кто такой Марк Матвеевич?

— Муж Луизы Иосифовны.

— А Вероника?

— Мать Аськи, она ее от Марка и родила! Ладно, слушай внимательно, попытаюсь все по полочкам рассовать, — пообещала Вера Ивановна. — Ты чаек пей, а я болтать начну.

Рассказ потек плавный, и через некоторое время я и впрямь разобралась в ситуации.

Вера Ивановна получила в свое время часть этой квартиры от завода, конечно, в коммуналке жить плохо, но если выезжаешь из деревянного барака с системой по принципу «на тридцать комнат всего одна уборная», то придешь в эйфорическое состояние. Не видать бы Вере Ивановне такого счастья, да несчастье помогло. Ее дочь вместе с зятем погибли во время аварии, произошедшей на предприятии. Дирекция, чтобы хоть как-то замять дело, мигом перевезла Веру Ивановну с двумя крошечными внучками на новую жилплощадь, грубо говоря, откупилась квадратными метрами. Если честно, то Вера Ивановна не слишком и горевала. Молодые любили заложить за воротник и могли даже поколотить мать. Пока Коля и Света были живы, Вера Ивановна боялась рот раскрыть, за каждое не к месту сказанное слово ей доставались тычки. Да и надежды вылезти из барака не было совсем, заработанные средства молодые пропивали, а на производстве бесплатно квартиры давали только тем, кто ударно работал. А тут такая радость: и мучители сгинули, и комнаты свои получила.

В соседках у Веры Ивановны оказалась веселая Вероника, безмужняя мамаша, ее дочке Асе было чуть меньше лет, чем внучкам одинокой бабушки. Сначала Вера Ивановна недоумевала: ну с какой стати Вероника, ничем не примечательная сотрудница заводской лаборатории, огребла себе целых две комнаты в доме, но потом поняла, в чем дело.

С виду Ника казалась глуповатой простушкой, ни о чем, кроме новых нарядов, и не думавшей, с Верой Ивановной она подружилась сразу и частенько просила ту:

— Слышь, бабушка, пригляди за Аськой, меня опять в ночную смену поставили!

Но Вера Ивановна работала на том же заводе и очень хорошо понимала, на какую работу собралась просидевшая полвечера в ванной Ника, по цехам предприятия тихой змеей ползал слушок: главный конструктор завода, человек более значимый, чем сам директор, благоволит к Нике, и именно благодаря протекции Марка Матвеевича она и получила комнаты в отличных хоромах.

Вера Ивановна в дела своей соседки не вмешивалась, помощь оказывала ей охотно и никогда не судачила с другими бабами о Нике. Местные кумушки пытались допрашивать Веру Ивановну, но та лишь равнодушно пожимала плечами:

— Живем спокойно, она дочку растит, я внучек, не о чем и толковать, все как у людей.

И это было неправдой. Ника имела намного больше других. Раз в неделю, по вечерам, где-то после одиннадцати, она притаскивала домой продуктовый заказ и весело говорила бабке:

— Давай дели на всех.

Открыв в первый раз коробку, Вера Ивановна ахнула, там лежали такие вкусности! «Докторская» колбаса отличного качества, не толстый, синий, осклизлый кусок, а ровненький, розовый батончик с замечательным ароматом, остродефицитный по тем временам растворимый кофе импортного производства, сыр, гречка... Много чего недоступного для простого человека было в той коробочке.

— Где ж ты взяла такое? — не утерпела Вера Ивановна.

— Ешь и не спрашивай, — улыбнулась Ника.

А еще у соседки неожиданно появлялись деньги, на заводе получку давали пятого и двадцатого. Иногда, числа тридцатого, Ника спрашивала:

— Бабусь, десяточкой не выручишь?

Вера Ивановна, откладывавшая часть заработанного, вынимала купюру, а через день Ника аккуратно возвращала одолженное. Оставалось лишь удивляться, где она разбогатела, до зарплаты еще требовалось дожить.

Сложив вместе все слагаемые, Вера Ивановна поняла: Марк Матвеевич крутил «амуры» с хорошенькой лаборанткой, а когда на свет появился плод любви, не открестился от Аси, начал содержать любовницу с дочерью. Конечно, женатый конструктор поступал нехорошо, но никакого желания осуждать Веронику Вера Ивановна не испытывала, и довольно скоро женщины стали добрыми подругами. Ника охотно делилась с соседкой мелкими проблемами и радостями, но никогда не касалась темы отцовства дочки.

Когда Асе исполнилось девять лет, по заводу быстрой птицей пролетела совершенно сногсшибательная весть: жена Марка Матвеевича, Луиза Иосифовна, дама не первой молодости, беременна. Главный конструктор не скрывал своей радости и охотно рассказывал о том, что его супруге очень давно был поставлен диагноз: бесплодие, поэтому кое-какие физиологические изменения в своем организме дама приняла за очень рано начинающийся климакс и по врачам ходить не стала, но потом, когда у нее неожиданно начал расти живот, Луиза Иосифовна испугалась, сбегала-таки к гинекологу и была ошеломлена: ей предстояло вскоре произвести на свет ребеночка.

Завод, на котором трудился Марк Матвеевич, был оборонный. Вера Ивановна, простая уборщица, в конструкторское бюро допущена не была. Более того, там убирали особо доверенные люди, а черновики чертежей и записей жгли в специальной печке. Ясное дело, Вера Ивановна и помыслить не могла, что всемогущий конструктор знает ее, скромную работницу ведра и швабры. Да и не сталкивались они никогда, в местную столовую Марк Матвеевич не заглядывал, а в цех входил в плотной толпе клевретов, его всегда сопровождали начальник смены, старший мастер...

Представьте изумление Веры Ивановны, когда однажды она бежала за моющим порошком и была остановлена Марком Матвеевичем, который в гордом одиночестве стоял в укромном коридоре, ведущем к складу.

— Вера Ивановна, — сказал он, — подожди!

— Вы мне? — пролепетала в страхе поломойка.

— Тебе, тебе, как дела?

— Хорошо, спасибо, — в полуобморочном состоянии ответила уборщица.

— Хочу тебя об одолжении попросить, — сурово сказал конструктор, — вот, передай Веронике!

С этими словами Марк Матвеевич вынул из кармана толстый конверт и сунул его в ладонь Веры Ивановны. Она не успела вымолвить и слова, как генеральный конструктор в прямом смысле этого слова провалился сквозь землю.

Вера схватилась за стену, потом, встав на колени, стала внимательно изучать плитку, которой был устлан коридор, и сообразила, что в одном месте, том самом, где только что стоял Марк Матвеевич, оборудован люк. На оборонном заводе имелось много тайн, о некоторых, типа особой ветки метро, подведенной к предприятию, знали практически все, о других — лишь очень ограниченный круг людей, о третьих, похоже, только Марк Матвеевич и директор.

В тот день Вера испытала еще один шок. Придя домой, она передала письмо Нике.

— Это что? — воскликнула соседка.

Вера Ивановна деликатно опустила глаза.

— Марк Матвеевич...

Договорить она не успела, всегда приветливая Ника швырнула конверт и заорала:

— Зачем взяла? Верни ему назад!

Белый прямоугольник шлепнулся на линолеум, открылся, на пол высыпались купюры, все сотенные, было их так много, что Вера Ивановна, никогда не ходившая в церковь, перекрестилась. Похоже, в скромном конвертике находилось несколько тысяч рублей, просто огромная сумма.

— Немедленно унеси это! — взвизгнула Ника.

— Куда? — заблеяла Вера.

— Верни подонку! Голову мне морочил, любимой называл, потом струсил, — заплакала Ника, — обещал нас содержать — и что?

— Ведь он не нарушил обещания, — неожиданно заявила Вера Ивановна, — квартиру тебе дали!

— Коммуналку! Сам в пятикомнатной со своей сукой живет.

— У других и комнат нету, в бараке обретаются, — попыталась вразумить обезумевшую Нику Вера Ивановна, — смотри, сколько квадратных метров на двоих имеешь! Еще паек, деньги, грех жаловаться.

Ника упала на диван.

— Я думала, он на мне женится из-за Аськи, Марк все твердил, что она его единственный ребеночек, а теперь! Луиза мальчишку родила!

— Когда? — подпрыгнула Вера Ивановна.

— Позавчера, — шмыгнула носом Ника, — здорового, только мелкого. Аська три пятьсот была, а этот до двух кило не дотянул, может, помрет?

— Что ты несешь! — возмутилась Вера. — Разве можно ребенку смерти желать?

— А нас бросать можно? — подняла голову Ника. — Вон, с тобой деньги передал, знаешь почему?

Вера Ивановна развела руками, а Ника зло сказала:

— Потому что не успели ему про сына сообщить, как он мне позвонил и заявил: «Более общаться не станем, девочку я не брошу, раз в год она будет получать необходимую сумму!»

Ника попыталась образумить любовника и предложила:

— Давай встретимся, там, где всегда, и спокойно обсудим наши дела.

— Не о чем нам говорить, — отрезал Марк Матвеевич, — прощай.

Вся кровь бросилась Нике в голову, и она заорала:

— Так просто меня отшвырнуть не выйдет, пойду к директору и предъявлю дочь, знаешь, что тебе будет? Такой скандал затею, с работы вылетишь!

Марк Матвеевич расхохотался.

— Дура ты, — слегка успокоившись, сказал он, — нашла чем пугать. Кто из нас более ценный кадр: я или ты? Бери деньги и помалкивай, сейчас на заводе режим жесткой экономии ввели, сокращают дармоедов, сидят по десять ртов в одной лаборатории и чаи гоняют.

— Меня выгонят! — ужаснулась Ника. — Подлец! Только попытайся меня вон выставить, мигом про девочку всем расскажу!

— И что?

Ника растерялась.

— Как что? Жена узнает!

— Она не поверит, — решительно ответил любовник. — Кстати, чем ты докажешь, что Ася от меня? Я ее признал? Свою фамилию дал или отчество?

Вероника потрясенно молчала.

— За клевету и к ответу призвать можно, — пригрозил Марк, — но я человек интеллигентный, поэтому давай договоримся: тебя не тронут, работай спокойно, а деньги на Асю станешь получать раз в год. Это все, общения не будет. У меня сын есть, ему такая родня не нужна!

Вера Ивановна спокойно выслушала Нику и сказала:

— Хочешь мой совет?

— Ну? — вскинулась соседка.

— Возьми мзду, потрать ее на девочку, найди себе мужа и заживи назло поганцу счастливо, дай ему понять, что тебе хорошо.

Ника посидела молча, потом встала, аккуратно подобрала купюры и сказала:

— Наверное, ты права, я устрою Марку фейерверк.

Глава 14

Желая отомстить бывшему любовнику, Ника пустилась во все тяжкие. Вера Ивановна только качала головой, глядя на еще недавно тихую соседку. Все выходные у Вероники проходили в гулянках, вечером пятницы она приводила кавалера, каждый раз нового, и устраивала шабаши. Плачущую Асю Вера Ивановна забирала к себе, девочка начала плохо учиться, узнала совершенно ненужную для третьеклассницы лексику и стала походить на маленькую оторву, причем метаморфоза произошла почти мгновенно.

Поскольку внучки Веры Иввановны и дочь Ники учились в одной школе, то очень скоро старушка стала узнавать, что Ася прогуливает уроки, получает сплошные двойки, а у ее одноклассников начали пропадать деньги и ценные вещи. Призадумавшись, Вера Ивановна решила поговорить с Асей и наткнулась на глухую оборону, ребенок отрицал очевидные факты. «Неуды» в дневнике? Их нет! Учителя врут. Откуда у Аси дорогие часики? На улице нашла, и вообще, ты мне кто? Отстань!

Но Вера Ивановна решила не сдавать позиции и, улучив момент, крепко отругала Нику, закончив проработку соседки гневным высказыванием:

— С собой делай что хочешь, а девчонку не порть!

— Нашлась воспитательница, — взвилась Вероника, — сама-то выпить любишь.

— Лишь в свободное время, — быстро парировала Вера, и впрямь неравнодушная к спиртному, — только я за внучками слежу, они хорошо учатся, а твоя двоечница и воровка.

Ника зло засмеялась:

— Я тоже исключительно в выходные гуляю, но моя Аська, очевидно, в папашу, подлеца, пошла. Вот что, не смей замечания мне делать. Кто неделю назад ужрался и полку в ванной разбил. Я? Ага! Ты! Отвали, я у себя дома нахожусь.

В общем, поругались почти насмерть и прекратили дружеские отношения, правда, до унизительной коммунальной вражды не опустились и сделали правильные выводы. Ника перестала водить домой мужиков, теперь она просто исчезала дня на два, а Вера Ивановна более не использовала кухню для общения с бутылкой, пила в своей комнате и там же укладывалась спать, в коридор выходила трезвая. В квартире воцарилась относительная тишина, и Асе соседка замечаний не делала. Впрочем, девочка тоже взялась за ум, переползала из класса в класс.

Не успела Ася пойти в десятый, как случилось несчастье. Ника по своей привычке отправилась на выходные пить с очередным мужиком и пропала.

Через неделю после исчезновения матери Ася заявила в милицию и мигом была отвезена в картотеку неопознанных тел, одно из них принадлежало Нике. Правду о кончине родительницы Ася так и не узнала, изуродованный труп был найден на рельсах, неподалеку от деревеньки Веревкино, а в крови погибшей имелось некоторое количество алкоголя.

— Очевидно, ваша мать в нетрезвом состоянии шла по насыпи, упала и покатилась прямо под колеса приближающегося поезда, — заявил следователь и закрыл дело.

Вере Ивановне стало жалко Асю, такая молодая, и сирота. Поколебавшись некоторое время, старушка рассказала девушке всю правду про ее отца.

— Где он сейчас, понятия не имею, — произнесла она, — может, по-прежнему на заводе трубит, нестарый еще, мы с ним одного года. Я-то уволилась с работы, в другое место перебралась. А если он на пенсию ушел, его тоже найти нетрудно. Ты сходи, поплачь: дескать, видишь, папа, как жизнь меня шибанула, он и поможет, денег даст. Марк Матвеевич раньше не жадным был и Нике алименты хорошие отстегивал!

— Больно надо, — фыркнула Ася, — сама проживу, без подачек, с пеленок отца не знала, и сейчас не надо!

Вера Ивановна тяжело вздохнула: трудно будет Асе с таким вздорным характером.

Пару лет они жили спокойно, внучки устроились на работу. Ася тоже нашла себе место в детском саду, получала зарплату и «подарки» от родителей воспитанников. Замуж внучки не торопились, кавалеров, не стесняясь бабки, приводили домой, а Вера Ивановна настолько полюбила спиртное, что была довольна, получив очередной «пузырь», опустошала его и уходила к себе спать.

Но потом в одурманенном мозгу старухи закопошились тревожные мысли. Чем занимаются ее внучки вместе с Асей? Почему в доме постоянно толкутся неизвестные бабы и мужики? Чего народ прет к ним косяком?

Встряхнувшись, Вера Ивановна с пристрастием допросила Катьку, старшую внучку, и узнала интересную вещь. Ася, Лена и Катя организовали нечто вроде брачного агентства, устраивают чужое счастье за деньги.

Вера Ивановна остановилась и спросила:

— Поняла?

— В общем и целом да, — кивнула я, — но ничего страшного в подобной деятельности нет, даже благородно сводить вместе одинокие души.

— Одинокие, — нахмурилась старуха, — другим они занимались!

— Чем? — насторожилась я.

— Шахером-махером, — вздохнула старуха.

— Что вы имеете в виду?

Вера Ивановна взяла сигареты.

— Ну, допустим, хочешь ты муженька найти, хорошего, а главное, при деньгах. Или любишь кого сильно, а он женат, как заполучить мужа?

Я посмотрела на старуху.

— Ну... поискать другой объект, мужчин много.

— Это ты так считаешь, — ухмыльнулась старуха, — а другие упрутся рогом и лишь того самого желают зацапать любым путем. Вот мои девки вместе с Аськой всем этим и занимались, мужа с женой разводили и новые парочки составляли. Прикинь, сколько народа их ненавидит. Когда Аську кокнули, я до одури испугалась, ясное дело, кто-то из брошенок постарался.

— Почему же вы милиции правду не рассказали? — возмутилась я.

Вера Ивановна принялась тыкать окурком в консервную банку.

— Так внучки мои, Ленка с Катькой, тоже в деле. Небось контору свою не регистрировали, налоги не платили, понимаешь, чем это пахнет? Я, правда, как тебя увидела, подумала: Роза за мужа отомстить решила! Ну и посоветовала тебе убежать, думала, коли Розку арестуют, она правду про сводниц-разлучниц натреплет, и моих внучек прищучат. Аськи уже нет, чего разбираться, пусть уж Ленка с Катькой зла не получат. Но сейчас вот я поразмыслила...

— Что-то я плохо ситуацию понимаю, — сказала я, — откуда вы про Башметову знаете?

Вера Ивановна принялась трясти банки, стоявшие на столе.

— Пустые, — с обидой констатировала она, — все выжрали. Откуда про Башметову знаю? Так стенки тонкие, сколько раз он Аське говорил: «Розка, сучка, ревнивая до одури, скандалы устраивает, денег хочет и злится». Ну я и подумала... Ох, голова у меня разболелась...

— Где ваши внучки? — резко спросила я.

Вера Ивановна зевнула, было видно, что старухе не хочется продолжать разговор.

— Испугались они, Ленка в Питер подалась, у нее там подруга живет, сказала мне: «Устала очень, поеду отдохну». Во, думает, я дура и ничего не знаю. А Катька тут.

— Позовите ее!

— Тут, в смысле, в Москве, дома ее нету, ты вечером наведайся, около одиннадцати. Только меня не выдавай, скажи, тебе... э... в общем, с Аськой ты договаривалась, к ней пришла, клиентка, ясно? Потряси Катьку, она небось убийцу знает! У них, наверное, список всех баб в наличии.

— И почему вы мне все это рассказали? — не сдержала я удивления.

Вера Ивановна встала.

— Внучек жалко, боюсь за них. Коли Аське баба отомстила, она и Катьке с Ленкой дерьма навалять может. Девки, кстати, сами это поняли и испугались. У нас дома после того дня, как тело Аськи увезли, тишь да гладь стоит, никаких визитеров. Ленка в Питере, Катька смирная ходит. Значит, боятся. А ты убийцу ищешь, найдешь, и нам хорошо, просекла?

Я кивнула.

— Значит, сейчас уходи, — повторила Вера Ивановна, — и возвращайся в одиннадцать.

Дверь в квартиру Линды опять открыла здоровенная бабища, я поднапряглась и вспомнила ее имя.

— Спасибо, Зина.

Домработница кашлянула и гулким басом спросила:

— Ты Ольга?

— Да, — ответила я, стаскивая сапоги.

— Ох и злилась Линда утром, — заквохтала Зина, — хотела тебя в бригаду поставить — глянула, а ты смылась. То-то она орала! Ваське по лбу зафигачила, а мне вон как досталось, гляди-ка.

Перед моим носом появилась расцарапанная рука.

— Линда вас бьет? — изумилась я.

Зина угрюмо закивала:

— Еще как колошматит, чем ни попадя! Ваське сегодня разделочной доской досталось, а мне щеткой для волос, с железными пупырями, больно, однако.

Я молча сняла куртку, можно лишь удивляться, каким образом маленькая, хрупкая женщина оказалась способна справиться с двумя стокилограммовыми тушами.

— Влетит тебе, — бубнила Зина, идя за мной по коридору, — Линда на расправу горячая, оплеух надает.

— Ничего, отобьюсь, — улыбнулась я.

— Ты ща опять уйдешь или дома посидишь? — переменила тему домработница.

— Пока здесь останусь.

— Слышь, Ольга, — попросила Зина, — устала я, сил нет, вся изработалась, пойду прилягу у Васьки на диване. А ты, сделай милость, услышишь, что Линда идет, толкни меня. Хорошо?

— Пожалуйста, мне не трудно.

Зина кивнула:

— Ну и отлично, надо будет, и я тебя прикрою. И где ж пылесос, а? Всегда тут стоял, а ща нету!

— Зачем он тебе? — удивилась я. — Кажется, покемарить собиралась?

Зина хихикнула:

— Поставлю в комнате, Линда по коридору пойдет, а я за шланг схвачусь, навроде убираюсь, поняла?

Я засмеялась:

— Ловко.

— Так она меня прямо заездила, — пожаловалась Зина, зевая, — и все ругается, ругается. Ну, покедова!

Шаркая тапками, она побрела по коридору, а я развернулась и вошла в кухню. Да уж, не похоже, чтобы Зинаида убивалась по хозяйству. В раковине полно грязной посуды, стол покрывает липкая клеенка, со стульев свисают какие-то грязные тряпки.

Обозрев пейзаж, я поколебалась пару секунд,

потом очень осторожно, двумя пальцами взяла почти черные куски ткани и понесла в ванную, скорей всего, бачок для нестираного белья стоит там.

Корзинка, доверху забитая скомканными шмотками, обнаружилась в огромном туалете. Оставалось лишь удивляться фантазии архитекторов, спланировавших в большой квартире крохотную кухню и необъятный санузел.

Кроме вещей, ждущих свидания со стиральной машиной, в туалете оказался еще и Бакс, сидевший на унитазе, мордой к бачку, хвост его торчал вверх, а по полу медленно расползалась лужа.

— Ты идиот! — обозлилась я. — Сядь нормально! Мордой к двери, ну неужели не понятно, что крышки давно нет?

— Мяу, — отозвался Бакс и спрыгнул.

Чувствуя, как в десне снова пульсирует боль, я подтерла безобразие туалетной бумагой, потом пошла в ванную, тщательно вымыла руки и, не рискнув воспользоваться полотенцем цвета мокрого асфальта, вернулась на кухню.

— Мяу, — вяло оживился Бакс и разлегся на столе.

— Уверен, что тебе это можно?

— Мяу.

— Конечно, в чужой монастырь со своим уставом не суются, но хотя бы убери хвост из сахарницы.

— Мяу.

Я попыталась спихнуть кота, но Бакс зашипел и поднял когтистую лапу, похоже, до сего момента никто не мешал ему мирно храпеть на клеенке.

— Фиг с тобой, — сказала я, потом достала из сумочки небольшой кусочек волшебной пленки, содрала упаковку, попыталась осторожно пристроить лекарство на десне и уронила полоску на лапу Бакса.

Кот, мирно посапывавший среди грязной посуды, вздрогнул, открыл пасть.

— Стой! — закричала я.

Но поздно, спасительный анастетик прилип к длинному языку гадкого Бакса. Я чуть не зарыдала. Приключилась настоящая катастрофа, мерзкий Бакс слопал весь запас пленки, который имелся в наличии.

— Немедленно отдай, — рявкнула я, — выплюнь!

Впрочем, последний глагол был произнесен абсолютно зря, я вовсе не собиралась засовывать себе в рот изжеванную Баксом полоску.

— Какой же ты гад! — с чувством воскликнула я, глядя на вновь апатично заснувшего кота. — Дрыхнешь тут, ни стыда, ни совести. А мне что делать?

В голову пришла идея поискать анальгин, я принялась выдвигать кухонные шкафчики и обнаружила в них кучу всяких абсолютно неуместных на кухне предметов, типа рыболовных крючков и щеток для полировки ботинок, но аптечки тут и в помине не было. И вдруг, о радость, я наткнулась на пакетик с надписью «Стоп, боль. Растворите таблетку в любой жидкости». Лекарство было незнакомым, но отечественным, что сразу вызвало у меня к нему доверие.

Разорвав плотную бумагу, я вытряхнула большую розовую пилюлю в относительно чистую чашку, потом стала искать воду. Никаких бутылок на кухне не было, фильтра, даже самого простого пластмассового кувшина, тут не держали. Похоже, Линда и члены ее табора пользовались водой прямо из-под крана, но мне очень не хотелось смешивать лекарство с раствором хлорки. Может, просто так проглотить таблетку? Но тут глаза заприметили пакет свежего молока, я обрадовалась и наплескала немного в чашку, ожидая, что на поверхности начнут бурно лопаться пузырьки. Но пилюля просто всплыла наверх и стала медленно таять, без всякого шипения.

Я села на табуретку, поджидая, пока обезболивающее окончательно смешается с молоком. Некоторое время на кухне стояла тишина, вдруг Бакс резко сел. Его глаза начали медленно выкатываться из орбит, рот приоткрылся, наружу вывалился розовый язык, из пасти потекли слюни.

— У-у-у, — простонал кот, тряся круглой головой, — у-у-у.

— Не волнуйся, — попыталась я утешить Бакса, — это скоро пройдет, ты, дрянь такая, слопал полоску, которая «заморозила» тебе рот.

— О-о-о, — ответило животное и с ужасом посмотрело на меня.

— Потерпи, через час-другой оттаешь.

— А-а-а, — стенал ничего не понимающий Бакс.

Нормальный кошачий вопль, громовое «мяу» издать ему было не по силам, онемевший язык не слушался хозяина, тот, кому хоть раз стоматолог делал обезболивающий укол, пожалеет сейчас Бакса, бедняга явно не испытывал положительных эмоций.

Я погладила кота по голове.

— Будешь теперь знать, каково хватать все, что падает сверху, не переживай, это временная неприятность.

Бакс, явно обладавший недюжинным умом, все же был не способен понять человеческую речь, но одно он сообразил правильно: мне его жаль, поэтому несчастный кот прижался к моей руке и принялся стонать на все лады.

Я встала, подошла к холодильнику, раскрыла дверцу и стала изучать его содержимое, раздумывая, чем бы таким вкусненьким угостить поганца. Да уж, не знаю, кто тут ответствен за покупку харчей, драчунья Линда или лентяйка Зина, но на полках имеется просто «восхитительный» набор. Коробочка с прокисшим салатом, обветренный, не завернутый ни в пленку, ни в фольгу и ни в бумагу кусок сыра, вскрытая банка майонеза без крышки, гора синих, холодных макарон и эмалированная миска, куда чья-то рука вытряхнула сразу несколько банок с рыбными консервами, похоже, сайру в масле.

Решив, что несколько рыбок обрадуют несчастного Бакса, я вынула консервы, услышала бодрое чавканье, глянула на стол и увидела, как кот жадно лакает из чашки молоко с окончательно растворившейся таблеткой.

Быстро водрузив миску на стол, я заорала:

— Не трогай!

Бакс даже ухом не повел, продолжая жадно пить обезболивающее. Я выдернула у него из-под морды кружку, но поздно, на дне виднелись жалкие капли.

Испытывая огромное желание придушить кота, я хотела схватить его за лохматую шубу, но тут случилось невероятное. Глаза Бакса сузились до размера булавочной головки, уши прижались к голове, усы встопорщились. Охота шлепать безобразника у меня пропала.

— Эй, Бакс, — тихо сказала я, — ты чего?

Котяра чуть осел вниз, потом с леденящим душу воплем встал на задние лапы, я шлепнулась на табуретку, никогда до сих пор не встречала животных, умеющих замереть в подобной позе. Простояв так некоторое время, Бакс закрыл глаза и обвалился вниз, угодив ровнехонько в миску с сайрой. Фонтан мелких масляных брызг разлетелся в разные стороны. Я ринулась к двери, сейчас кот соскочит со стола, начнет трястись, побежит в коридор, ворвется в чью-нибудь спальню, станет вытираться об одеяло. Вы ели когда-нибудь рыбные консервы? Представляете, какое в них липко-вонючее масло? Постельное белье потом придется выкинуть, его никакой стиральный порошок не возьмет.

Мигом сориентировавшись, я схватила пару старых газет, лежащих на стуле. Надо попытаться поймать Бакса, но именно в это мгновение меня поразила тишина.

Я посмотрела вперед. Вместо того чтобы метаться по кухне, сшибая все подряд, животное лежит в миске, голова, четыре лапы и хвост снаружи, тело утопает в сайре.

Осторожно ступая, я подошла к столу.

— Эй, Баксик.

Нет ответа. Вернее, никакого звука, странно было бы услышать из уст кота: «Все в порядке, не волнуйся».

Я и не ждала членораздельной речи, по идее, Бакс был должен выть, мяукать, трястись, однако он лежал тихо-тихо, закрыв глаза.

По спине побежали мурашки, похоже, несчастное животное скончалось. Господи, из чего же сделана таблетка? Убойный, простите за каламбур, медикамент, боль покидает того, кто рискнет выпить лекарство, навсегда, вместе с жизнью. На мой взгляд, слишком радикальное средство, сравниться с ним может лишь гильотина, используемая для устранения мигрени.

На глаза накатили слезы, Бакс спас мне жизнь, если бы не несчастный кот, я бы залпом опустошила кружку и лежала сейчас лицом в миске. Бедный, бедный котик, и как объяснить ситуацию Линде? Ну-ка представьте себе, что вы пускаете пожить в квартиру ранее незнакомую родственницу мужа, а та лишает жизни вашу любимую киску! И как вы поступите с «сестрицей»?

Внезапно Бакс вздохнул, я схватила миску.

— Ты жив?

— Ф-ф-ф, — издал звук кот.

— Милый!

— Ф-ф-ф!

— Любимый!

— Ф-ф-ф.

— Сейчас, сейчас вымою тебя, и забудем об ужасном происшествии, зайчик, козлик, лапочка...

Не чуя под собой ног от радости, я отволокла миску с котом в ванную. Бакс лежал неподвижно, более того, он не выказал никакого неудовольствия, когда я положила его в ванну.

— Только не волнуйся, — щебетала я, оглядывая кучу полупустых бутылочек, — воды я не налью. Сначала намылю тебя, потом очень осторожно смою. Где же у них шампунь? Ага, вот, видишь, написано по-немецки «Seife», это мыло. Отлично, ничем не пахнет, тебе понравится.

— Ф-ф-ф! — продолжал вздыхать Бакс.

Я с предельной осторожностью стала намыливать кота и удивляться. Взяла чуть-чуть жидкого средства, а пены получилось море.

Не успела я как следует потереть вялые лапы, как в прихожей раздался звонок.

— Извини, Бакс, — сказала я, — сейчас вернусь, посиди тихонько, уж прости, задерну занавесочку, чтобы ты не выскочил!

Глава 15

— Здравствуйте, — тихо сказала темноволосая стройная девочка, — я не хотела вас побеспокоить, моя мама здесь?

Я окинула взором незнакомку: волосы спускаются ниже ушей, такая прическа называется каре, скромная курточка, черные брючки, кроссовки, в руках пакет и футляр со скрипкой.

— Нет, здесь никого, кроме меня.

Девушка удивленно подняла брови:

— И Линда отсутствует?

— Она на работе.

Скрипачка кашлянула:

— Вы, наверное, одна из служащих Линды?

Деликатность пришедшей изумляла. Служащая! У Линды пашут строители, видно, девушка очень хорошо воспитана. Хотя кто в наше время станет учиться игре на скрипке? Только ребенок из интеллигентной семьи: папа профессор, мама врач, бабушка учительница, дедушка полковник.

— Понимаете, — приятным, слегка низким для женщины голосом объясняла девочка, — я рядом живу, вот наша дверь, я ключи дома оставил, вот и подумал, что мама у Линды. Нельзя ли у вас посидеть некоторое время?

— Конечно, — ответила я, — входите.

Однако, странная у девицы манера говорить о себе в мужском роде.

Нежданная гостья вошла в прихожую, аккуратно вытерла обувь, я посмотрела на ее ботинки, большие, слишком большие.

— Разрешите представиться, — церемонно сказала девушка, вешая куртку, — Ролик, вернее Роланд, но для своих просто Ролик.

— Вилка, — растерянно ответила я, — значит, вы юноша?

— Роланд, — кивнул парень, — немного смешно звучит, не так ли? Мой педагог, Эмма Францевна, советует мне взять псевдоним для сценической карьеры. Но я считаю это лишним. Простите, но я не понял, как зовут вас?

— Вилка, — повторила было я и тут же осеклась.

Да уж, именно таким образом, наверное, проваливаются шпионы.

— Вилки перед вашим приходом мыла, — стала выворачиваться я, — уж простите, на кухне такой кавардак, неудобно вас туда вести. Меня Оля Тарасова зовут, просто Оля.

— Будем знакомы, — улыбнулся Ролик. — Если позволите, я тихонечко пристроюсь в уголке. Вы музыку любите?

— Да, конечно, — кивнула я, — мне нравится слушать радио.

— А к классике как относитесь?

— Честно говоря, не знаю ее.

— Понятно, — кивнул Ролик.

Неожиданно я обозлилась. Видали сноба? У меня, к сожалению, не было родителей, озабоченных воспитанием дочери, никто Вилку в консерваторию не водил, кто дал право пареньку смотреть на меня с брезгливой снисходительностью?

— Вы общаетесь лишь с теми, кто отличает Баха от Бетховена? — поинтересовалась я.

Ролик поднял очень красивые темно-карие глаза, опушенные густыми, сильно загнутыми ресницами.

— Что вы, конечно, нет! Мой показавшийся вам бестактным вопрос был вызван лишь простым соображением: я нахожусь не в своей квартире, кухня — единственное место, где я могу подождать маму, заходить в чужие комнаты неприлично. Сегодня вечером я играю концерт, пока не сольный, просто исполняю одну вещь, очень хотел еще раз повторить ее, но если вас раздражает скрипка...

— Конечно, нет, — воскликнула я, — репетируйте сколько заблагорассудится! Ой!

— Что-то случилось? — насторожился Ролик.

— В ванной... идите на кухню, располагайтесь там спокойно, сами чай наливайте, я не могу поухаживать пока за вами! — воскликнула я, вспомнив про Бакса.

— Я ни в коем случае не требую к себе внимания, — поднял вверх руки парень, — извините, что помешал, но положение безвыходное. Мама, наверное, в магазин пошла, она скоро вернется...

Не дослушав его, я побежала в ванную, где в полной тишине сидел Бакс.

Отдернув занавеску, я обнаружила кота все в той же позе, только пена на шерсти съежилась и почти исчезла.

— Милый, — заворковала я и стала очень осторожно поливать Бакса из душа.

Сначала направила струю на лапки, затем на хвост и на спинку. Голову кота, не пострадавшую от масла, я не намыливала, хватит с Бакса на сегодня стрессов и без мытья башки.

Теплая вода журчала, кот не выказывал никакого сопротивления. Животное, похоже, было грязным до предела, потому что с него стекала темная, почти черная жидкость. Я старательно терла Бакса рукой, промывала его нежную, шелковистую кожу. Кожу! Шланг выпал у меня из рук. Я уставилась на Бакса и почти лишилась чувств.

На белой эмали восседал кот самого странного вида. Лапы и шея нормальной, так сказать, лохматости, а тело почти лишено шерсти. На спине Бакса виднелись только редкие пучки шубки, а из филейной части торчал длинный, розово-серый, похожий на толстую макаронину хвост.

Я села на коврик.

— Матерь божья! Почему ты покрылся проплешинами?

— Мяу, — тихонько ответил Бакс и затрясся.

Я схватила чей-то не слишком чистый халат, розовый с фиолетовыми розочками, замотала в него кота, прижала к себе и горестно воскликнула:

— Ну и таблетка! Хорошее болеутоляющее.

Бакс засунул голову в махровую ткань и затих, а я, обретя способность мыслить, оглядела дно ванны, покрытое смытой кошачьей шерстью, потом взяла бутылочку с шампунем и внимательно прочитала этикетку. Посередине крупными буквами было написано «Seife». Все правильно, это мыло. Пальцы крутили бутылочку, на дне обнаружилась еще одна бумажка с текстом, который я легко перевела на русский язык: «Идеальное средство для детей. Моет чисто, без слез, не аллергенно. Не употребляйте внутрь!» Жидкость была создана для детей и никакого вреда Баксу нанести не могла!

Прижав к себе халат с притаившимся внутри котом, я, почти потеряв над собой контроль, побрела по коридору. Что скажет Линда, увидев вместо своего любимца чудовище?

Добравшись до чуланчика, я предварительно закрыла изнутри шпингалет, развернула Бакса и стала внимательно осматривать зверя. Никаких ссадин или ран на нем не было, кот тихо лежал на халате, преданно заглядывая мне в глаза. Я быстро завернула страдальца, животное довольно заурчало.

— Вот что, — шепнула я, — ты пока лежи тут, а я попробую поговорить с врачом.

Телефон у Линды стоял в прихожей, над аппаратом висело объявление: «Межгород не набирать!» Я покрутила допотопный диск и попросила:

— Подскажите номер скорой ветеринарной помощи.

— Пишите, — равнодушно прозвучало из трубки.

Обрадованная столь удачным решением проблемы, я опять потерзала аппарат и, услыхав тихое: «Алло», поинтересовалась:

— Это врач для животных?

— Да.

— Мой кот выпил обезболивающее.

— Какое?

— Не знаю. Растворила таблетку в молоке, а он польстился.

— Название препарата?

— Не могу сказать, такая розовая пилюля.

— Девушка, лекарства различают не по цвету.

— Ну да, верно, я вообще-то хотела сама его выпить.

— Неизвестно что?!

— Э... а... ага!

— Понятно. Что с котом?

— Он теперь местами облысел!

— Что?!!

— Но не от мыла, оно детское, понимаете, я вымыла его шампунем.

— Зачем! — вздохнул ветеринар. — Отчего столь идиотская затея пришла вам в голову? Кошек не положено купать.

— Он в сайру упал, с маслом, — попыталась я объяснить ситуацию, — выпил таблетку, я хотела его утешить, дать рыбки.

— Привозите кота, — резко перебил меня врач, — многие лекарства для человека смертельны для животных! Чем быстрее доставите несчастного, тем лучше. Адрес знаете? Записывайте! Да прихватите с собой упаковку из-под лекарства!

Повесив трубку, я схватила валявшуюся у двери спортивную сумку. Так, лечебница недалеко, пара остановок на метро, укутаю Бакса...

Внезапно из кухни понеслись дивные звуки, я уже упоминала о том, что привычки посещать консерваторию у меня нет, в музыкальную школу я тоже не ходила, и если случайно натыкаюсь по телевизору на канал «Культура», который транслирует симфонический концерт, то мгновенно переключаюсь на другие программы. Я, конечно, слышала имена Чайковского, Мусоргского, Баха, Моцарта и иже с ними, но произведения их не различаю и никакой радости от общения с классикой не испытываю, сразу хочется спать.

Но звуки, лившиеся из кухни, завораживали. Нежная, щемящая мелодия схватила за самое сердце. Внезапно в голове возникло воспоминание. Вот Раиса тащит маленькую Вилку на санках, я плотно закутана в старую шубку, доставшуюся от выросшего сына соседки, на ногах валенки с калошами, на голове толстая вязаная шапка. Неожиданно «дровни» резко поворачивают влево, я, не сумев удержаться, падаю в снег и лежу в сугробе тихо-тихо. Белая масса залепляет глаза, потом от дыхания она слегка тает, я поднимаю веки и вижу снежинку дивной красоты, многоугольную конструкцию, переливающуюся разными цветами. Она так хороша, что по щекам начинают катиться слезы.

Крепкие руки резко поднимают меня, на затылок опускается ладонь.

— Свалилась и сопит, — рявкает Раиса, — вот дура, прости господи, за что мне это наказание! Эй, чего не отвечаешь! Вилка! Отзовись! Куплю тебе конфет! Хорош молчать!

Но я лишилась речи, красота только что увиденной одной-единственной снежинки поразила меня до слез и остолбенения, никогда до этого в жизни я не сталкивалась с прекрасным. И вот сейчас, точь-в-точь как в детстве, я застыла, погрузившись в музыку, невероятно печальную, но одновременно и радостную, светлую. Меня словно приподняло над землей и повлекло вдаль, вверх, к свету и солнцу, стало ясно, что происходящее сейчас — ерунда, впереди меня ждет удача, все будет хорошо, я рождена для счастья...

— Ролька! — донесся из коридора грубый крик. — Сейчас же прекрати, просто сил нет терпеть!

Я потрясла головой, стряхивая наваждение. Надо же, как здорово играет юноша, скрипка унесла меня в какие-то райские места, на самом же деле я стою в грязном коридоре квартиры Линды, а навстречу, переваливаясь с боку на бок, идет Зина, взъерошенная, в мятом халате.

— Ролька, — кричала лентяйка, — хватит пиликать! Только отдохнуть прилегла, весь день работала до трясучки! Ну сколько можно трендеть!

Я с возмущением посмотрела на Зину и хотела воскликнуть: «Какое право ты имеешь делать замечания талантливому музыканту, у него сегодня концерт!» Но тут из кухни выглянул Ролик и тихо сказал:

— Прости, мама, но я решил, что ты ушла в магазин.

У меня отвисла челюсть.

— Это твой сын? — недоверчиво спросила я у Зинаиды.

— Ага, — почесываясь, ответила та, — извел меня просто, целый день ящик перепиливает, вжик, вжик, вжик. Ни сна, ни отдыха. Только сядешь телик посмотреть, пожалуйста вам, скрипит за стеной. А я, между прочим, весь день пашу домработницей, чужую грязь таскаю, чтобы его обуть, одеть и прокормить.

— Я сейчас уйду, — покорно сказал Ролик, — порепетирую за кулисами, извини, пожалуйста.

— Вот и хорошо, — сердито воскликнула Зина, — а то словно кота за хвост тащишь!

Ее последняя фраза заставила меня вспомнить про Бакса, оставив мать и сына, я нырнула в чулан, аккуратно устроила кота на дне небольшой спортивной сумки и, удостоверившись, что Ролик и Зина ушли к себе, быстро выскочила из квартиры Линды.

Всю дорогу до ветеринарной клиники я продолжала удивляться: ну каким образом у лентяйки Зины, женщины, не умеющей правильно разговаривать на родном языке, мог появиться такой сын, как Ролик? Мать и сын словно обитатели разных планет! А еще педагоги уверяют нас, что младенец — это чистый лист бумаги, на котором семья может начертать любые письмена! Вовсе нет, что родилось, то и выросло, иначе по какой причине у Зины получился Ролик? Сильно сомневаюсь, что домработница Линды способна отличить фортепьяно от арфы!

В ветклинике я промаялась довольно долго. Врач, правда, внимательно изучив обертку от розовой пилюли, констатировал:

— В первый раз вижу такой препарат! И состав не указан! Идите в лабораторию.

Я получила направление на анализ крови и стала таскать Бакса по кабинетам. Каждый раз, достав трясущееся существо из халата, я слышала удивленный возглас эскулапов:

— Ой, бедненький, что это с ним?

Согласитесь, странное заявление от докторов, вообще-то, это они должны были объяснить хозяйке, какой недуг поразил Бакса, отчего животное лежит практически без движения и не сопротивляется всяческим манипуляциям!

В конце концов был вынесен вердикт:

— Кот здоров.

— Интересное дело, — возмутилась я, — но Бакс не желает двигаться!

Ветеринар вскинул брови:

— Он перенес тяжелое нервное потрясение, испугался, когда пасть онемела.

— И как теперь бороться с недугом?

Айболит вздохнул:

— Стресс у животного — это бурная реакция на непредвиденные раздражители посредством разрегуляции действия вегетососудистой...

— Нельзя ли вас попросить изъясняться попроще? — взмолилась я.

Эскулап поправил очки:

— Хорошо, ваши действия: не оставляйте кота одного, он нуждается в присутствии человека, давайте ему вместе с едой выписанное лекарство и купите несчастному одежду, видите, он постоянно трясется! Кофточку, свитерок, футболку, что отыщете. Но главное — ежеминутное присутствие человека.

— А почему он частично потерял шерсть? — поинтересовалась я.

— Не знаю, — честно признался ветеринар, — в учебниках описаны ситуации, когда кошки от испуга моментально лишаются волосяного покрова. Вот у нас перед операцией сделают коту укол, а потом хозяева начинают удивляться: «Ой, глядите, он сильно линяет, что случилось?» А ничего не произошло, это реакция на стресс. Впрочем, дайте бутылочку из-под мыла!

Я протянула врачу пластиковый цилиндр.

— Вот тут написано «Kinder», — поинтересовался «Айболит», — значит, средство для детей?

— Да, — кивнула я.

— Ну что же вы! — с укоризной воскликнул мужчина. — Разве можно было несчастного кота ЭТИМ мыть! Животное не ребенок, это нежное существо...

— Я думала, для детей лучшее делают, они ведь тоже трепетные создания.

— Нежные существа коты! — заявил врач. — Дети

как раз все выдержат, сладости с химикатами и шампунь бог весть из чего! А Бакс, пожалуйста, аллергическую реакцию выдал и ещё стресс!

— Но вот тут указано же: «Не аллергенно», — возразила я.

Эскулап устало глянул на меня:

— Вы верите всему, что написано? Даже на заборе?

— И что мне теперь делать?

— Уже говорил, купите несчастному теплую одежду и некоторое время держите при себе. Вы, похоже, плохо слушали меня! У кота нервный срыв! Ясно?

— Ага, — кивнула я и выбралась из кабинета.

И каким образом выполнить сии указания? Где торгуют одеждой для кошек? Есть ли она вообще в природе?

В нашей семье сейчас проживает собака Дюшка, тихое, скромное существо, не доставляющее хозяевам абсолютно никаких забот. Дюша ест любую еду, не болеет, не капризничает, с ней даже не требуется гулять, потому что собачка научилась пользоваться кошачьим лотком. Имелась у нас и кошка, собственно говоря, животные появились одновременно. Но летом, когда мы выехали в деревню, оказалось, что киска — это кот, желающий гулять. Целое лето он гонял по чужим огородам, а перед нашим отъездом в город сгинул, пришлось уезжать назад без него. В сентябре я съездила в Подмосковье и узнала, что пропажа носит теперь имя Барсик и счастливо живет в семье фельдшера. Возвращать в Москву, в четыре стены, почуявшего свободу и женихающегося со всеми местными кошками беглеца было жестоко, и он навсегда остался у новых хозяев. Пальто ему покупать не требовалось, у Дюши, ненавидящей улицу, тоже не водится ни комбинезона, ни попонки.

Но если проблему одежды еще можно худо-бедно решить, то каким образом быть постоянно около кота? Носить его с собой?

Я подхватила сумку и побежала к метро. Ноша не такая уж и обременительная, приходилось мне таскать и более тяжелую поклажу.

Внезапно Бакс заворочался, я приоткрыла саквояж и погладила кота по голове.

— Все в порядке, милый, я нахожусь рядом, ты не один.

Шершавый язычок быстро пробежался по моим пальцам. Неожиданно в носу защипало.

— Ладно, Баксик, не волнуйся, — сказала я и быстрым шагом понеслась к метро.

В конце концов, я теперь тоже не одна, а вместе с Баксом, и отчего-то от осознания сего факта на душе становится легче.

Не успела я приблизиться к двери Веры Ивановны и нажать на звонок, как с лестницы послышалось:

— Вы к кому?

Я повернула голову и увидела сидящую на подоконнике молодую женщину с сигаретой в руках. Лицо ее покрывали красные пятна, глаза опухли, нос напоминал переваренную морковку, похоже, незнакомка только что плакала.

Решив, что это и есть Катя, внучка Веры Ивановны, я смущенно улыбнулась и стала играть роль дамы, во что бы то ни стало решившей выйти замуж.

— Вот... пришла... Асю ищу.

— Асю!!!

— Ага, — опустила я глаза, — именно ее, адрес мне подруга дала...

— Аси нет, — быстро сказала девушка, — она здесь больше не живет.

— Ой, она уехала?

— Да.

— Ну ничего, тогда я к Кате обращусь.

— Катя — это я.

— Ну надо же! Как здорово! Вы мне ведь поможете?

— В чем? — шмыгнула носом девушка.

Я подошла к ней вплотную, поставила сумку с Баксом на подоконник и жарко зашептала:

— Вроде я ничего смотрюсь и не старая еще, а счастья нет! Мужики мимо проходят, в ЗАГС не зовут.

— Случается такое, — кивнула Катя.

— А вас мне Лиля посоветовала, Емельянова, — тараторила я, старательно изображая из себя дурочку, — она теперь с Виктором зарегистрировалась и счастлива. Я тоже так хочу!

Катя вздрогнула:

— Вы ошиблись адресом.

— Как это, — возмутилась я, — все правильно! Сами только что сказали, Ася тут живет.

— Ася уехала, — напомнила мне Катя.

— Но вы же остались!

— Я не могу вам помочь.

— Почему?

— Не получится, — упорствовала Катя, глядя в стену, — ничего не выйдет, бросили мы с людьми работать, надоело.

— Я не задаром прошу.

— Спасибо, денег мы не брали, бескорыстно пары сводили, да и то лишь знакомых, — нагло соврала Катя.

Услышав последнюю фразу, я ухмыльнулась, вспомнив недавнюю беседу с Момочкиной Кристиной.

Примерно в конце ноября девочка пришла из школы и спросила:

— Слышь, Вилка, что ты станешь делать, если, придя домой, обнаружишь в ванной голого незнакомого мужчину?

— Понятия не имею, — растерялась я, — ну, наверное, кричать начну или убегу.

— Неправильно, — хихикнула Кристя, — не так поступают умные люди.

— А как? — заинтересовалась я.

— Следует познакомиться с дядькой, тогда у тебя в ванной окажется голый знакомый мужчина, — с самым серьезным видом ответила Кристина, но потом не выдержала и захохотала.

Глава 16

— А вы познакомьтесь со мной, — решила я воспользоваться советом Кристи, — и все будет путем.

Катя заморгала, я ожидала, что она засмеется или, по крайней мере, улыбнется, но девушка неожиданно разрыдалась. Я сначала растерялась, но потом схватила ее за плечи.

— Вы обиделись? Простите, наверное, я глупо пошутила.

Катя всхлипнула, вытерла рукавом кофты лицо и прошептала:

— Уходите, пожалуйста, мне не до вас сейчас, несчастье у нас.

Озноб колючими лапками пробежал по спине.

— Что случилось?

Катя судорожно вздохнула:

— Бабушка умерла.

— Вера Ивановна! Не может быть! Еще утром она выглядела совершенно здоровой! — закричала я.

Катя отшатнулась к окну.

— Откуда вы знаете имя моей бабушки?

Но я уже изо всех сил трясла ее за плечи.

— Быстро говори, что случилось!

Катя опять заплакала, одновременно сбивчиво заговорив, и через некоторое время я сумела составить из обрывочных речей относительно целостную картину.

Катя вернулась домой около трех, открыла дверь и крикнула:

— Ба, поставь воду, я пельмени купила.

Но Вера Ивановна не отозвалась! Катя прошла на кухню и сама поставила кастрюльку на газ, она не удивилась отсутствию бабки. Вера Ивановна, бойкая, до сих пор, несмотря на возраст, работающая особа, могла увильнуть куда угодно: за продуктами или сигаретами. Катю слегка насторожил лишь один факт: входная дверь не была заперта, как всегда, на два оборота, а просто захлопнута. Вера Ивановна, уходя по делам, никогда не забывала запереть замок, старушка боится воров и тщательно, даже если выпьет, соблюдает необходимые меры безопасности. Но, в конце концов, и бабушка могла проявить неаккуратность.

Поев пельменей, Катюша решила помыться в ванной. Пошла по коридору в глубь квартиры и, поравнявшись со спальней Веры Ивановны, поежилась: из-под дверей весьма ощутимо дуло. Катя толкнула дверь и вновь испытала недоумение. Большое окно распахнуто, по спальне гуляет ветер. Вера Ивановна любит тепло, с какой стати она решила проветривать комнату, да еще подобным способом? Неужели нельзя было приоткрыть форточку? Похоже, бабуська крепко приняла на грудь, дверь не заперла со всей тщательностью, устроила сквозняк, а потом отчего-то не легла спать, а ушла!

Сердито качая головой, Катя подошла к подоконнику и вздрогнула: внизу, у батареи, сиротливо валялись тапки старушки и несколько пустых банок из-под джин-тоника. Кате стало страшно, очень страшно... Она схватилась внезапно заледеневшими пальцами за подоконник, помимо своей воли глянула вниз.

Окно спальни Веры Ивановны выходит во двор, оно расположено прямехонько над подъездом, входная дверь которого прикрыта довольно широким козырьком из бетона. Вот на нем и лежало тело Веры Ивановны. Никто не заметил, как бабушка свалилась вниз, упади старуха на землю, соседи мигом вызвали бы милицию, но труп находился на козырьке, и люди мирно входили и выходили, не предполагая, что с соседкой случилась беда.

Дальнейшее Катя помнит плохо, вроде она закричала, понеслась на улицу, по дороге колотя во все двери. Потом ее увела к себе соседка, напоила валокордином, уложила на диван.

Катю разбудили милиционеры, плохо соображающая девушка без конца переспрашивала оперативников, и в конце концов равнодушный парень гаркнул:

— Ну чего непонятного! Пила твоя бабка?

— Бывало, — кивнула Катя, — только она не буянила, примет на грудь и спит.

— Вот и сегодня клюкнула, — сердито заявил мент, — потом небось покурить решила, открыла окно, высунулась наружу — и готово, ухнула вниз, на подоконнике банка с бычками осталась.

— Ага, — кивала Катя гудящей головой, — ага! Понятно.

Тело увезли в морг, дознаватель, уходя, буркнул:

— Вызовут тебя потом в милицию, только дело ясное. Ну, народ, уж немолодая, а остановиться не могла, бухалка.

Катя какое-то время бесцельно шарахалась по коридору, потом кинулась звонить Ленке, но сестра, уехавшая в Петербург, отключила мобильный. Услышав тупое: «Абонент временно недоступен», Катя снова зарыдала, сбегала на кухню и увидела стол. Клеенка была завалена и заставлена всякой дрянью. Вдруг к Кате вернулась способность четко соображать, она рухнула на табуретку.

По версии мента, Вера Ивановна, решив покурить, распахнула окно... Но старуха не любила свежий воздух и не испытывала никакого дискомфорта от дыма, не смущала ее и пепельница, набитая окурками, бабушка преспокойно могла спать около банки с бычками. А вот открытая форточка даже летом вызывала у Веры Ивановны возмущение.

— Немедленно закройте! — кричала она внучкам.

На все робкие замечания Кати и Лены, типа: «Пусть проветрится», или: «Свежий воздух полезен» — бабушка резко отвечала:

— Квартира большая, кислороду полно, не фиг сквозняк устраивать.

Ну не могла Вера Ивановна курить, опершись на подоконник.

Катя заметила еще одну деталь — у батареи, под открытым окном, валялись пустые банки из-под джин-тоника. Собственно говоря, их находка и натолкнула дознавателя на версию о пьянстве.

Но, войдя на кухню, Катя обнаружила на столе что угодно, кроме пустой тары из-под коктейлей, а она очень хорошо помнила, как вчера вечером принесла пакет, в коем имелось пять баночек горячительного, и они с бабусей мило провели время. Утром Катя не стала убирать мусор, опаздывала на работу, а Вера Ивановна не особо блюла порядок, ее пустые упаковки совершенно не смущали.

И, вернувшись домой, Катерина застала на столе все тот же хаос, на блюдечке таяло масло, рядом заветривался сыр, чуть поодаль громоздились грязные чашки, но баночки из-под джин-тоника испарились.

— Кто-то взял их, — жарко шептала Катя, — и сунул под батарею.

— Полагаешь? — тоже очень тихо спросила я.

— Стопудово, — отозвалась она, — сначала скинули бабку, а потом решили представить дело как самоубийство.

— Ты сообщила о своих догадках в милицию?

— Нет.

— Почему?

Катя зябко поежилась:

— Оно им надо? Дело побыстрей закрыть хотят! Кому охота со старухой возиться. Были бы мы богатые да знаменитые, тогда, ясное дело, бегали бы ментяры, как ищейки. А так меня и слушать не станут. С простым человеком церемониться не будут.

Я рассердилась: будучи женой милиционера, очень хорошо знаю, что в стаде есть паршивые овцы. Но мне также известно и другое: в Москве много честных специалистов, настоящих профессионалов, пришедших в органы не из-за неких благ и возможностей, а из желания помогать людям. Ну нельзя же всех мазать черной краской. Вот мой Олег никогда не станет закрывать дело, если в нем остаются неясности, и мужу все равно, к какому социальному слою относится потерпевший, не обратит Куприн внимания и на толщину кошелька пострадавшего, для него главное — восстановить справедливость. И потом, ну почему только о милиционерах трубят газеты? Все остальные у нас безгрешны, аки ангелы?

Да я сама частенько таскаю в школу к Кристине подарочки учителям, это разве не взятка? Духи, конферы, дорогие книги, билеты в театр... Или у нас мздой считается лишь конверт с деньгами? Ну тогда мздоимцы и сотрудники «Скорой помощи». Пару месяцев назад у Ленинида случилась почечная колика, и к нам по вызову явились две хмурые бабы, с порога сообщившие:

— Обезболивающего нет.

Я быстро раскрыла кошелек, мрачные бабы превратились в ласковых тетушек, и у них моментально обнаружилось все необходимое. Каким словом назвать этих врачей? Если милиционер подлец-оборотень, то как обозначить доктора-мерзавца? Вот мой Олег...

Внезапно сердце дрогнуло, Олег больше не мой! Чужой! В носу защипало, я разозлилась и гневно заявила:

— Сдается мне, ты не только от безнадежности не побежала в отделение, просто испугалась, что правоохранительные органы начнут слишком глубоко копать и узнают истину!

Катя прижала руки ко рту, в ее глазах заплескался ужас, мне следовало замолчать, пожалеть пережившую сильный стресс девушку, но я, с одной стороны, почувствовала, что она знает правду о смерти Аси и Веры Ивановны, а с другой — крайне обозлилась на заявление о коррупции в милиции, на себя, некстати вспомнившую об Олеге, поэтому безжалостно завершила начатую отповедь:

— ...разнюхают про брачные услуги и незаконные делишки, выяснят,. сколько семей распалось при помощи Ильяса и кто из бывших супругов схватился за оружие.

— Вы кто? — прошептала Катя, сливаясь по цвету с подоконником. — Откуда все знаете?

— На лестнице толковать будем? — прищурилась я. — Можно и здесь, заодно и соседям радость, двери-то у вас, похоже, из фанеры, все слышно, что снаружи делается.

— Пойдемте в квартиру, — пролепетала Катя.

— Правильное решение, — одобрила я.

— Вы кто? — повторила Катя, когда мы оказались на кухне. — Кто? Зачем пришли? Откуда знаете про Ильяса? Все неправда, мы ничем плохим не занимались, это вранье...

Я подняла правую руку.

— Стой, слишком много вопросов сразу, давай задавать их постепенно. Но сначала скажи, ты хочешь жить?

— Не поняла, — вздрогнула Катя, — в каком смысле?

— В самом прямом, на белом свете. Или торопишься в могилу?

— Нет, — посерела Катя, — о господи...

— Если собралась благополучно дотянуть до старости, то тебе следует быть откровенной со мной. Вера Ивановна и Ася уже погибли, кто следующий на очереди?

Катя молчала.

— Ты и Лена, — договорила я, — кстати, последняя, очевидно, очень хорошо скумекала, что к чему, раз столь поспешно в Питер уехала и телефон отключила. Но ты-то здесь, и убийца об этом знает.

Катя сидела не шелохнувшись.

— Я тоже буду с тобой откровенной, — продолжала я, — получается, мы в одной упряжке, не знаем друг друга, да сейчас попали вместе в капкан. Ладно, я Виола Тараканова, она же писательница Арина Виолова, под этим псевдонимом пишу детективы.

В глазах Кати внезапно блеснул огонек.

— То-то вы мне показались знакомой, но я подумала, может, бывшая клиентка, вообще-то, я на фирме работаю, где камины делают. Постойте-ка!

С этими словами Катерина подошла к подоконнику, порылась в груде хлама и вытащила донельзя затрепанное бумажное издание.

— Во, — потрясла она книжкой, — «Гнездо бегемота». Это же ваша? И фотография похожа, только на ней у вас волосы короче. Точно, вы! А почему роман так по-идиотски называется? Никаких бегемотов в нем нет!

— Сама не знаю, — отмахнулась я, — не ко мне вопрос, это редактор придумала. О литературе побеседуем потом, сядь на место и слушай внимательно.

Катя плюхнулась на колченогую табуретку и вытаращила глаза.

Когда фонтан изливающихся из меня сведений иссяк, она задумчиво протянула:

— Да уж! Только, поверь, сводничество тут ни при чем. Знаешь, как все начиналось?

— Давай рассказывай, — велела я.

Катя ткнула пальцем в пол:

— Там, под нами, Рената живет, немолодая уже, но и не старая, сорок пять ей стукнуло. Дом — полная чаша, все есть, одного не хватает — мужика.

Я внимательно слушала Катю, пока история не поражает оригинальностью. Сколько имеется в Москве вполне благополучных теток, удачливых начальниц средней руки, потративших первую часть жизни на образование и карьеру? Семейное счастье они откладывают на потом, вполне справедливо полагая, что дети и муж помешают продвигаться по ступенькам служебной лестницы.

К сорока годам карьера, как правило, удается, и тогда на свирепо рвавшуюся к власти начальницу нападает тоска. Впереди явственно маячит призрак одинокой старости, неожиданно женщина начинает слышать шепоток соседок, сидящих на лавочке у подъезда.

— Вон, Анна Ивановна пошла, иномарку недавно купила, квартирку отремонтировала, только для кого старается?

Вот и Рената оказалась в таком положении.

Как-то раз поздно вечером она прибежала к Асе и сказала:

— Вы, наверное, в ванной кран не закрутили, у меня с потолка капает.

Ася кинулась в санузел, заохала, заахала, а потом принялась извиняться перед соседкой.

— Простите, случайно вышло, я должна вам ремонт оплатить, сейчас не могу, денег нет, но не сомневайтесь, к лету наберу.

— Не переживайте, — грустно сказала Рената, — я средства имею, не надо мне от вас ничего, у самой всего полно, только счастья нет!

— Найдете еще, какие ваши годы, — оптимистично ответила Ася.

— Не получается пока, — внезапно разоткровенничалась соседка.

— Дома поменьше сидите.

— Куда же мне ходить? — мрачно воскликнула Рената. — На дискотеку? Право, смешно.

— Есть клубы специальные, для тех, кому за тридцать, — деликатно посоветовала Ася.

— Заглянула разок в такой, — скривилась Рената, — сто баб и три парня-калеки, жалкое зрелище. Ну где мне с мужчиной познакомиться? На работе сплошные объедки, и я им, кстати, начальница. В метро не езжу, по танцулькам ходить поздно, пыталась через Интернет пару найти, пообщалась с народом, понравился один. Понарассказывал о себе: пятьдесят лет, высшее образование, художник. Лучше б не встречались! Чистый бомж, изо рта воняет, половины зубов нет!

— Вы бы где поближе поискали, — улыбнулась Ася, — ясное дело, нормальный мужик в Интернете бабу ловить не станет, вашего возраста, я имею в виду.

— Думаешь, так легко мужа найти? — усмехнулась Рената.

— Элементарно, просто вы не там охотились! — настаивала Ася.

Поговорив в подобном ключе некоторое время, Рената воскликнула:

— Коли считаешь задачу такой немудреной, найди мне кавалера! Заплачу по-царски.

— Заметано! — воскликнула Ася и принялась за дело.

Локтева оказалась девушкой с фантазией, для начала она сбегала в домоуправление, где за коробочку вкусных дорогих конфет узнала от болтливой бухгалтерши кучу интересных сведений. В их блочной башне на двенадцати этажах проживает пять холостых мужчин. Асенька тщательно изучила сведения о них и пришла к выводу, что легче всего на крючок будет поймать тихого Николая Антоновича, преподавателя математики одного из московских вузов. Кандидат наук всю жизнь мирно провел около мамы, но этим летом старушка скончалась, и сын выглядел слегка потерянным. Правда, Николай Антонович не был красавцем, больше всего ученый походил на гриб боровик, по недоразумению украшенный очками. Но ведь и Рената не напоминала актрису из Голливуда, так, среднестатистическая бабенка.

Определив дичь, Ася составила план охоты и велела Ренате полностью следовать ему. Приученная руководить коллективом дама неожиданно с огромной охотой подчинилась девушке. Вечером, около восьми, она, одетая в симпатичный халат, позвонила в дверь к ученому, а когда тот открыл, стала произносить заученный текст.

— Бога ради, извините, что побеспокоила вас, но у меня случилась неприятность. Кольцо за комод упало, сама я мебель отодвинуть не могу, сил не хватает.

Николай Антонович приосанился, пошел к Ренате в квартиру и легко переместил комод, за который дама предусмотрительно бросила украшение.

— Какой вы сильный! — восхитилась Рената. — Уж и не знаю, как вас благодарить.

— Право, ерунда, — ответил ученый.

— Может, отведаете моего пирога с капустой?

— Поздно уже, скоро члены вашей семьи вернутся, а тут нежданный гость.

— Я живу одна, — потупилась дама, — попробуйте кусочек.

Николай Антонович дрогнул.

— Спасибо, знаете, пироги с капустой мое любимое лакомство, но после смерти мамы их мне не удавалось поесть.

Через три месяца играли свадьбу, Асю на бракосочетание не позвали, но та и не думала обижаться, она получила от Ренаты немалую сумму. А еще сердце радовалось столь удачно завершенному делу. Рената счастлива, Николай Антонович сияет, право, приятно.

Не прошло и нескольких недель после свадебного пира, как к Асе постучалась Нина Тимофеева с пятого этажа.

— Говорят, ты Ренате помогла судьбу найти, теперь меня пристрой, я не поскуплюсь.

Ася удивилась, но поломала голову и выдала Нину замуж.

Так и начался бизнес, в котором самое непосредственное участие стали принимать Лена и Катя. Главной в тройке была Ася. Это она придумывала, где найти кавалера, а сестры собирали о мужике информацию, самую примитивную, типа любви к пирогам с капустой.

Заказов было немного, но Ася постепенно стала задумываться: может, бросить работать в садике?

А потом появилась Лиля, желавшая выйти замуж за уже окольцованного Виктора. Ни Ася, ни Катя, ни Лена сначала не хотели браться за это дело, но Лилечка предложила такую сумму, что все размышления на темы морали мигом вымело у девиц из головы. Они собрали необходимые сведения о женихе и выяснили, что тот мечтает о ребенке. Но, увы, Лиля, абсолютно здоровая, никак не могла забеременеть.

Вот тогда Ася и сообразила привлечь к делу Ильяса, младенец появился на свет, Виктор женился на Лиле.

— И как только вы не побоялись, — укоризненно сказала я.

— Чего? — спросила Катя.

— Ну заподозрил бы этот Виктор неладное.

— Маловероятно, — протянула Катя. — Ильяс темноволосый, высокий, кареглазый, и Лилькин кадр точь-в-точь такой.

— Вдруг бы мужик анализ на отцовство сделал!

Катя усмехнулась:

— Парни доверчивые. Знаешь, сколько из них чужих деток воспитывают и не подозревают, что не свою кровь любят? Не приучены наши люди по врачам и адвокатам таскаться, большинство и не слыхивало про разные анализы. Нет, это было беспроигрышное дело. Мы потом еще двоим помогли: Альбине и Лиане, а с Ильясом подружились. Надумали агентство открыть, да видишь, как получилось, все Аська виновата! Вот дура, говорила я ей, не ходи, не

проси, ничего тебе не достанется! А результат? Знаю
я, кто ее пристрелил! Вот при чем тут бабушка,
никак в ум не возьму!

— Кто? — резко спросила я.

— Не в сводничестве дело, — забубнила Катя, —
мы всего троим помогли чужое богатство прибрать.
Никто там на убийство способен не был! Мы же их
хорошо изучили, и тех, кто мужа увести надумал, и
тех, кто его терял. Впрочем, чего это я несу, у Лиа-
ны-то в другом проблема была, ее Арам все колебался, сам богатый, она бедная, понимаешь?

Я кивнула, Катя включила чайник.

— Воспитание у него восточное, родителям подчинялся, а те невестку-голодранку не хотели, вот
Лиана и надумала забеременеть, только был облом
за обломом. А тут папашка стал Арама на работу за
границу пристраивать, и Лианка поняла, вырвется
птичка из рук — не поймаешь, ну и прибежала к нам.
А у Ильяса без проблем дети получаются, талант у
мужика по этой части. Ты пойми, никто из заказчиц
своих тайн выдавать не собирался, о том, что к нам
ходили, они никому не рассказывали. Может, конечно, бывшие жены и злились, да откуда бы им про
Аську узнать? Нет, дело в другом!

— Немедленно выкладывай все!

— Издалека надо начинать.

— Я никуда не тороплюсь!

Катя поерзала на табуретке.

— Ладно. Значит, так, Аськина мать, Вероника,
родила ее от...

— ...Марка Матвеевича, конструктора, — перебила я рассказчицу, — а тот девочку официально не
признал, но деньги на ее воспитание давал и с бывшей
любовницей, похоже, общался. Потом законная жена Марка, Луиза Иосифовна, произвела на свет ребенка, и Марк Матвеевич резко оборвал контакты с

Вероникой, решив, что ему одного дитяти хватит. Деньги, правда, он Локтевой продолжал давать, но на этом все. Если ты желала мне рассказать сию историю, то не надо!

— Откуда про Аськину судьбу знаешь? — удивилась Катя.

— Потом объясню, лучше скажи, при чем тут воспоминания о давно прошедших днях?

Катя подперла кулаком щеку.

— Аська-то долго не знала, кто ее отец. Ника дочери в детстве всякую ересь плела, типа: «Папа военный был, погиб при исполнении служебного долга». Ну не дура ли?

Я вздохнула, конечно, глупое поведение. Рано или поздно ребенку попадется на глаза метрика, и он увидит в одной из граф прочерк. Но как прикажете поступить женщине, родившей чадо от женатого мужчины? Честно сказать малышке: «Знаешь, твой папа жив-здоров, только у него своя семья, и он не собирается ее рушить»?

Как станет потом относиться к такой мамаше отпрыск? Будет осуждать ее за желание разбить чужой брак? Поймет и простит? Или взбрыкнет, убежит из дома? Наверное, Вероника тоже задавала себе эти вопросы, поэтому и придумала неоригинальную версию про погибшего героя.

Самое интересное, что Ася поверила матери и даже в подростковом возрасте никаких вопросов не задавала. Правду девушка узнала от Веры Ивановны уже после смерти Вероники. Случилось это в тот год, когда Ася заканчивала педагогический техникум, на двадцать пятое мая была намечена торжественная выдача дипломов, а потом выпускной бал. Девчонки-студентки готовились к празднику, у них только и разговоров было что о платьях, которые они наденут в этот день.

Двадцатого мая Катя, придя домой, обнаружила на кухне Асю, хлюпающую носом.

— Ты заболела, — всплеснула Катерина руками, — вот не повезло.

— Наоборот, здорово, — тихо ответила Ася.

— И чего хорошего! — воскликнула подруга. — Ложись скорей в кровать, авось до праздника поправишься.

— Я уже сказала в техникуме, что подцепила грипп и не приду на торжественное мероприятие, — протянула Ася.

— Глупости, это обычная простуда, попьешь чаю с малиной, и все пройдет.

— Нет, это вирусная инфекция, ломает меня всю.

— Скорей начинай лечиться!

— Зачем, само пройдет.

— Но двадцать пятое...

Ася швырнула в мойку чашку, которую держала в руке, послышался звон, и симпатичная емкость развалилась на куски.

— При чем тут двадцать пятое!

— Так праздник же, — растерянно залепетала Катя, — ты его пропустишь.

— Вовсе я не хотела на него идти.

— Не понимаю тебя, — дернула плечом Катя, — так здорово, торжественная обстановка, потом танцы.

Ася стала вынимать из раковины осколки чашки и вдруг вскрикнула, по ее пальцам потекла кровь.

— Ой, ты порезалась, — испугалась Катя.

Ася кивнула и заплакала, подруга бросилась к ней.

— Успокойся, давай йодом зальем.

— Как я могу пойти на праздник, — вдруг, рыдая, заявила Ася, — в чем отправиться? Платье в горошек нацепить? Единственное? Меня в нем уже сто раз видели! Ни туфель, ни сумочки нет. Девчонки расфуфырятся, разнарядятся, а я буду оборванкой! Нет уж, лучше болеть гриппом!

Выкрикнув это, Ася бросилась в свою комнату, по дороге она сшибла табуретку, в коридоре наткнулась на вешалку. На шум выглянула Вера Ивановна.

— Чем занимаетесь? — спросила она. — Чего тарарам подняли?

Ася остановилась и вдруг зло сказала:

— Вот как мне не повезло, ни отца, ни матери, сирота круглая, денег нет! Лучше утопиться, чем нищей жить. Скажи, в таких ботинках можно ходить, а? Можно?

Схватив старенькую туфельку, Ася стала трясти ею перед Верой Ивановной и твердить, словно заигранная пластинка:

— Позор, позор, позор! Из валенок в босоножки! Одна куртка, и даже колготок целых нет! Знаешь, какие девчонки у нас учатся? У Милки Поповой папа кандидат наук, он ей шубку купил, а у Лизки Вергасовой — полковник!

— Эка невидаль, — пьяновато улыбнулась старуха, — твой отец — генерал! Может, сейчас уже и маршалом стал! Нечего Вергасовой завидовать!

Ася швырнула ботинок в коридор.

— Ты, бабушка, коли выпила, спать ложись. Или забыла, что мой папаша давно помер? Совсем плохая стала от водки!

Вера Ивановна возмущенно выпрямилась.

— Не смей хамить!

— А, — понеслась на струе злобы Ася, — правда глаза колет! Алкоголичка!

— Мерзавка! — вскрикнула старуха. — Алкоголик — это тот, кто в канаве валяется.

— Вовсе нет, — парировала девушка, — есть вроде тебя, с виду приличные, тихие, жрут водяру под одеялом!

И разгорелся скандал, бабка, разобиженная донельзя, и Ася, злая оттого, что ей нечего надеть на праздник, набросились друг на друга с кулаками. Катя кинулась разнимать их, но куда там! Из уст драчуний сыпались оскорбления, они пытались побольней ущипнуть друг друга. В конце концов потерявшая всякое самообладание Вера Ивановна выпалила:

— Врала Ника всю жизнь! Жив твой папашка, жирует небось сейчас в собственном доме, еще в советские времена фазенду многоэтажную отгрохал. Ни в чем не нуждался. Только у него другой ребенок есть, от законной жены. Тебя же Вероника родила, его любовница. Небось думала бобра убить, да не вышло!

Ася села на пол.

— Врешь!

— Чтоб мне сгореть! — перекрестилась бабка. — Я честное слово Нике дала: никогда тебе правду не расскажу, да видишь, со зла все и выплеснула. Уж прости, Асенька, дуру! Только с какого ляду ты меня алкоголичкой обозвала?

Ася молча сидела на полу, а Катя стала тормошить бабку:

— Раз начала, договаривай.

Глава 17

На праздник Ася пошла красавицей, Катя одолжила у одной из своих подруг вечернее платье и туфли, сумочку купила Вера Ивановна, принесла и сказала:

— На, от меня в подарок, я ведь тебе почти родня, вроде тети.

Ася обняла старуху, и мир был восстановлен. Потом Катя обратила внимание, что соседка ходит задумчивая, и пристала к ней с расспросами, Локтева сначала отшучивалась, но через некоторое время сказала правду:

— Хочу отца найти!

— Зачем он тебе? — осторожно поинтересовалась Катя.

Ася горько вздохнула:

— Приду и скажу: «Здравствуй, папочка, это я, твоя доченька-брошенка. Неужели у тебя никогда на сердце не скребло, не царапало? Не думал, где я? Может, под дождем голодная плачу!»

— Не унижайся, — пробормотала Катя, — да к чему подобное свидание?

— Пусть денег даст!

— Если раньше сам искать тебя не начал, значит, ты ему не нужна, — справедливо заметила Катя.

— Он обязан мне до восемнадцатилетия алименты платить, — вспыхнула Ася, — а после смерти мамы я ни рубля не имела. Думаю, кстати, он и Нике после того, как законного ребеночка заполучил, помогать перестал, у нас никогда лишних денег не водилось! Должок за Марком Матвеевичем, пусть возвращает.

— Он тебя не признал, значит, и платить не обязан, — напомнила ей Катя, — заявишься и услышишь: «Пошла вон, много вас таких, самозванок, шляется».

— Ну хоть моральное удовлетворение получу, — ухмыльнулась Ася, — плюну ему в морду, скандал затею, в нос ткну.

— Милицию вызовет!

— И очень хорошо, я шум подниму, в газеты нажалуюсь, Марк Матвеевич человек непростой, пусть его имя с грязью смешают, — зло заявила Ася, — женушка родная и ребеночек любимый должны свою порцию дерьма скушать. Не оставлю я так это дело! Ни за что!

Катя, напуганная решительным видом Аси, стала уламывать соседку, твердя:

— Плохо затея твоя закончится, не ходи к нему, не унижайся, забудь!

В конце концов Ася вдруг заплакала, а потом воскликнула:

— Ты права! Глупость мне в башку взбрела, жила сиротою, ею и останусь.

Катя обняла Асю.

— Верно, сами прорвемся, никто нам не нужен!

Ася кивнула:

— И это правильно!

Катя успокоилась, подруга, слава богу, пришла в себя и поняла: отца лучше не искать.

Потом девушки занялись сводничеством, у них появились лишние рубли. Примерно год назад Ася сказала Кате:

— Хочу купить отдельную квартиру.

— Ой, — испугалась соседка, — а комнаты свои куда денешь?

— Давай продадим апартаменты, — предложила Ася, — и каждый купит себе лично жилье. Я — однушку, вы — двушку! Накопили же немного, добавим, в случае чего мы можем рядом поселиться, в одном подъезде, даже на одной лестничной площадке, но лично мне очень хочется иметь свой санузел и кухню.

И Лена, и Вера Ивановна одобрили эту затею, Катя принялась подыскивать варианты, но очень скоро ей стало понятно, что выгодно родные апартаменты не продать. Да, они казались хозяйкам большими, но люди теперь предпочитают элитное жилье, многоэтажная блочная башня без лифтера, с подъездом, где стены испещрены надписями, не привлекала обеспеченных покупателей. Скоро Катя поняла — разъехаться не удастся, придется доплачивать за отдельные хоромы такие суммы, которых у них нет.

Вера Ивановна попыталась утешить девушек:

— Мы же живем одной семьей!

— Ага, — протянула Ася, — но не останемся же вековухами, выйдем замуж, и что получится?

— Незачем заранее волосы на голове выдирать, — заметила Вера Ивановна, — не фига плохое планировать, все равно денег нет, станем жить, как живется. А там поглядим, будет день, будет и пища, господь милостив.

— Это точно, — пробормотала Ася, — боженька добрый, только он по большей части дрыхнет, надо его под бок пнуть, чтобы он глазки раскрыл и сообразил: «Вон Катя, Лена и Ася, хорошие такие, я не помогал им до сих пор, дай пошлю по квартиренке».

— Дура ты! — укоризненно воскликнула старуха.

— Может, оно и так, — протянула Ася, — только нечего на высший разум надеяться, на земле клювом щелкать нельзя.

После этого разговора Ася стала пропадать по вечерам, моталась неизвестно где. Катя терпела, терпела, а потом сделала подруге замечание.

— У нас есть три заказа, давай работать.

— Без меня начинайте! — отмахнулась Ася.

— Нам с Ленкой не справиться.

— Ну откажите клиенткам, — предложила Ася.

Катя возмутилась:

— Интересное дело, это же живые деньги, мы хотели ведь агентство открыть. Сейчас клиенты есть, а бортанем их, плохой слух пойдет, лишимся заказов.

— Некогда мне, — буркнула Ася.

— Чем же ты занимаешься?

— Так, надо!

— Значит, наш план побоку? — наседала Катя. — Агентства не будет!

— Чуть позднее займемся, — лихорадочно заявила Ася, и тут Катю прорвало:

— Ну нельзя же мужика во главу угла ставить!

— Ты о чем? — изумилась Локтева.

— Ой, не прикидывайся, — зашипела Катя, — думаешь, мы слепые? Чего к тебе Ильяс шляется? Да еще в такое время, когда нас нет? Решила сокровище к рукам прибрать?

— Идиотка, — подпрыгнула Ася, — у нас деловые отношения.

— Да?

— Ильяс мне помогает.

— В чем?

— Потом расскажу.

— Ладно, — сдалась Катя, — променяла нас на парня, так и скажи! Очень глупо себя ведешь, еще бы парочка удачных заказов, и можно бюро знакомств открывать, бизнес заиметь.

— Вот я и хочу денег заработать, — сообщила Ася.

— При содействии Ильяса?

— Да, — сухо ответила Ася.

— Ты его внаем сдать решила? — принялась ехидничать Катя. — В качестве рабочей сексуальной лошади? Ну он нам много не принесет, и потом, заказов-то на детей более нет, или ты без меня кого-то нашла!

Ася села на диван.

— Послушай, ты хочешь отдельную квартиру?

— Конечно.

— А бизнес?

— Естественно.

— Я тоже, поэтому и занимаюсь сейчас одним делом. Не волнуйся, скоро принесу денег. Но не расспрашивай пока о подробностях.

— О-о-о, — простонала Катя, — ладно, коли ты тугриков нароешь, молодец, мы с Ленкой сами попытаемся заказчиц пристроить!

Ася кивнула и убежала, а Катя с сестрой принялись заниматься сводничеством. Надо сказать, что без Аси и ее буйной фантазии дела шли плохо, и Катя решила после Нового года вновь поговорить с подругой.

Затем настал день, когда Ася вернулась домой около двух часов ночи, красная, встрепанная. Прямо в пальто и ботинках она влетела в комнату к Вере Ивановне и затрясла мирно похрапывающую старуху.

— Эй, бабушка, очнись!

— Поди прочь, — заорала пенсионерка, — фу, Ася, ты! Перепугала меня до смерти, вчера здесь в комнате ночью кто-то бродил, сел на грудь и душить начал, зеленый, липкий!

— Ты, бабуся, много пьешь, — рявкнула прибежавшая на шум Катя, — так и до белой горячки недалеко.

— Я? — стала возмущаться бабушка. — Я?!

— Потом поругаетесь, — шикнула Ася, — ну-ка, вспомни, как станция называлась, около которой тело моей мамы нашли?

— Э... э, — протянула старуха, — э... Канатово!

— Похоже, но не так, — замотала головой Ася.

— Бечевкино, — выдала новую версию Вера Ивановна.

— Веревкино, — вдруг вспомнила Катя.

— Точно, — топнула ногой Ася, — верно! Совпало! Вау!

С этими словами она подхватила Катю и попыталась пуститься в пляс.

— Ты чего, — отстранилась Катя от соседки, — травки обкурилась?

Ася замерла:

— Нет! Никогда марихуану не пробовала и вам не советую! Нам сейчас нужно трепетно к своему здоровью относиться, потому что скоро мы станем богатыми людьми. Я куплю себе квартиру, эта вам останется, хотите — делите, не хотите — вместе живите. Агентство откроем! Денег — лом.

— Откуда? — разинула рот Вера Ивановна.

— Оттуда, — приплясывала Ася, — Веревкино! Хитро придумано! Но не зря люди говорят: если тайну знают двое, ее услышит и свинья!

— Вы мне надоели, — затрясла головой старуха, — ночь на дворе, спать хочу! Идите отсюда, дурынды!

Девушки послушались, в коридоре Катя поинтересовалась:

— Значит, твое дело удалось?

— Еще как! — зашептала Ася. — Потом расскажу. Папенька мой, оказывается, такой жучара! Спасибо, Ильяс помог. То есть, конечно, он не за спасибо старался, придется и ему отстегнуть.

— Ты нашла отца!

— Ну, можно сказать так.

— И он решил дать тебе денег!

Ася сначала расхохоталась, а потом, спохватившись, снова перешла на шепот:

— Ха! Я сама заберу! Приволокут, с поклонами. Они-то думали, концы в воду!

У Кати закружилась голова.

— Кто «они»?

Ася потерла руки:

— Поздно уже, да и дело пока до конца не доведено, полработы не показывают, еще сглажу. Осталось чуть-чуть, потерпи, вот в Веревкино съезжу, и готово! Держись, Луиза Иосифовна! В ногах у меня валяться станет, падла, и деньги принесет на блюдечке с голубой каемочкой!

— Луиза Иосифовна? — удивленно повторила Катя. — Это кто?

— Жена Марка Матвеевича, моего папеньки-подлеца. Эх, мало им всем, всем, всем не покажется! Придется мошной потрясти, пришел час расплаты, — азартно заявила Ася и замолчала.

— Так тебе денег и дадут! — не поверила Катя.

— Еще умолять станут, чтобы взяла и молчала.

— Асенька, ну расскажи хоть немножко, — взмолилась умиравшая от любопытства Катя.

— Не сейчас!

— Хоть капельку.

— И не проси!

— Ася!!!

— Ладно, — сдалась подруга, — папенька мой навалял дел, а Луиза совершила одну штуку, отвратительную, и теперь его семейка икать начнет, потому что я условие выдвину: либо покупаете мне квартиру и даете денег на бизнес, либо раструблю на весь свет о вашем дерьме. У меня все сведения есть, крохотной детальки не хватает, но она, точно знаю, в Веревкине хранится. Вот так. Денег у Луизы Иосифовны — на трех грузовиках не вывезти! У богатого взять немножко — это не грабеж, а дележка!

— Ты решила заняться шантажом! — догадалась Катя.

Ася нахмурилась:

— Надоело в нищете жить, хватит!

— Однако...

— Потом полялякаем, — отрезала Ася, — в ночь на Новый год я тебе интересную историю расскажу! Чумовую! А пока в постельку! Баиньки.

Больше Кате не удалось поболтать с Асей, не получилось у них и справить вместе Новый год.

— Понимаешь теперь, — тихо говорила сейчас Катя, — что случилось? Аська решила потребовать от Марка Матвеевича деньги, а тот избавился от жадной дочери. Небось тайна слишком позорная, если он на убийство пошел. Вот только никак не соображу, при чем же тут моя бабушка? Может, она что-то знала, а? Может, догадалась, кто Аську жизни лишил? Бабулька у меня шебутная... была.

Слезы покатились по щекам Кати. Я быстро обняла ее за плечи.

— Что мне делать? — глухо спросила она.

— Лучше всего закрыть квартиру и поехать куда-нибудь, пока я не найду убийцу!

Катя вскочила.

— Да, да, да! У меня в соседнем доме подруга живет, пустит к себе.

— Вот и хорошо, — кивнула я, — давай провожу тебя.

Катя заметалась по квартире.

— Послушай, — окликнула я ее, — молока не найдется?

— В холодильнике пакет стоит.

— Свежий?

— Утром открыла.

Я взяла картонную упаковку и придирчиво понюхала содержимое, вроде не кислое.

— А где взять блюдце?

— Чашки на столе, помой себе.

— Мне тарелочку или розетку!

Катя всунула голову в кухню.

— Вон блюдце, на окне. Ты лакаешь молоко, как собака?

— Нет, конечно, Бакса покормить хочу, наверное, проголодался, — ответила я.

— Кого?

Я наклонилась, расстегнула сумку и вытащила апатично сопящего кота.

— Вот.

— Ой, что это с ним? — испугалась Катя.

— Не бойся, он не заразный.

— Весь трясется.

— Это от холода, велели ему одежду купить, да не понимаю где, — объяснила я, поднося к морде несчастного кота тарелочку с молоком. Баксик осторожно понюхал еду и отвернулся.

— Похоже, ему жратва не по вкусу, — констатировала Катя, — знаешь, у меня сайра есть, в масле.

— Только не это! — быстро возразила я.

— А еще я знаю, где его приодеть можно! — вдруг воскликнула Катя. — Тут в двух шагах круглосуточный торговый центр, а в нем отдел белья для новорожденных.

— Действительно, — обрадовалась я, — Бакс по размеру как младенец.

— Там недорого, — зачастила Катя, — вполне умеренные цены, бабушка в центре покупает... бабушка... бабушка... Господи, совсем забыла, что она погибла!

Слезы снова потекли по ее лицу, она схватила грязное кухонное полотенце и ушла в коридор, я осталась сидеть с Баксом на кухне. Кот все же слопал молоко и сам юркнул в сумку, наверное, ему было уютно в замкнутом, закрытом от посторонних взглядов пространстве.

Доведя Катю до дверей квартиры ее подруги, я подождала, пока она войдет внутрь, и напомнила:

— Будет лучше, если несколько дней не станешь бегать по улицам.

— Попробую, — тихо ответила Катя, — но надо бабушку хоронить.

— Во всяком случае, прояви осторожность.

— Конечно, — пообещала она и захлопнула створку.

Обдумывая полученную информацию, я добралась до ярко освещенного здания, нашла вывеску «Всем малышам» и вошла в торговый зал.

Хорошенькая продавщица мигом встала с кресла и, отложив книгу, проворковала:

— Чем могу помочь?

Я машинально взглянула на обложку и ощутила укол в сердце, торговка читала новый роман Смоляковой.

— Хотите купить кроватку, коляску? — щебетала девчонка.

Я с трудом подавила в душе черную зависть.

— Мне нужна одежда маленького размера.

— У вас девочка?

— Мальчик.

— Тогда сюда, — снова принялась фонтанировать радостью продавщица.

Очаровательно улыбаясь, она подвела меня к вешалкам с крохотными вещичками голубого цвета.

— Размер скажите.

— Не знаю.

— В подарок берете?

— Ну... можно и так считать.

— Ладно, рост какой?

— Сейчас, минуточку, — сказала я, расстегнула сумку, обозрела мирно спящего Бакса и ответила: — Ну, думаю, сантиметров пятьдесят, может, пятьдесят пять!

— Совсем маленький, — умилилась девушка.

— Мне он, наоборот, показался большим.

— Только что родился, да?

Я призадумалась:

— Не похоже! Думаю, ему года три.

Продавщица икнула.

— Сколько?

— Могу ошибаться, возраст так, с налету, определить трудно, — вздохнула я, — но по виду вполне взрослая особь.

— Пятьдесят сантиметров?

— Да. А что тут такого?

— Ничего, — залепетала девчонка, — но будет лучше, если вы еще и вес назовете!

Я снова приоткрыла сумку.

— Ну... э... килограммов пять, не меньше.

Продавщица ухватилась за стену, потом попыталась вернуть на личико сползшую улыбку.

— Очаровательное дитя! Вот этот костюмчик посмотрите!

Я оглядела голубое болеро и крохотные шортики.

— Очень красиво, но я хотела иной вариант. Ползунки и кофточку с капюшоном.

— Вот, пожалуйста, — выдернула девушка одну вешалочку, — именно то самое.

— Можно примерить?

— Извините, нет.

— Я не буду надевать, просто приложу.

— Тогда пожалуйста, где ваш сыночек?

Я взялась за саквояж, продавщица уронила костюмчик.

— Вы носите младенца в спортивной сумке? — потрясенно спросила она. — Таскаете, словно грязное белье в прачечную?

Ничего не отвечая, я принялась выпутывать Бакса из халата.

— Боже, — зашептала девушка, — вас следует лишить материнских прав! О-о-о! Кто это?!

— Кот, — спокойно ответила я, — Бакс. Постоянно мерзнет, потому что временно облысел, вот я и надумала его приодеть.

Щеки девушки порозовели.

— Вы меня до инфаркта довели, — сердито воскликнула она, — за такие шутки и схлопотать можно, сейчас охрану позову!

— Постойте, — быстро сказала я, — сейчас все объясню, сначала Бакс...

Услыхав историю про обезболивающее, сайру и мыло, продавщица чуть не зарыдала.

— Несчастный котик! Вот, глядите!

Жестом фокусницы она выбросила на прилавок розовый комбинезончик и затрещала:

— Некондиция! Видите — пятно! Хозяйка велела утилизировать, мы акт составили, только я вещичку припрятала, жалко же хорошее из-за ерунды жечь. Конечно, костюмчик у нас не купят, хотела его кому-нибудь так отдать, на бедность. Берите, вам подойдет. А то, что розовый, наплевать, верно?

— Ну спасибо, — обрадовалась я, — денег у меня не слишком много, подержите Бакса за ноги.

— Он не станет сопротивляться? — с сомнением покосилась на кота девушка. — Не укусит?

— Нет, Бакс смирный, — с некоторой долей сомнения ответила я.

Продавщица с опаской прикоснулась к плешивым лапам, я стала быстро натягивать на животное розовый комбинезончик. Не прошло и пары минут, как котяра стал похож на крохотного ребеночка, мягкая велюровая ткань скрыла полностью тело, а голова уместилась под капюшоном. Видимо, Баксу понравилось в одежде, потому что он вдруг тихонько заурчал.

— Надо же, какой милый, — восхитилась девушка, — просто ангел.

— Угу, — согласилась я, — только тяжелый. Правда, сначала, когда я его из дома выносила, он показался мне пушинкой, но спустя некоторое время в камень, похоже, превратился.

— Это оттого, что вы его в руках носите, — протянула продавщица.

— Думаю, тащить Бакса в зубах еще хуже, — протянула я.

Девица захихикала:

— Ну вы и ляпнули! Купите «кенгурушку», вот, смотрите!

Легко поднявшись на цыпочки, продавщица достала с полки конструкцию из лямок и пустилась в объяснения:

— Вот сюда проденете ноги, то есть лапки, сзади застегнете — и готово, совсем нетяжело будет.

— Верно, — восхитилась я, — буду его попеременно то в сумке, то на животе таскать! Простите мою бесцеремонность, но нельзя ли от вас позвонить?

— Без проблем, — снова проявила добрый характер девушка, — вот трубка.

Я набрала номер и попросила:

— Можно Ильяса?

— Слушаю вас, — ответил красивый баритон.

— Мы не знакомы...

— Обнадеживающее начало разговора!

— Но нам необходимо встретиться.

— Не испытываю никакой необходимости общаться с незнакомым человеком.

— Это просьба Аси Локтевой.

В трубке повисла тишина, потом Ильяс осторожно спросил:

— Вы кто?

— Трудно объяснить в двух словах, но помочь мне просила Ася Локтева.

— Что вы хотите?

— Ну не по телефону же нам беседовать! Вопрос денежный, — загадочно ответила я, — вы помогли одной даме, Лиле Емельяновой, Асенька пообещала, что и мне содействие окажете, но... знаете, Ася-то...

— Приезжайте в кафе «Анютины глазки», — перебил меня Ильяс, — через час, успеете?

— Если подскажете адрес, надеюсь, что да.

— Метро «Филевский парк»... — принялся быстро диктовать Ильяс.

Глава 18

Я положила трубку, поблагодарила милую продавщицу и, подхватив пустую сумку, побежала по мокрому, покрытому слоем жидкой грязи асфальту. Девушка оказалась права, нести Бакса в «кенгурушке» было намного легче, чем в саквояже.

Первую часть пути я проделала в подземке стоя, но, когда сделала пересадку, в вагоне обнаружилось пустое место. Втиснувшись в узкое пространство между парнем лет тридцати и женщиной пенсионного возраста, я блаженно вздохнула и почувствовала себя счастливой. В конце концов, незачем ждать от судьбы глобальных суперудач, жизнь состоит из мелких радостей, вот досталось местечко в набитом вагоне, уже хорошо.

Внезапно парень навалился на меня, я хотела было возмутиться, но тут же поняла, что он просто крепко заснул. Осторожно пошевелив плечом, я попыталась привести соседа в сидячее положение, но тот внезапно громко сказал:

— Галя, мы где?

Остальные пассажиры оторвались кто от газеты, кто от книги и уставились на нас.

— Молодой человек, — ответила я, — простите, пожалуйста, вы в метро, и меня зовут не Галя.

Но сосед, очевидно, сильно устал, потому что он громко захрапел. По вагону пролетел смешок.

— Пните его, девушка, — посоветовала сидевшая слева пенсионерка, — ишь, развалился, словно у себя дома.

Но мне стало жалко парня, он не совершил ничего плохого, просто мирно спал, положив голову мне на плечо. Вагон, покачиваясь, несся по длинному тоннелю, пассажиры снова увлеклись прессой, и тут сосед опять проорал:

— Галя, мы где? Отвечай скорей!

— Спи спокойно, — сказала я, — дома!

— У кого дома?

— У тебя, — пошутила я, — на диване.

Люди в вагоне снова захихикали, а я решила, что мой сосед теперь успокоится, но не тут-то было. Парень вдруг вскочил на ноги и завопил:

— Галька! С ума сошла! У меня дома! Живо выметайся, сейчас Маринка с работы припрется и таких люлей надает!

В ту же секунду он раскрыл глаза, обалдело потряс головой и заморгал.

— Где Галя? — вопросил он.

Мужчины, присутствовавшие при этой сцене, прикрылись журналами и книгами, а женская часть с неодобрением воззрилась на неверного мужа.

— Все они одним миром мазаны, — вдруг сказала высокая брюнетка, — жена в дверь звонит, а шалава в окно выскакивает.

Мой бывший сосед стал фиолетовым, потом быстро переместился в другой конец вагона. Я закрыла глаза, ругая себя за дурацкую шутку.

— Ребенка простудить не боитесь? — прозвучал над ухом голос пенсионерки.

— Нет, — сонно ответила я, надеясь, что тетка

отстанет, но та, похоже, была полна энергии и желания поучать окружающих.

— На улице холод, а она у вас в одних ползуночках!

— Ничего.

— Вот молодежь, — во весь голос завозмущалась тетка, — сама тепло одета, а дочка почти голая!

Я решила не отвечать на выпады и опустила подбородок на грудь.

— Они сейчас все такие, — продребезжал тихий голосок, — закаляются, в прорубь новорожденных бросают.

— У таких детей отбирать надо!

— Мы над своими тряслись!

— Сама не попьешь, не поешь, а ребятенку шубку приобретешь.

— Нынешние лишь о себе думают!

— Куда страна катится!

Безостановочное зудение пенсионерок стало меня раздражать, я приоткрыла один глаз.

— Успокойтесь, никто ребенка уморить не хочет.

— Вот нахалка!

— Надо милицию позвать!

Я стащила с головы Бакса капюшон, волосатая голова с треугольными ушами осталась лежать у меня на груди, кот, пригревшийся в ползунках, мирно спал.

Бабки затихли, я блаженно закрыла глаза, слава богу, несносные старухи поняли, что в «кенгурушке» сидит домашнее животное, и отвязались от меня.

— Девушка, — прошелестело слева, — это почему же она у вас такая?

— В отца пошла, — моментально подхватила вторая бабка, — небось из Чернобыля приехала, мутация, ясное дело.

Я открыла глаза и наткнулась на горящий взор

пенсионерки, сидящей на противоположном диван-
чике.

— Кто ж папа-то у твоей дочурки? — сочувствен-
но продолжала она. — Небось в Москву, в больницу
приехала?

Поражаясь человеческой глупости, я спокойно
ответила:

— Это кот!

Бабуська, сидевшая слева, охнула и мгновенно
заявила:

— Вот женщины бедные, на все идут, лишь бы
одной не остаться! От кота родить! Ну надо же!

Я тяжело вздохнула:

— В «кенгурушке» сидит кот, настоящий, по имени Бакс, это не мой ребенок.

— Ну да, — кивнула соседка слева, — ясненько!
Только чего тебе меня стесняться? Никогда больше
не встретимся!

— Я вожу с собой домашнее животное.

— Зачем? — хором поинтересовались старухи.

— У него стресс, ветеринар велел не оставлять
Бакса одного.

— А почему он в ползунках?

— Чтобы не замерз.

Снова воцарилась тишина, я начала дремать.

— Девушка, — донеслось справа.

— Ну что еще? — весьма невежливо спросила я.

— Разве хорошо так о коте заботиться!

— Лучше детей родить, — мгновенно подхватила
старуха напротив.

— Вот молодежь пошла!

— Кошка ей дороже людей!

— Тьфу!

— Еще небось и в кровать с собой ложит!

— Поэтому Америка над нами верх и берет!

Противные пенсионерки довели меня почти до

обморока, следовало встать, выйти из вагона и подождать другого поезда, но мне было, с одной стороны, лень, а с другой — еще неизвестно, попадется ли в новом составе свободное местечко, поэтому, чтобы заткнуть бойким пенсионеркам рот, я сняла кенгурушку и положила Бакса в саквояж.

— С ума сошла, — завозмущалась бабка с противоположной скамейки, — уморишь кису.

— Он там задохнется, — зажужжало справа.

— Некоторым нельзя доверить ничего живое.

— Вон, вчерась в газете писали, как в ресторанах из собак котлеты делают!

— О-о-о!

— Правда, правда!

— Вот она куда бедного котика тащит! На шашлык продать!

— Надо милицию позвать!

— Таких арестовывают!

Я вздохнула: увы, придется встать с насиженного места и перебираться в другой поезд, в этом покоя не будет.

— Эй, мамаши, — загудел мужской голос, — вы когда-нибудь довольны бываете?

— Ты о чем, сыночек? — ласково поинтересовались бабки.

— Сначала возмущались, что она ребенка не так одела, потом вас кот завел, слишком хорошо живет, а когда тетка его в сумку пихнула, опять тридцать восемь. Чего хотите-то?

— Люди правильно жить должны! — рявкнула старуха с противоположной скамейки.

— Это как? — заинтересовался мужик.

— С меня пример брать, — в один голос отреагировали бабки.

— Дети, семья, муж! — добавила одна.

— Главное, производство! — возразила другая.

— Ишь, сказала! Зачем оно надо! Бабе следует о семье думать. О детях!

— А-а-а! Из-за таких, как вы, нас Америка побеждает! На Родину работать надо, благосостояние увеличивать.

— Ты пахала? — спросила моя соседка.

— А как же! — приосанилась бабуська на противоположной скамейке. — Тридцать лет на одном месте, на заводе!

— А я близнецов поднимала, по звонку не ходила, — усмехнулась другая старуха. — И чего вышло? Вместе в метро раскатываем, да и пенсия небось одинаковая. Только мне дети помогают, во, сапоги купили, принесли да сказали: «Носи, мама», — а тебе завод чё на старость прислал?

— Мещанка!

— Зато с детьми!

— Да из-за таких...

Поезд подкатил к перрону, двери мягко разъехались в стороны.

— Станция «Филевский парк», — донеслось из динамика.

Я схватила сумку и ринулась к выходу, пенсионерки самозабвенно продолжали ругаться. В пылу спора они забыли, какое нынче столетие на дворе, и начали грозить друг другу:

— О тебе надо в райком сообщить! Нет, в горком партии, пусть тобой займутся! Проповедуешь не наш образ жизни!

— Забыла, что Леонид Ильич говорил на съезде? Женщина-мать — вот богатство страны!

Поезд загрохотал и улетел в черноту тоннеля, я пошла к выходу, испытывая самый настоящий ужас. Не дай бог превратиться через сорок лет в подобие этих бабок, начать третировать окружающих бесконечными замечаниями и менторскими тирадами.

Что надо сделать, дабы не стать на склоне лет злобной занудой, не дающей жить окружающим? И почему считается, что пожилые люди мудры, приветливы и благородны? Сколько подобных старух доканывают родственников вечными обидами, вредностью и неуправляемой ненавистью. Может, попросить Кристину пристрелить меня, если девочка заметит во мне вышеперечисленные признаки? Ну почему бы бабушкам и дедушкам просто не радоваться от осознания того факта, что они до сих пор живут на этом свете, видят солнышко, траву, слышат пение птиц, смотрят сериалы...

Глаза наткнулись на вывеску «Анютины глазки». Я схватилась за ручку двери и только сейчас задалась вопросом: а как узнаю Ильяса? Небось в кафе полно народа! Ну не подходить же к каждому черноглазому и темноволосому мужчине со словами: «Здравствуйте, вы меня ждете?»

Но, войдя в помещение, я поняла, что никаких проблем не будет, в крохотном зальчике имелось лишь три столика и только за одним сидел посетитель. Я приблизилась к нему.

— Ильяс?

Мужчина вежливо встал и улыбнулся.

— Да.

— Оля.

— Рад встрече, — кивнул собеседник.

Я внимательно оглядела его. Мне никогда не нравились мужчины восточного типа, но следует признать: Ильяс хорош собой, напоминает Омара Шарифа, если помните этого замечательного актера. Бездонные темно-карие, почти черные глаза, легкая смугловатость кожи, пухлые, по-женски капризно изогнутые губы, красиво вьющиеся волосы. Пахло от Ильяса дорогим одеколоном, на его запястье бол-

тались не самые дешевые часы, а свитер он купил не
на лотке у метро.

— Разрешите, поухаживаю за вами, — галантно
сказал он, выдергивая из моих рук сумку с Баксом. —
Как желаете сесть, лицом к залу?

— Мне все равно, лишь бы спокойно поговорить!

— Здесь никто нам не помешает, — заверил Ильяс, — можем сразу приступать к делу. Хотите, чтобы
я вам помог? Тридцать тысяч евро!

Я заморгала: либо сей фрукт крайне глуп, либо
патологически жаден, он даже не дал мне слова сказать, сразу назначил цену. Ладно, подыграю «осеме-
нителю».

— За один раз?! Очень дорого!

— Нет, — ласково улыбнулся Ильяс, — цена на-
значена аккордно, до результата.

— Ага.

— Деньги вперед.

— Понятно.

— Место встречи на ваш вкус.

— Ясно.

— Оплата за гостиницу или квартиру производ-
дится вами.

— Угу.

— Никаких бумаг я не подписываю.

— Естественно.

— Обязательств на себя не принимаю, ребенок
только ваш. И вообще, меня с вами никогда не было.

— Позиция в подобном случае правильная.

— Можем приступить в любое время.

— Прямо сейчас?

— Без проблем, я абсолютно готов.

— Ну... для начала не мешает познакомиться, —
протянула я.

Ильяс спокойно расстегнул дорогой кожаный
портфель. Я уставилась на его руку, украшенную зо-

лотым перстнем, похоже, этот «ребенкоделатель» захаживает в салон на маникюр. Хотя Ильяс зарабатывает телом и обязан содержать его в надлежащем виде. Внезапно мне вспомнилась Роза, жалкая, очень худенькая, с неаккуратно уложенными волосами, одетая в старенькое платье. Нормальные мужчины считают, что жена — витрина семьи, и украшают ее, но у Ильяса, похоже, иное мнение по этому поводу.

— Вот, — вежливо сказал он, — смотрите, справки от врачей. Психоневрологический, кожный, туберкулезный диспансер — я на учете не состою. Анализ на гепатит и СПИД отрицательный, еще хламидии, полистайте, полистайте. Вон заключение внизу: здоров! Там лежит результат психологического обследования, тестирование подтверждает уникальные умственные способности.

— Редкий человек сейчас имеет на руках такое исчерпывающее заключение о состоянии своего тела! — воскликнула я.

— Вы платите деньги, — без тени какого-либо смущения заявил Ильяс, — и должны иметь полную информацию. Спрашивайте что хотите, отвечу без утайки.

— Знаете о несчастье с Асей?

— Да, — кивнул Ильяс, — ее убил грабитель.

— Почему вы решили, что Локтеву застрелил вор?

Ильяс пожал плечами:

— А кто? Ася была очень беспечной, открывала дверь на каждый звонок, сколько раз я говорил ей: «Ну хоть спроси, кто там». Но она лишь смеялась, отвечая: «Какой толк в вопросе? Неужели ты полагаешь, что услышу в ответ: «Я пришел тебя изнасиловать!» Вот и дошутилась.

— Вам не страшно? — резко спросила я.

— Почему? — изумился Ильяс.

— Вдруг и вас уберут!

Ильяс заморгал:

— Я никому не мешаю и всегда осторожен, так просто в квартиру посторонних не пущу!

— Могут на улице пристрелить.

— Меня?

— Вас.

Мгновение Ильяс с удивлением моргал, потом улыбнулся.

— Понимаю, вы платите деньги и опасаетесь за конечный результат. Не волнуйтесь, я честный человек, который изредка помогает отчаявшимся женщинам. Никто из моих клиенток потом о знакомстве со мной не распространяется, с этой стороны проблем нет, я тоже соблюдаю приличия — при положительном результате мигом исчезаю, и более мы никогда не встречаемся. Разумно?

— Да, — кивнула я.

— Врагов не имею, друзей, впрочем, тоже, убивать меня некому. Можете смело вносить платеж.

— Ошибаетесь.

— В чем? — искренне изумился Ильяс.

— Над вашей головой резко сгустились тучи, скоро из них ударит молния, та самая, что убила Асю, — тихо сказала я, — вы бежали в одной упряжке, вас тоже не пощадят. Единственный способ сохранить жизнь — рассказать мне правду, я найду преступника раньше, чем он наведет на вас пистолет.

Ильяс захлопнул папку.

— Не пойму, о чем вы толкуете.

— Слушайте меня внимательно, — велела я.

Глава 19

Пока я излагала события, Ильяс сидел молча, его лоб постепенно покрывался бисеринками пота.

— Только не надо сейчас делать круглые глаза и

заявлять, что ничего не слышали о Марке Матвееви-
че и Луизе Иосифовне, — рявкнула я. — Что за тайну
раскопала Ася? Каким боком вы причастны к этому
опасному делу? Поймите, от вашей откровенности
зависит ваша жизнь. Если убийца, а я думаю, что это
сама Луиза Иосифовна, решившая избавиться от
шантажистки, будет поймана, тогда вы дотянете до
почтенной старости.

Ильяс начал болтать ложечкой в остывшем кофе.

— Послушайте, — сказал он наконец, — представляете, сколько лет должно быть тетке, если она
жила при коммунистах?

— Ельцин совершил переворот в 91-м году, — напомнила я. — Если Луизе Иосифовне тогда было,
допустим, лет сорок семь, то сейчас ей слегка за
шестьдесят, по нынешним понятиям, еще молодая
тетка. Дама могла сохранить фигуру, к тому же костюм Снегурочки не позволяет точно определить возраст внучки Деда Мороза, а дурацким париком с ко-
сами и челкой легко закрыть лицо.

— Может, и так, — тихо отозвался Ильяс, и я поняла, что именно в этот момент он испугался по-настоящему, — только Ася никаких подробностей мне
не рассказывала.

— Ой, врешь! — вырвалось у меня.

— Ей-богу, — начал судорожно говорить Ильяс, —
да, мы работали вместе, подумывали брачное агентство открыть, с некими эксклюзивными услугами.
Ася последнее время ходила по специфическим клу-
бам, по таким, где собираются одинокие женщины,
присматривалась к стриптизерам. У меня ярко выра-
женная неевропейская внешность, поэтому Локтева
была вынуждена отказывать женщинам, у которых в
семье главенствовал скандинавский тип. Понимаете, да?

Я кивнула. Естественно, если вы блондинка с голубыми глазами и имеете виды на мужчину, внешне смахивающего на Зигфрида[1], то появление в вашей семье смуглого, черноглазого младенца вызовет недоумение у родни и соседей.

— Ася решила подобрать еще несколько парней, — охотно делился информацией Ильяс. — Вы не поверите, но спрос на такие услуги стабильно высок. Стоило вывесить в Интернете объявление: «Помогу соединиться с любимым безо всякого колдовства и шарлатанства, разведу супружескую пару, сумею заставить любовника жениться на вас», как валом потекли заказы. Но мы были ограничены моими внешними данными.

— То, чем занимались Ася, Катя, Лена и вы, мне хорошо известно, лучше рассказывайте о конструкторе!

Ильяс пожал плечами:

— Так я ничего не знаю! Вообще!

— Ася не отправляла вас к людям по имени Марк Матвеевич и Луиза Иосифовна?

— К ним нет, — растерянно ответил Ильяс.

Я схватила его за руку.

— А куда она вам велела сходить?

Ильяс снова принялся размешивать ложечкой кофе.

— Вы сказали: «К ним нет», а к кому да? — наседала я.

Он вздрогнул:

— Ася приказала мне съездить в одно место. Она довольно долго инструктировала меня.

«Ты умеешь с людьми разговаривать и нравишься бабам, пообщайся там с соседями, узнай, живет ли в

---

[1] З и г ф р и д — герой древнегерманского эпоса, статный, белокурый красавец с голубыми глазами. Когда говорят «арийский» тип, имеют в виду мужчин, похожих на Зигфрида.

доме некая Раиса Ивановна Нестеренко, если да, то осторожно собери о ней информацию».

— И что дальше мне делать? — поинтересовался Ильяс.

— Ничего, — ответила Ася, — только разузнать, в добром ли она здравии, как у нее с головой, тетка немолодая, могла и в маразм впасть, хорошо ли живет. Короче говоря, знать надо, на что ее покупать: деньги предложить или ей любви охота.

— Боюсь, мне с такой тяжело будет, — быстро сказал Ильяс.

Ася расхохоталась:

— Не дрожи, я не о той любви речь веду. Многие пожилые люди страдают от дефицита внимания, родственники их давным-давно не слушают, вот у старушек и копится обида. Такие бабуськи первому встречному все секреты разболтают! Любому слушателю рады. А может, она пьет? Ну как моя соседка, с виду приличная, а на грудь примет, и несет ее по кочкам. В общем, разведай, но к самой Раисе Ивановне не ходи, вернись ко мне и отчитайся.

— Ладно, — кивнул Ильяс, — ты платишь, я работаю.

Ильяс и впрямь умеет разговорить женщин, на лиц прекрасного пола любого возраста безотказно действуют его приятная внешность и вышколенные манеры, поэтому, заглянув в домоуправление да поболтав с лифтершами, «лазутчик» быстро собрал необходимую информацию.

Раиса Ивановна — одинокая пенсионерка, но выглядит она просто великолепно. По документам Нестеренко всю жизнь проработала на оборонном предприятии кладовщицей и никогда не имела ни мужа, ни детей, но хитроглазая домоуправша Мария Ивановна, допрошенная со всем пристрастием Ильясом, заявила:

— Что-то тут не так. Ну скажите, какую пенсию может получать баба, всю жизнь выдававшая работникам рукавицы?

— Думаю, не слишком большую, — ответил Ильяс.

Мария Ивановна подняла вверх палец:

— Во! И я того же мнения. А теперь ответьте, откуда у нее деньги на дорогие продукты?

Ильяс улыбнулся:

— Ну, может, когда вы к ней в гости заглянули, старушка специально расстаралась, зефир купила, шоколадки, чтобы хлебосольство продемонстрировать.

Мария Ивановна сложила руки на необъятной груди.

— Раиса никого к себе не пускает!

— Тогда откуда вам про еду на ее столе известно?

Домоуправша скривилась:

— Хитрая Нестеренко больно, ни с кем во дворе не лялякает, шмыгнет туда-сюда, все молчком, только я один раз в супермаркет зашла, за метро. Он дорогой очень, из нашего дома туда никто не заглядывает, да мне на день рождения баночка крабов понадобилась, вот я и направилась в обираловку...

Мария Ивановна медленно ходила между стеллажами, пугаясь несуразно высоких цен. Приобретать крабы в месте, где лежит сыр почти по тысяче рублей за килограмм, ей расхотелось. Чувствуя себя несчастной и униженной, домоуправша стала пробираться к двери и вдруг услышала хорошо знакомый голос:

— Мне нужна белужья икра, а вы севрюжью даете.

Мария Ивановна притормозила и посмотрела в сторону звука. У прилавка с рыбными деликатесами спиной к залу стояла... Раиса.

— Ведь знаете, что я постоянная покупательница, — гневалась она, — и обмануть норовите!

Продавщица, совсем молоденькая девочка, потупилась, ей на помощь ринулась более опытная работница.

— Простите, — затараторила она, — Сонечка первый день вышла, поэтому и перепутала, не со зла, от неопытности. Вот белужья икорка, экстра-класс, знаю, вы всегда только ее берете.

Нижняя челюсть Марии Ивановны отвисла до пояса, а бедная пенсионерка Нестеренко положила синюю жестяную банку, в которой, похоже, было полкило деликатеса, в тележку. Домоуправша уставилась на продукты, которые уже успела отобрать Раиса: французские йогурты по сто рублей коробочка, пара баночек с незнакомыми этикетками, мюсли, бельгийское масло, лоточки с малиной, клубникой и ежевикой, ананас, киви... Но окончательно добила оторопевшую Марию Ивановну упаковка дорогущей туалетной бумаги. Раиса не экономила ни на чем!

Спрятавшись между стеллажами с бытовой химией, Мария Ивановна наблюдала, как пенсионерка расплачивается у кассы. Хорошенькая девочка в форменном платьице упаковала все приобретения бабули в красивый пакет с логотипом супермаркета и протянула с улыбкой старухе. Но та, вместо того чтобы поблагодарить услужливую сотрудницу, недовольно заявила:

— Переложите продукты, мне ваша реклама не нужна!

— Такой подойдет? — спросила кассирша, протягивая самый обычный пакет, белый, с красными цветочками.

— Ладно, — кивнула Раиса, — хоть в глаза не бросается.

После этой встречи Мария Ивановна стала внимательно приглядываться к Раисе. Один раз жиличка пришла в домоуправление с просьбой пересчитать квартплату. Бухгалтер защелкала калькулятором, а Мария Ивановна не утерпела и сказала:

— Шубка у вас какая красивая, это ведь норка?

Раиса засмеялась:

— Да уж! Норка! Откуда у меня деньги на подобные вещи? Синтетика чистой воды.

— Сейчас так ловко делать научились, — кивнула бухгалтер, — что и не отличить от настоящей, внучка себе полушубок купила за копейки, а смотрится на тысячи!

Мария Ивановна умолкла, а потом, сделав вид, что ей нужна какая-то вещь из шкафа, возле которого сидела Раиса, встала, подошла к ней и, одной рукой роясь на полках, второй очень осторожно помяла край шубки. Пальцы ощутили мягкий, шелковистый натуральный мех, никакого противного поскрипывания синтетики. Манто было из норки и стоило целое состояние.

— Вот какие у нас пенсионерки-кладовщицы случаются, — подвела итог домоуправ, — белужьей икрой питаются и в эксклюзивных шубах в домоуправление приходят. Кстати, еще один интересный момент: она к себе в квартиру никого не пускает, ни сантехника, ни электрика, ни разу заявку не оставила, уж не знаю, каким образом выкручивается, если чего ломается.

Ильяс принес добытые сведения Асе, а та, захлопав в ладоши, воскликнула:

— Здорово! Именно так я и предполагала, теперь отправляйся к самой Раисе и попробуй разговорить старуху.

— Судя по всему, — напомнил Ильяс, — Нестеренко нелюдима, каким образом я к ней попаду?

Ася потерла руки:

— На всякую хитрую мышеловку есть свой ключ! Я позвоню бабусе по телефону, представлюсь главным редактором журнала... э... «Рупор».

— Есть такой? — удивился Ильяс.

— Неважно, — отмахнулась Ася, — сейчас огромное количество всяких кретинских изданий... Ладно, сиди тихо и слушай!

Не успел Ильяс охнуть, как Локтева схватила трубку и затараторила:

— Будьте любезны Нестеренко! Раиса Ивановна? Здравствуйте, вас беспокоит главный редактор ежемесячника «Рупор» Ольга Фокина. Встречали когда-нибудь наш журнальчик? Нет? Не беда, он похож на... «Огонек», знаете? Ага, вот мы точь-в-точь такие. Зачем вас беспокою? Вы ведь долгие годы проработали на заводе «Астра»[1]? Предприятию исполняется шестьдесят лет, мы готовим материал, посвященный славной дате. Да, да, знаю, вы служили простой кладовщицей, но, увы, ветераны уходят, а для молодых ценно любое воспоминание. Если разрешите, наш корреспондент приедет и возьмет интервью. Нет, нет, никаких фотографий, просто беседа. Допустим, когда вы пришли в «Астру»? Что за люди тогда трудились около вас? Может, припомните несколько веселых историй. О нет, мы не собираемся разбалтывать государственные тайны, что-нибудь бытовое, некий казус... А... А... Ха-ха-ха! Вот об этом и расскажете. Назначайте время и место.

Ильяс во все глаза следил за раскрасневшейся Асей, а та, швырнув трубку, радостно заявила:

— Вот как себя вести надо, переть напролом. Бабуська пустила слезу и теперь готова на все. Слушай меня! Эта Раиса действительно долгие годы служила

---

[1] Завода оборонной промышленности «Астра» в Москве нет и не было. Любые совпадения случайны.

при барахле, уж не знаю, зачем на предприятии кладовщица нужна, может, спецодежду выдавала. Только потом она с завода ушла, ее взял к себе в дом не кто иной, как главный конструктор Марк Матвеевич. У него, совсем не юного, ребеночек родился, жена его, Луиза Иосифовна, тоже не первой молодости была. Уж как у них наследник получился, одному богу известно, только всем на удивление, она произвела на свет мальчика, и Раиса у паренька в няньках ходила. Этот Марк Матвеевич, похоже, жуткий жук был, Нестеренко из «Астры» не уволили, она там на службе числилась и, наверное, «зряплату» получала, а сама пеленки стирала. Люди во все времена устраиваться умели, Марк Матвеевич не исключение: и няньку получил, и денег ей не платил. В общем, так: изо всех сил стараешься понравиться бабке, а потом узнаешь у нее, где сейчас живет Луиза Иосифовна, адрес ее нужен, телефон, в общем, любые сведения.

— А если она их не знает? — предположил Ильяс.

— Думаю, сразу не сообщит, — кивнула Ася, — но ты уж постарайся, влезь в душу к Раисе, ей совершенно точно все, что мне надо, известно. И еще, порасспрашивай тетку о ее детстве, предполагаю, что она из деревни Веревкино. Но мне нужно точно знать, так ли это. Ясно?

Ильяс кивнул:

— Хорошо, когда идти? Завтра?

Ася сердито щелкнула языком:

— Увы, нет. Бабка велела позвонить через три дня, она собралась куда-то поехать, что лишний раз подтверждает мои догадки.

— Какие? — полюбопытствовал Ильяс.

Ася хмыкнула:

— В принципе, все. Ну откуда у нее деньги? Нынешние пенсионерки, если они одинокие, как Раиса, дома сидят, нету у них денег по санаториям раскатывать. Если и сделали в свое время запасы на старость, то давно их в бардаке реформ потеряли. А у Раисы и икорка, и шубка, и отъезд в Подмосковье, знаешь, о чем это говорит?

— Нет, — честно ответил Ильяс.

— Да о том, что ей капают тугрики, — весело пояснила Ася, — есть некое денежное море, из которого Раиса Ивановна ведрышком рублики черпает. То-то! И я, похоже, знаю... Ладно, тебе это неинтересно, получил за работу конвертик, и хорошо. Значит, через три дня!

Но потом Ася позвонила Ильясу и бодро сказала:

— Отбой. Без тебя справилась!

Ильяс, естественно, не стал встречаться со старухой.

— У тебя есть ее телефон? — в нетерпении воскликнула я.

Ильяс быстро замотал головой:

— Нет, нет.

— Адрес давай.

— Тоже не знаю!

— Разве можно так глупо врать? — удивилась я. — Только что ведь рассказывал, как ходил в домоуправление!

Ильяс кашлянул:

— Ну, в общем...

Я топнула ногой:

— Кажется, ты плохо оцениваешь нависшую над тобой опасность! Асю убили из-за того, что она вышла на след Луизы Иосифовны! Ты ей помогал, значит, следующий в очереди на кладбище!

Ильяс вцепился пальцами в столешницу, его лицо выглядело невозмутимым, но костяшки побелели.

— Ничего я не знаю. Ася не рассказывала подробности...

— Ты это убийце объясни, — перебила я, — впрочем, она не станет церемониться, снова переоденется Снегурочкой — и бац, нету Ильясика. Вот и рассказывай потом Петру, что на самом деле зря пострадал.

— Какому Петру? — ошарашенно промямлил Ильяс.

— Говорят, у ворот рая стоит с ключами в руках святой Петр, — спокойно пояснила я, — уж не знаю, так это или нет, но, похоже, у тебя, если не сообщишь мне координаты Раисы, в самое ближайшее время появится возможность лично проверить, правду ли болтают люди о том свете.

Лицо Ильяса вытянулось, глаза словно провалились внутрь черепа, в наступившей тишине мне был хорошо слышен голос, звучавший из радиоприемника:

— Катечка Новикова, вечернее шоу «Домой», итак, всем-всем...

— Кое-кто сегодня может и не попасть домой, — чтобы окончательно добить парня, заявила я. — Жизнь такая странная штука: ушел здоровым, веселым и... не вернулся.

Лицо Ильяса мгновенно потеряло мужественность, красота стекла с него, словно вода со скользкой клеенки. Из кармана пиджака он выхватил мобильный, дорогой, новый аппарат и хриплым голосом сказал:

— Чуяло мое сердце, вляпалась Аська в дерьмо! Пиши телефон Раисы Ивановны.

Получив все необходимые данные и велев Ильясу сидеть тихо-тихо или, еще лучше, взяв семью, временно переменить место жительства, я поехала домой к Линде. На дворе почти ночь, старушка Нестеренко, счастливая обладательница норковой шубы, давным-давно спит. Завтра с утра побеспокою бабушку, а сейчас следует и самой отдохнуть.

Глава 20

Дверь мне открыла Линда. Подбоченившись и отставив в сторону правую ногу, она сурово спросила:

— Где шлялась? Если полагаешь, что сможешь здесь как родственница бесплатно жить и питаться, то ошибаешься!

Я быстро вытащила кошелек.

— Вот, я устроилась на работу.

— И куда же? — недоверчиво поинтересовалась хозяйка.

Я стала стаскивать смертельно надоевшие за день сапоги.

— Нашла свою бывшую одноклассницу, она вышла замуж за богатого человека и теперь шикарно живет. Ей нужна нянька для ребенка.

— Ну-ну, — кивнула Линда, — значит, скоро съедешь?

— Какая тебе разница, кто в чуланчике спит? — взмолилась я и в ту же секунду почувствовала, как в верхней челюсти запульсировала боль.

— В принципе, никакой, — пожала плечами Линда, — лишь бы ты лавэ отстегивала. Ладно, когда расплатишься?

Я пересчитала купюры.

— Могу сейчас сразу за четыре дня.

— Давай, — прозвучало в ответ.

Когда бумажки перекочевали в карман хозяйки, Линда заметно повеселела.

— Вот и хорошо, — жмурясь, словно сытая кошка, сказала она, — ступай чай пить, там сайра есть.

При упоминании о рыбных консервах я вздрогнула, но Линда, не заметив моей реакции, продолжала:

— В принципе, ситуация проста. Все, кто тут колбасится, приносят с собой жрачку и складируют ее в холодильнике, такой общий котел. Мы потом ничего не считаем, просто едим, здорово?

— Ага, — кивнула я, — коммуна.

— Хоть чего приволоки, — вещала Линда, — батон хлеба, уже хорошо. Если с пустыми руками разок явилась, не беда, но уж завтра подумай о харчах, ясно?

Наверное, следовало развернуться и бежать к метро, где открыт круглосуточный магазин, но перспектива вновь натягивать тяжелые сапожищи, топать по жидкой грязи показалась мне настолько ужасной, что я быстро сказала:

— Просто так спать лягу, устала очень.

Линда усмехнулась:

— Сказано: чай пей и еду бери, но завтра пополни запасы.

— Непременно, — пообещала я и, подхватив сумку, двинулась в сторону чуланчика.

В душе я была уверена, что сейчас свалюсь на раскладушку прямо в джинсах и свитере, но, очутившись в крохотном помещении, ощутила голод и решила все же воспользоваться любезным предложением Линды, сходить выпить чаю.

На кухне обнаружился Вася, голый по пояс, он сидел, уткнувшись носом в книгу.

— Привет, — сказала я, распахивая дверцу холодильника.

— Угу, — пробубнил Вася.

— Как дела? — Я решила из вежливости поддержать разговор.

— Ага.

— Все нормально?

— Эге.

Поняв, что Вася не расположен к беседе, я сосредоточила свое внимание на полках и сделала неутешительный вывод: жадная Линда радушно пригласила постоялицу поужинать лишь по одной причине: в холодильнике ничего нет, только в самой глубине мирно маячит все та же миска, наполненная сайрой. Но мне совершенно не хочется лакомиться рыбками, в которых с утра искупался кот. Впрочем, следовало выбросить консервы, но я, выудив из миски Бакса, поставила ее в рефрижератор. Однако Линда молодец! И вежливость соблюла, и ничего не потеряла.

Внезапно Вася со стоном потянулся.

— Жрать хочешь? — спросил он. — Возьми булку.

— Где она?

— Вон, на часах.

— Где? — удивилась я.

— Часы видишь?

— Нет.

Вася ткнул пальцем в непонятный предмет, стоявший у стены, я с большим удивлением уставилась на конструкцию, похожую на гонг. Довольно длинная деревянная нога, на ней болтается круглый кусок, когда-то, наверное, ярко блестящего, а теперь тусклого металла. Сбоку приделана полочка, на которой лежат молоток и буханка белого хлеба.

— Что это такое? — вырвалось у меня.

— Совсем свежий, — лениво протянул Вася, — у метро купил, там пекарня есть.

— Нет, я про эту штуку на подставке.

— Часы, — обронил Вася и начал чесаться.

Я принялась изучать прибор, не могу сказать, что являюсь большим специалистом в области часового дела, но песочный вариант должен иметь колбу, солнечный — довольно высокий штырек, вбитый в циферблат, водяной — емкость с жидкостью. Здесь же была просто круглая железка.

— Стрелок нет, — озадаченно сказала я.

— Зачем они?

— Как же время узнавать?

— Это говорящий прибамбас, — хихикнул Вася, — сам час с минутами назовет.

Меня озарило. А, наверное, некий суперсовременный электронный вариант, реагирующий на высказанный вслух вопрос. Никогда до сих пор не встречалась с подобным.

Сгорая от любопытства, я подошла к агрегату и, глядя на диск, спросила:

— Который час?

Молчание.

— Простите, сколько времени?

Снова ни звука в ответ.

— Ты неправильно ими пользуешься, — сообщил Вася и снова уставился в книжку.

— А как надо?

— Угу.

— Вася!

— Ага.

— Объясни принцип работы часов.

— Эге.

— Вася!!!

— Ну чего пристала, — воскликнул хозяин, — почитать не даешь!

— Такая интересная книжка, что и оторваться нельзя? — заговорил во мне писатель. — Кто автор-то?

— Здорово пишет, — зевнул Вася, — мне надо, чтобы хорошо заканчивалось, никто из главных героев не умер, все живы, а то недавно я читал повесть, там собака погибла, так я обрыдался весь!

— И каков сюжет столь увлекшего тебя сегодня романа?

Вася чихнул:

— Ну, тут такие короткие штуки. Вот это классно: «Жаркое из кролика».

— Интересное название для рассказа, о чем он?

— Ясное дело, о кролике, — удивился Вася. — «Возьмите одну тушку, разрубите ее на...»

Я подошла к хозяину и выхватила у него из рук томик в глянцевой обложке. Смолякова! «Моя жизнь у плиты. Страшный опыт». Матерь божья! Пронырливая детективщица ухитрилась настрогать кулинарную книгу! Нет, на нее точно пашет бригада, ну не может дорогая Милада писать обеими руками, правой детективы, левой — книжонки по домашнему хозяйству. А уж начало сего опуса просто убийственное! «Если женщина, справившая тридцатилетие, не умеет готовить, ей следует удавиться!»

— Вася! Ты читаешь рецепты!

— Да? — слегка изумился он. — И чего? Это же Смолякова!

— Она выпустила кулинарную книгу!

— Ну.

— Ее не читают!!!

Вася покрутил пальцем у виска.

— Ты, Олька, того! Зачем же тогда продают?

— Не для чтения! По ней готовят!

— Интересно очень и не страшно, все живы! — неожиданно заявил Вася.

— Кроме кролика, — ехидно отметила я, чувствуя, как в душе поднимается совсем не светлая зависть к Смоляковой. Ох, не зря одна газета недавно поместила статью под названием: «Какие книги, такие и мы», — и начинался опус со слов:

«Если халтурщица Смолякова возьмет телефонный справочник, она запросто переделает его в детектив».

Похоже, в этой злобной шутке содержится голая правда. Вон Вася самозабвенно читает кулинарные рецепты!

— А чего с кроликом? — вытаращил глаза Вася.

— Его на части разрубили и со сметаной потушили, — грустно сообщила я, — так что не все живы остались в столь полюбившемся тебе произведении с захватывающим сюжетом.

Вася сердито захлопнул томик.

— Экие вы, бабы, злые, лишь бы удовольствие человеку испортить. Чего пугаешь! Смолякову когда-нибудь читала?

— Да.

— Скажи, у нее в детективах плохой конец бывает?

— Нет, — признала я.

— То-то и оно! — поднял вверх указательный палец Вася. — Значит, кролик потом оживет! У Смоляковой такая фантазия! Живехонек-здоровехонек окажется!

Я, потеряв дар речи, уставилась на Васю, потом, кое-как справившись с собой, попыталась вразумить дурака:

— Это кулинарная книга!

— И че?

— Рецепты!

— Ну?

— В ней рассказывается, как суп готовить или жаркое из кролика!

Вася скривился:

— Отвяжись! Знаю точно, длинноухий воскреснет в самом конце, на последней странице, у Милады всегда так, кое-кто посмеивается, а мне приятно.

Не кролика там съели. Если не читала эту книгу, чего болтаешь зря!

Я прислонилась к стене. Интересно, кто в «Марко» надоумил Смолякову потратить время на кулинарные рецепты? В моем издательстве...

К горлу подступил комок. Арины Виоловой более в «Марко» нет, ее изгнали с позором. Но я не упаду духом, у меня почти есть сюжет для нового, захватывающего романа, напишу его в кратчайший срок. Еще посмотрим, как изменятся лица у «марковцев», когда мне вручат главную премию года на международной Московской ярмарке. И Куприн тоже станет локти кусать, бросится мне в ноги со словами: «Вилка, дорогая, я был не прав!»

Я, может, благородно прощу мужа и вернусь домой, но только на белом коне.

Перед глазами мигом возникла картина. Сижу на огромном жеребце грязно-серого цвета. Невероятным образом здоровенное животное сумело взобраться по лестнице до нашей квартиры.

Дверь распахивается, появляется Олег, в руках он сжимает огромный букет кроваво-красных роз.

— Дорогая, — кричит он, — ты снова со мной!

Опустившись на одно колено, он протягивает мне дорогостоящий веник. Я, снисходительно кивнув, пытаюсь выполнить задуманное: въехать в родные апартаменты на белом коне.

Но не тут-то было! Жеребец изо всех сил сопротивляется поставленной задаче, он упирается ногами и не собирается наклонять голову, потом, все же опустив морду, выхватывает у Олега букет и принимается с аппетитом жрать розы.

Делать нечего, мне приходится спускаться на пол и пинать непослушную тварь кулаком в бок, но с таким же успехом можно колошматить пирамиду Хеопса. Перспектива въезда домой на белом коне начинает тихо испаряться. Ругаясь сквозь зубы, я обхожу неслуха сзади и, машинально отметив, что он кобыла, хватаю лошадь за длинный хвост. В ту же секунду масса жестких волос вырывается из рук, раздается характерный звук и прямо к моим ногам падает...

Я моргнула, видение исчезло. Ладно, втаскивание жеребца, даже белого, в московскую квартиру дело хлопотное, я просто войду домой, держа новую книгу в руках. Положу ее перед Олегом и скажу:

— Вот, ты обозвал меня графоманкой и фиговой писакой, и из «Марко» меня выгнали вон, но я знаю одну простую истину: чем хуже сейчас, тем лучше потом. Нашлись люди, поверившие в Арину Виолову! Понимаешь теперь, какую женщину ты потерял? Променял на...

— Чего уставилась, словно баран на новые ворота? — ожил Вася. — Хочешь покажу, как часы работают?

— Да, — кивнула я, избавляясь от неуместных мечтаний, — никогда до сих пор не встречала говорящий вариант.

Вася потянулся, лениво встал, потом схватил молоток, лежащий около батона, и со всей силы стукнул по железному кругу. Тяжелый, густой звук поплыл по кухне, он медленно поднялся к потолку и стал, дрожа, растворяться в воздухе, я невольно зажмурилась, отчего-то от оглушительного «ба-а-а-а-м» заболели не уши, а глаза.

Гул стих.

— А когда они скажут время? — осведомилась я.

— Ща, — хихикнул Вася, — слушай!

— Безобразие, — полетело из-за стены справа, — опять спать не дают! Уже одиннадцать сорок семь!

— Сорок шесть и тридцать четыре секунды, мама, — заверещал детский голосок.

— Обалдели!

— Сволочи.

— Одиннадцать сорок семь! Ровно!

Вася сел на табуретку.

— Поняла?

— Ага, — кивнула я, — здорово.

— Это еще сегодня ихняя бабка дрыхнет, — пояснил Вася, — она вообще кукушкой работает, часа два потом успокоиться не может, каждые четверть часа орет: «Уроды! Одиннадцать сорок семь! Придурки, ноль часов две минуты»... ну и так далее.

— А днем?

Вася снова уткнулся в книгу Смоляковой.

— Без разницы, — пояснил он, — часы постоянно работают. Бери батон, не стесняйся.

Я принялась хозяйничать, налила воду в грязный, покрытый изнутри накипью чайник, вымыла кружку, сунула в нее пакетик, утопила его в горячей воде, добыла чистую ложку и стала искать сахар.

— Песка нет, — сообщил Вася, — пей так, оно полезней, рафинад белая смерть.

Я приуныла, запросто могу обойтись без излюбленных многими продуктов: мяса, колбасы, картошки, масла, — все это я способна не есть месяцами. Но вот пить чай, а тем более кофе без сахара не люблю. Значит, придется обойтись просто водой, но желудок, как назло, просил чая, крепкого и обязательно очень сладкого.

Тяжело вздыхая, я повернулась к двери.

— Куда пошлепала? — спросил Вася.

— На проспект сгоняю, там магазин открыт.

— И охота тебе пятки бить?

— Не имею ни малейшего желания плестись по грязи, — честно призналась я, — но очень хочется чаю с сахаром.

— У Зинки попроси, — подсказал Вася, — толкнись в соседнюю квартиру и поклянчи пару кусков, ее дверь слева от нас.

Обрадовавшись столь простому решению проблемы, я выскочила на лестничную клетку, поискала на стене звонок, обнаружила вместо него торчащие в разные стороны проводки и легонечко постучала в дверь. Простая, не железная створка, обитая дешевым кожзамом, тихонько приотворилась. Я всунула голову в темную прихожую.

— Зина, это Оля, соседка, можно войти?

Ни единого звука не донеслось из апартаментов. Я, чувствуя себя не слишком комфортно, прошла несколько шагов по невероятно захламленному холлу и увидела комнату, довольно большую. Вернее, помещение могло выглядеть просторным, если бы из него выбросить кучу поломанного хлама. Ну зачем тут стоят сразу три полуразодранных дивана и четыре еле живых от ветхости кресла? У стены маячило несколько гробов, поставленных на попа. Вернее, это, конечно, были не домовины, а жуткие, срубленные, похоже, топором гардеробы, смахивающие на последний приют индейца. В детстве я читала книжки о краснокожих и в одной из них набралась сведений о том, что эти свободолюбивые люди хоронили своих усопших предков в дереве, внутри которого вырубалось отверстие.

Серые от грязи занавески обрамляли окна, на экране телевизора, вернее на пыли, покрывавшей его, спокойно можно было писать сообщения, некое подобие ковра покрывали пятна, и повсюду громоздились пирамиды из коробок и старых газет.

Удивившись степени неряшливости Зины, я пошла по коридору и из-за следующей двери услышала звуки музыки, Ролик снова упражнялся на скрипке. Нежная мелодия проникла в душу, я прислонилась к стене, покрытой драными обоями, и почувствовала, как по щеке течет слеза, усталость широким одеялом окутала мое тело, а музыка, тонкая, нервная, лишала последних сил, отнимая надежду.

Глава 21

Вдруг скрипка замолчала, я поскреблась в дверь, не дожидаясь ответа, распахнула ее и увидела Ролика. Парень стоял спиной ко входу, правее от него находился пюпитр с нотами.

Спальня юноши отличалась от комнаты Зины, как бабочка от жабы. У Ролика царил совершенно армейский порядок. Узкая кровать была застелена тонким одеялом, на письменном столе высилась аккуратная стопка книг, еще тут имелся шкаф и два стула. Никаких столь любимых молодыми ребятами вещей, типа СД-проигрывателя, телевизора, не было даже самого завалящего радио.

Очевидно, Ролик почувствовал присутствие в комнате еще одного человека, потому что он обернулся и посмотрел на меня.

— Извините, — пробормотала я, — дверь в квартиру была открыта.

— Наверное, я забыл запереть, — со вздохом ответил скрипач, — вечно меня мать ругает! Ужасно быть таким рассеянным.

— Многие люди, посвятившие себя искусству, не обращают внимания на бытовые мелочи, — вырвалось у меня.

Ролик мягко улыбнулся:

— Наверное, они не испытывают финансовых затруднений, имеют прислугу, которая следит за хозяйством. А я регулярно попадаю впросак. Вот сегодня мама велела купить сахар, а я, конечно, забыл. Сейчас она вернется и отругает меня.

— Думается, Зина могла и сама за рафинадом сбегать, — почему-то обозлилась я.

— Мать устает, — серьезно ответил Ролик, — у нее тяжелая работа. Знаете, убирать за чужими людьми очень непросто. Вот, надеюсь, мне удастся выбиться из безвестности, и тогда у нас начнется иная жизнь. Но пока, увы, это плохо получается!

— Вы изумительно играете!

— Спасибо за комплимент, но, наверное, вы не являетесь знатоком классической музыки?

— Это еще слабо сказано, — засмеялась я, — просто сейчас впервые поняла значение выражения: звуки берут за душу.

Ролик приветливо показал рукой на кресло.

— Садитесь, хотите еще сыграю, специально для вас, небольшую пьеску?

— Спасибо, — кивнула я и умостилась на мягкой подушке.

На этот раз раздалась иная музыка, не печально-грустная, а бодро-воинственная, вселяющая уверенность. С меня разом слетели все остатки сонливости.

— Ну как? — поинтересовался Ролик.

— Такое хорошо слышать по утрам, вместо зарядки.

Юноша тихо рассмеялся:

— Да уж, верно подмечено, похоже, вы прекрасно чувствуете настроение произведения, это, вообще-то, редкость. Отчего вас в детстве не обучили нотной грамоте?

— Некому учить было, — вздохнула я, — мачеха пила, ей и в голову не могли прийти мысли о сольфеджио.

Ролик осторожно поставил скрипку в специальную подставку.

— А мне повезло, на старой квартире, там, где мы жили с матерью до переезда сюда, у нас имелась соседка, Мирра Соломоновна, преподаватель консерватории. Вот она во мне нечто увидела и отвела в музыкальную школу. Свою первую скрипку я получил от нее. Да, попадись вам на жизненном пути своя Мирра Соломоновна, может, сейчас бы концертировали. Хотя радуйтесь, что это не так, быть другой очень трудно.

— Вы о чем?

Ролик повернул голову к окну:

— Знаете, люди делятся на две категории: обычные и иные. Подчас в самой простой семье, ну такой, где папа пьет, лупит маму, а бабка только и думает, что о консервировании и огороде, появляется ребенок с творческими задатками. Такому малышу очень тяжело приходится среди так называемых нормальных людей, которые смеются над ним. Но еще хуже делается, когда вырастаешь и наконец-то понимаешь: ты иной, не такой, как все!

— Многие подобные малыши становятся кумирами миллионов, — решила я подбодрить Ролика, — если почитать биографии великих людей, то все они, или большинство, ощущали в детстве одиночество.

Юноша осторожно начал разминать пальцы.

— Знаете, — в конце концов сказал он, — это ужасно! Быть творческим человеком очень тяжело, живешь в постоянном страхе и ужасе. Отыграешь пьесу, уйдешь со сцены и мучаешься: боже, отвратительно исполнил, не сумел передать ни настроения, ни чувства, потом налетает депрессия, в голову лезут отчаянные мысли. Ну зачем взял в руки скрипку? Это не для тебя, ты не Паганини, и даже не Ванесса Мэй, вообще никто, бездарь, непригодный к концертированию. Полночи промаешься, уснешь, ночью кошмар привидится. Лично меня такой мучает: я стою перед оркестром, гляжу на дирижера, ловлю нужный знак и... рука не работает, просто не поднимается, висит плетью. Я пытаюсь ее сдвинуть, но конечность тяжелее бетонной плиты, вот и стою дурак дураком. Дирижер начинает наливаться краской, зрители шушукаются, а я, весь потный, совершенно безуспешно пытаюсь справиться с параличом. Потом наступает утро, я вскакиваю, о чудо, руки великолепно слушаются меня, скрипка звучит. Невероятное наслаждение наполняет душу, вот счастье, я талантлив, способен на любые подвиги, но приходит вечер, и снова отчаянье! Редко испытываешь удовлетворение после выступления. Может, я перфекционист? Не могу ответить на сей вопрос, но одно знаю точно: человеку, который отмечен божьим поцелуем, жить невероятно трудно. Я очень завидую тем, кто ничем не выделяется из толпы. Окончил школу, институт, получил профессию, женился, родил детей, поднял внуков, существовал тихо, размеренно, не колотился от осознания нереализованности, а просто ел, пил, спал, наслаждаясь простыми радостями: хорошей погодой, повышением зарплаты. Но мне-то мирских благ мало! Хочется так исполнить концерт, выплеснуть все... ан нет, не получается. Это просто кошмар, и деться от него некуда! Один раз, измучившись до предела, я решил никогда не брать скрипку в руки вообще! Пять часов выдержал! Утром встал, чаю попил, сходил на рынок, принес кусок мяса, решил кухарничать. Ну и что? Какая-то сила поволокла меня к пюпитру, руки сами потянулись к инструменту. Знаете, что такое «акуна-матата»?

— Нет, — слегка ошарашенно ответила я, — понятия не имею.

— Дословный перевод не дам, но приблизительно это означает: «Не борись с непреодолимыми обстоятельствами». Человек не должен переживать по поводу того, чего он не способен изменить. Никаких проблем. Акуна-матата. Доллар упал, взорвали бомбу, налетел ураган... Акуна-матата, ты ведь не можешь этому помешать. Вот так и с нами, иными людьми. Акуна-матата! Играй на скрипке, лезь на вершину мастерства, мучайся и никогда не задумывайся над тем, почему твоя жизнь такая! Акуна-матата! Так фишка легла. Это не буддизм, конечно, в его классическом понимании, но некая вариация на тему.

Закончив монолог, Ролик снова взял инструмент, занес над ним смычок, я тихо-тихо, словно катящийся по полу комок пыли, добралась до коридора и понеслась домой. Черт с ним, с сахаром и чаем, так спать лягу. Однако какой необыкновенный парень Ролик, очень талантливый, на редкость серьезный, думающий, размышляющий и, похоже, совершенно одинокий. Я в детстве тоже ощущала себя нежеланным и нелюбимым ребенком, но у меня потом появилась Томочка. Может, и Ролику повезет, найдется и у него хороший, верный друг, а вполне вероятно, что таковых будет несколько. Нет, все-таки странно, что у лентяйки и грязнули Зины получился такой сын!

Решив не ужинать, я осторожно пошла к чуланчику.

— Васька, — раздался крик Линды, — ты Бакса видел?

— Нет! — завопил в ответ супруг.

Я похолодела, ну вот, началось! Сейчас Линда поднимет шум, начнет носиться по квартире, повторяя на разные лады:

— Бакс, Бакс, Бакс...

Кот вылезет из сумки и предстанет перед хозяйкой во всей красе, лысый, в ползунках! Можно даже и не думать о том, что сделает Линда с гостьей, когда узнает правду про лекарство, сайру и шампунь, в лучшем случае меня вышвырнут вон.

Испугавшись, я на секунду замерла у стены и снова услышала сопрано Линды:

— Вот пакость!

В то же мгновение хозяйка вышла из комнаты.

— Бакса видела? — повернулась она ко мне.

— Н-нет, — малодушно соврала я.

— Стервец! Опять ускакал.

— Куда? — осторожно поинтересовалась я.

Линда наморщила нос:

— Вроде увалень, но, когда надо, прыткий! На последнем этаже кошка живет, Мася. Как только на нее период любви накатывает, Бакс тихонечко в дверь ушмыгивает и к даме сердца скачет. Та тоже, не будь дура, удирает из квартиры и в объятия Бакса попадает. Мы их с Лариской, кошкиной хозяйкой, пару раз растаскивали. Ни ей, ни мне котят неохота пристраивать, а топить рука не поднимается. Так они знаешь что придумали? На чердаке прячутся, там барахла море, не найти парочку. Ну, мерзавец! Вернешься домой, получишь как следует! Пройда анафемская!

Я улыбнулась, никогда не слышала такого выражения про пройду! Продолжая сердито бубнить себе под нос, Линда пошла в сторону ванны, а я мгновенно юркнула в чулан, упала на раскладушку и перевела дух. Значит, Бакс гуляка! Слава богу, в ближайшие дни его искать не станут, а там посмотрим, не надо задумываться о проблемах в целом, будем решать их поэтапно.

Те из вас, кто хоть раз спал на раскладной конструкции из парусины и гнутых трубок, очень хорошо знают, сколь некомфортно сие ложе. До трех утра я провертелась под тряпкой, заменяющей одеяло, все пыталась найти удобную позу. Но если ложилась на спину, то моментально чувствовала боль в позвоночнике, коли пыталась устроиться на животе, ощущала кожей железные пружинки, при помощи которых держался «матрац». В конце концов сон сморил меня лишь под утро, естественно, проснулась я тогда, когда большинство рабочего люда приступило к обеду.

Тряся гудящей головой, я, забыв умыться, ринулась к телефону, по дороге с неимоверной радостью отметив: в квартире никого нет, даже лентяйки Зинаиды. Я быстро набрала полученный от Ильяса номер.

— Аллоу, — послышалось из мембраны.

— Будьте любезны Раису Ивановну.

— А кто ее спрашивает?

— Ольга из журнала «Рупор».

— Слушаю, Нестеренко у аппарата.

— Позвольте напомнить, я звонила вам...

— С памятью у меня полный порядок, — перебила пенсионерка, — дальше!

Я молча проглотила весьма невежливое замечание и попыталась продолжить разговор:

— Мы договаривались об интервью и...

— Верно, — перебила Раиса Ивановна, — дальше.

— ...вы пообещали встретиться после возвращения из санатория.

— Правильно.

— Если вы свободны сегодня, то...

— Ту... ту... ту, — понеслось из трубки. Я положила телефон на тумбочку. Что случилось? Отчего Раиса Ивановна решила прервать мирную беседу? Или это неполадки на линии?

Не успела я сообразить, что делать, как трубка разразилась трелью.

— Алло, — машинально ответила я.

— Ольгу позовите, — донеслось с того конца провода, и я моментально узнала нервный, слегка капризный голос Раисы Ивановны.

— Нас разъединили! Но откуда вы узнали мой номер?

— Деточка, — снисходительно протянула старушка, — человечество придумало АОН! Расшифровать? Автоматический определитель номера. В прошлый раз вы звонили с засекреченной линии, в окошке одни восьмерки выпали, а я не желаю общаться с человеком, который боится указать свои координаты. Потом снова меня побеспокоили, и мы встретились. Сегодня же опять не таитесь, поэтому я вам доверяю. Можете приехать через полтора часа.

Из трубки снова послышались длинные гудки, похоже, Нестеренко не страдает болезнью под названием «вежливость».

Собравшись в мгновение ока, я схватила сумку с Баксом, ринулась было в прихожую и тут же притормозила. Саквояж показался подозрительно легким.

Я открыла торбу, точно! Бакса нет! Минут пятнадцать я носилась по захламленной квартире и, отбросив всякое стеснение, открывала двери в чужие комнаты и распахивала шкафы. Тщетно, гадкий Бакс словно сквозь паркет провалился. Очевидно, коту надоело мое постоянное присутствие, да и поездки в метро никому особой радости не доставляют.

Поняв, что Бакса не найти, я громко воскликнула:

— Ладно, оставайся тут, в конце концов Линда решит, что шерсть ты потерял во время брачных игр на чердаке!

В ответ не донеслось ни звука. Выкрикнув в последний раз: «Бакс, Бакс, иди сюда», — я влезла в сапожки и ушла.

Путь предстоял не близкий, Раиса Ивановна, правда, жила не так далеко от центра, но я сейчас нахожусь на противоположном конце Москвы, еще опоздаю к сварливой старушке и не буду допущена в квартиру.

— Мы договаривались через полтора часа, вы

припозднились на пятнадцать минут, — вместо «здравствуйте» заявила Раиса Ивановна. — И потом! Это не вы приходили раньше.

Я смущенно улыбнулась:

— Действительно, к вам приезжал наш главный редактор, тоже Оля. Что касается опоздания, то простите, транспорт нерегулярно ходит, я автобуса долго ждала.

Хозяйка всплеснула руками:

— Ну и молодежь теперь пошла, да мой дом в паре шагов от метро!

— Да? Не знала! Ехала почти двадцать минут на автобусе, — стала отбиваться я.

— Ерунда, следовало парком пройти.

— Но он закрыт, ворота заперты.

— В заборе дырка есть.

— Но я не абориген, всех тонкостей не знаю, спросила у милиционера, как на вашу улицу добраться, он на автобус и указал.

— Ладно, — сменила гнев на милость Раиса Ивановна, — следуйте за мной.

Я покорно пошагала за хозяйкой мимо тщательно закрытых дверей, ведущих в комнаты. В конце концов меня привели на кухню и усадили за стол. Не предложив корреспондентке ни чаю, ни кофе, ни даже воды, Раиса Ивановна вытащила из громоздкого буфета альбом, положила его на скатерть и завела рассказ. Спустя пару минут мне стало понятно, что покойная Ася Локтева была права, бывшая кладовщица явно обделена вниманием и общением, поэтому сейчас и говорит без остановки.

— Не скрою, — плела тем временем нить разговора старуха, — я была удивлена звонком. С чего бы моя скромная персона заинтересовала прессу? И почему являетесь во второй раз? Вернее, почему теперь вас прислали.

— Главного редактора Ольгу уволили, — серьезно соврала я, — вот она и не стала писать материал. Уж извините, глупо вышло, но мне придется с вами еще разок поговорить.

— Если опять побеспокоились, значит, я и впрямь необходима?

— Очень правильно мыслите, — решила я подольститься к хозяйке.

— Я не нуждаюсь в оценках своего поведения другими людьми, — гаркнула бабушка. — Вы зачем явились? Объяснять мне правила жизни?

— Ни в коем случае, — струхнула я, — просто интервью взять, помнится, вы обещали некий смешной случай рассказать из истории завода! Наверное, Ольге говорили о нем, но повторите и мне.

— Наше предприятие — настоящий цирк, — скривилась Раиса Ивановна, — вечно что-нибудь случалось. Ну вот вам, для затравки! Приходит к главному конструктору, Марку Матвеевичу, группа рабочих, профессиональные опытные кадры, и хором просят:

«Милый вы наш, сделайте божеское дело, измените чуток конструкцию, никак мастерам гайки в одном месте не закрутить, очень уж неудобно».

Марк Матвеевич искренне удивился.

— Послушайте, ребята, — воскликнул он, — разработка-то не новая, мы подобную модель уж лет пять выпускаем, верно?!

— Точно, — ответили пролетарии.

— Раньше как-то справлялись, ведь не отгружали же изделие с незакрученной гайкой, — решил окончательно усовестить рабочих конструктор, — работайте в прежнем режиме.

Работяги замялись, в конце концов самый бойкий сообщил:

— Конечно, пока Митрич жив был, дело шло, а

как только помер, застопорилось. Один он мог ту гайку закрепить.

— Почему? — пришел в детское изумление конструктор.

— Так Митрич в юности руку сломал, — охотно пояснили пролетарии, — она у него неправильно срослась, крюком. Вот только наш мастер и мог до гайки дотянуться, у всех остальных ничего не получается...

— Правда, забавная история?

Я кивнула и постаралась выдавить из себя смешок, но Раиса Ивановна, похоже, обладала взором орла и интуицией лисы.

— Да-а уж, — протянула она, — вижу, не по вкусу вам мой рассказ пришелся. Ладно, давайте фото посмотрим.

Слегка согнутыми артритными пальцами старуха открыла бархатную обложку и сообщила:

— Это я.

— Какая вы были красавица! — воскликнула я и тут же схватила себя за язык. Сейчас норовистая бабушка вообще откажется болтать с плохо воспитанной корреспонденткой. Что значит «вы были красавица»? А сейчас, значит, Баба Яга?

Но Раиса Ивановна удовлетворенно кивнула.

— Тут недавно Гурченко по телевизору выступала, и давай хвастаться, дескать, талия у нее была пятьдесят восемь сантиметров, самая что ни на есть стройная женщина страны Советов. Послушала я ее да выключила дурацкий громкоговорильник, у меня-то объемы были восемьдесят восемь, пятьдесят два, восемьдесят восемь. Эх, не проводили в мою молодость конкурсы красоты, иначе стала бы я победительницей на всех. Да уж! Спасибо Луизке, вывезла меня из деревни. Хотя, если разобраться, что в кладовой чахнуть, что в коровнике топтаться, разницы особой нет. Не всем же так повезет, как Луизке.

— Простите, вы о ком сейчас говорите? — тихонько спросила я.

Раиса Ивановна выпрямилась:

— Сестра моя сводная, Луиза Иосифовна, у нас мать одна, а отцы разные. Вернее, у меня-то отец был плохенький, завалященький, но законный, Иван Петрович. А у Луизки никого в метрике, нагуляла ее маменька, неизвестно от кого родила. И ведь как жизнь повернулась. Где она? Ага, гляньте и скажите, кто из нас лучше был?

Я уставилась на фотографию молодой, тощей девчонки в ситцевом платье, туго обтягивающем то место, где у женщин бывает бюст. Мелкие кудряшки волос, ротик маленький, аккуратно нарисованный, выглядит кукольным. Да и фигура у девицы не особо замечательная, талии, несмотря на худобу, практически нет, из-под подола торчат не слишком прямые ноги.

— Это Луизка, — сообщила Раиса Ивановна. — Ну как, хороша была?

— Не хочу вас обидеть, но Луизу Иосифовну трудно назвать прекрасной, — осторожно ответила я.

Раиса Ивановна расцвела в самой счастливой улыбке.

— Да уж, слушай, чего расскажу. Ничем Луизка не вышла — ни умом, ни внешностью, зато уродилась счастливая.

Из уст пожилой женщины полился плавный рассказ, я подперла голову руками. Главное, найти у человека некий спусковой механизм, нащупать нужную точку, нажать на нее — и пожалуйста, узнаете массу нужных и ненужных деталей. Неприветливая Раиса Ивановна мигом оттаяла, услышав, что в далекой молодости превосходила по внешности сестру.

По мне, так все равно, какова ты была в юности, девичество красит всех почти без исключения, но, видно, старухе приятно лишний раз вспомнить о своей красоте, скорей всего, больше ей просто нечем гордиться.

Глава 22

В небольшом подмосковном местечке Веревкино жили две девушки: Рая и Луиза. Первая была красавицей, певуньей и танцоркой. Местные парни сохли по Раечке, но она хорошо знала себе цену и всем женихам давала от ворот поворот. Замуж за конюха или тракториста Раечка не собиралась, она вообще не хотела жить в колхозе, мечтала вырваться в город и ходить там по асфальтированным улицам в чистеньких туфельках, а не месить грязь страхолюдскими сапогами.

Господь наградил Раю замечательной внешностью, но обделил трудолюбием, поэтому девушка, с грехом пополам закончив пять классов, осела дома. Мать и отец пытались приставить ее хоть к какому-то труду, но у Раечки в голове были одни танцульки и никакой ответственности, все более или менее хорошие деревенские занятия ее не привлекали. Впрочем, в конце концов Рая все-таки оказалась при правлении колхоза, но она не стала ни бухгалтером, ни зоотехником, ни агрономом, красавица шлялась со шваброй и тряпкой. А если уж совсем честно, то председатель не выгонял лентяйку лишь по одной причине: мама Раечки была уважаемым человеком — директором школы, выучила грамоте почти всех веревкинцев. Только из-за родительницы Рае прощали редкостное нежелание работать.

Вот Луиза была иной, ее с младшей сестрой по возрасту разделяла чистая ерунда, да и мама у них была одна, но, несмотря на родство, старшая девочка разительно отличалась от младшей. Окончив школу, Луиза уехала в Москву и ухитрилась поступить в вуз. Оказавшись в столице, она не забыла родню и приезжала в колхоз на праздники, привозя подарки. Первый раз Луиза появилась в отчем доме на 8 Марта, и Рая чуть не умерла, разглядывая, как она говорила, уродину. Луизу теперь было трудно узнать, конечно, она не стала красавицей, у нее не появились шикарные волосы и огромные глаза, не сформировалась осиная, как у Раи, талия, зато девушка была одета в красивое платье и элегантные ботиночки. Хороши оказались и привезенные ею подарки.

— Где же ты деньги взяла! — ахнули мать и отчим.

Луиза улыбнулась и выложила на стол конверт.

— В Москве, мамочка, — тихо сказала она, — заработать легко, кругом возможности, надо лишь меньше спать. Я утром учусь, а вечером уборщицей в метро работаю, знаешь, как там хорошо платят? Да еще всякие льготы дают, вроде бесплатного проезда.

Рая испытала острый приступ зависти, она тоже состояла при ведре и тряпке, только ей доставались гнутые копейки, на которые новые платья не купить!

— Теперь замуж надо выйти, — вздохнула мама, — за москвича, и считай, жизнь удалась!

Луиза улыбнулась:

— Маловероятно, мамочка, сама понимаешь, я не красавица. Вот Раечка точно принца найдет!

Младшая сестра гордо вскинула голову, что верно, то верно, ей не остаться вековухой, вон сколько кавалеров двор топчет! Конечно, повезло Луизке, сейчас в столице живет, но надолго ли счастье? Получит диплом, и выпрут ее назад, в колхоз, сидеть в конторе.

Но вышло не так, как надеялась Раечка. Одновременно с документом, подтверждающим высшее образование, Луиза получила и обручальное колечко. На свадьбу была приглашена вся родня, естественно, в город приехала и Раечка. Хоть и недалеко Веревкино от Москвы, но до того дня Раиса в столице не бывала. Город ошеломил ее шумом и количеством машин, люди тут были иными, чем на селе. Девушки почти все коротко стриженные, в ярких платьях, напудренные, с накрашенными губами. Впервые в жизни Раечка, наряженная в сшитый сельской портнихой костюмчик, ощутила себя тумбой. Ее длинная коса и румянец во всю щеку мигом выдавали лапотную провинциалку. Но еще больше негативных эмоций Раиса испытала, оказавшись в квартире, в которой играли свадьбу и где предстояло теперь жить сестре.

Нескончаемые апартаменты были набиты дубовой мебелью и картинами. Раскрыв рот, девушка бродила по комнатам. Особо поразила ее ванная, белая, отделанная кафелем. В Веревкине имелся летний душ, деревянная будка с бочкой на крыше, а зимой приходилось ходить в баню.

Шокировал и накрытый стол, застланный накрахмаленной белоснежной скатертью и уставленный хрусталем. О еде и говорить не приходилось, названий половины продуктов Раиса не знала, отец с матерью тоже сидели притихшие.

— Жених-то не молод, — выдавил наконец из себя папа, — не мальчик!

Мама скривилась:

— И хорошо, зачем ей со студентом цацкаться! У Марка Матвеевича дом полная чаша, станет за Луизочкой ухаживать. Да и не старый он, просто лысый, от этого дедом смотрится.

Раечка попыталась возбудить в себе злорадство, потешиться мыслями о том, что сестричка получила в мужья противного старикашку, но зародившаяся зависть росла и ширилась. Конечно, муженек сестры внешне страшнее атомной войны, но зато он при чинах и возможностях! Потом, присмотревшись повнимательней к зятю, Рая испытала новый удар: вовсе не так уж и отвратителен мужик, моментами даже симпатичен.

Через год после свадьбы Луизы Раечка заявилась к сестре в гости и взмолилась:

— Помоги, бога ради! В колхозе сил нету больше сидеть, мать меня сгрызла, велит с шеи слезать, замуж выходить, только за кого? Наши все пьют, приличных нет! Поговори с супругом, он у тебя большой человек, может, пристроит меня куда!

Луиза испуганно ответила:

— Марк Матвеевич живет работой, ничего и никого вокруг не видит, но я попытаюсь тебе помочь.

Старшая сестра любила младшую, поэтому приложила все усилия, чтобы устроить ее судьбу. Примерно через месяц после разговора сестер Марк Матвеевич вызвал Раису в Москву. Нестеренко хорошо запомнила ту встречу.

Конструктор сидел за большим письменным столом, услыхав тихое: «Здравствуйте», он не улыбнулся, не встал, не протянул Раечке руку, а весьма холодно заявил:

— Есть место кладовщицы, оплата согласно рабочей сетке, проживание в общежитии, согласна?

Ошарашенная совершенно неродственным приемом, Рая прошептала:

— Ага.

Марк Матвеевич черкнул пару слов на бумажке, протянул ее Раисе и сообщил:

— Завтра будь в восемь утра в отделе кадров, найдешь Владимира Сергеевича и отдашь ему.

Сжимая в руке пропуск в счастливую столичную жизнь, Рая вышла в коридор, где маялась Луиза.

— Ну! — воскликнула она. — Все хорошо?

— Кладовщицей берет.

— Отлично!

— Вообще-то...

— Ты на что рассчитывала? — изумилась Луиза. — Образования нет, стажа тоже, опыта никакого. И еще, на это предприятие так просто, с улицы, не попасть, место особенное, работа на оборону. Тебе лишь по одной причине подфартило: Марк Матвеевич похлопотал. Зря губу дуешь!

— Жить в общаге!

— И что? Там хорошо, уютно! Все есть: и душ, и кухня, и холодильник, профком следит!

Раечка, поджав губы, осмотрелась вокруг, Луиза поймала ее взгляд и испуганно воскликнула:

— У нас тебе никак нельзя останавливаться!

— Почему? Вон какая квартира огромная.

— Марк Матвеевич не терпит посторонних!

И тут Рая взорвалась:

— Похоже, ты у него в рабынях! Все талдычишь: Марк Матвеевич — то, Марк Матвеевич — сё! Кто тут хозяйка?

Луиза прижала ладонь к губам:

— Тише, пожалуйста.

— Так боишься мужа?

— Вовсе нет!

— Чего тогда трясешься?

— Не хочу его волновать, Марк Матвеевич сейчас работает, ему нужно сосредоточиться.

— Он в квартире сидит!

— Верно, в кабинете. Марк Матвеевич часто дома творит!

— Твой расчудесный, любезный муженек в окно глядит, — окончательно вышла из себя Раиса.

— Конструктор, даже когда слушает радио, напряженно трудится, — заявила Луиза.

Раиса расхохоталась:

— Однако, он вымуштровал женушку!

— Ты просто никогда не жила с гением, — воскликнула Луиза, — в нашем доме все подчинено Марку Матвеевичу! Надеюсь, ты не забыла поблагодарить его за хлопоты?

Рая уставилась на сестру, интересно, Луиза и впрямь так обожает чванливого муженька или прикидывается?

Но делать нечего, чтобы выбраться из ненавистного колхоза, пришлось соглашаться на все условия. Очень скоро Рая поняла: Луиза идиотка, безоглядно влюбленная в хамоватого мужа. Может, Марк Матвеевич и являлся гениальным конструктором, но человеком он был нетерпимым, грубым, мог послать рабочего или начальника цеха матом, и никто ему был не указ.

С женой конструктор обращался, словно старшина с солдатом-первогодком. Подай, убери, унеси, погладь, замолчи. Луиза дома не имела никакого права голоса, выполняла то, что велел муж, не поднимая от пола глаз. Чем больше Рая наблюдала изнутри семейную жизнь сестры, тем сильнее удивлялась. Ну почему Луизка терпит самодура, с какой стати кланяется ему в пояс и приносит в зубах тапки? Между прочим, Луиза Иосифовна преподавала в институте и работала над кандидатской диссертацией!

Один раз Рая, глядя, как сестра тщательно наглаживает рубашки мужа, вздохнула:

— Ну и терпение у тебя. Конечно, хорошо жить, не имея материальных забот, но расплачиваться за безбедное существование рабством очень неприятно.

Луиза подняла взгляд:

— Раечка, я люблю его.

— Это еще не повод терять себя!

— Ты, наверное, никогда не испытывала к мужчине настоящего чувства, — пробормотала старшая, — пойми, мне в радость ухаживать за Марком Матвеевичем. Мой муж гений, великий человек, крупный ученый, я всего лишь пылинка на его дороге!

У Раи пропал дар речи, да и что было сказать Луизе, которую переполняла поистине собачья верность и желание услужить хозяину?

Кстати, на заводе никто, кроме начальника отдела кадров, не знал о родственных связях между простой кладовщицей и всемогущим конструктором. Луиза строго предупредила Раю:

— Смотри не разболтай, что ты моя сестра, иначе вылетишь вон. И не вздумай при встрече с Марком Матвеевичем кидаться ему на шею.

Рая хмыкнула, подобное не могло прийти ей в голову. Впрочем, на предприятии она с зятем не пересекалась, конструктор никогда не посещал склад, а домой к Луизе сестра наведывалась лишь тогда, когда та сидела одна. К слову сказать, Марк Матвеевич часто исчезал на день, другой, мотался по командировкам.

Потом случилась не очень приятная история. Раечка, работавшая в тот запомнившийся ей день в ночную смену, захотела попить чаю. Местные правила не дозволяли включать плитку на служебном месте, следовало сбегать в небольшой круглосуточный буфет, находившийся в другом здании. Попасть туда можно было двумя путями, надеть пальто и перебежать двор или воспользоваться подвалом. На улице стоял мороз, и Рая решила пройти подземным помещением, его, кстати, всегда запирали на ночь, но у кладовщицы имелся ключ, правда, пользоваться им после семи вечера было строжайше запрещено, но Раечка решила наплевать на инструкцию, после полуночи на предприятии было малолюдно, нарушения никто не заметит.

Рая спустилась вниз и побежала по извилистому коридору, спустя мгновение ей стало страшно, и она пожалела, что не пошла поверху, очень уж жутко выглядел освещенный тусклыми лампами переход.

Вдруг вдалеке послышались голоса, обрадованная Раечка припустилась бежать, кто-то, как и кладовщица, решив переступить через запрет, шел по галерее. Коридор сделал резкий поворот, Рая хотела уже выскочить из-за него, но тут вдруг услышала рыдающий голос:

— Марк, ты обещал! Не вздумай нас бросить!

— Я тебя никогда не поднимал, — ответил хорошо знакомый голос мужа Луизы.

Рая остановилась, прижалась к стене, потом очень осторожно выглянула из-за поворота. В паре метров от нее, спиной к кладовщице стояли Марк Матвеевич и лаборантка Вероника Локтева. Раиса моментально узнала девицу по густым, мелко вьющимся рыжим волосам.

— Девочка без отца останется, — гундосила Ника, — дочь твоя! Ты мало денег дал!

Рая, затаив дыхание, вслушивалась в беседу. Ай да Марк Матвеевич! Вот кто, оказывается, папочка нагулянного Никой ребенка!

Намотав услышанное на ус, Рая, не замеченная выясняющей отношения парочкой, на цыпочках вернулась назад, попить чайку ей так и не удалось.

Едва дождавшись утра, Раиса понеслась к сестре и мгновенно выложила той ненароком полученные сведения. Она ожидала чего угодно: крика, плача, сбора вещей, ухода Луизы из дома, но старшая в очередной раз удивила младшую.

— Ты ошиблась, — заявила она.

— Вовсе нет, — горячо принялась возражать Раиса, — я видела их, как тебя.

— Марк Матвеевич любит меня!

— Ага, и спит с Никой, — взвилась Рая. — Понимаю, что тебе неприятно такое слышать, но ведь нельзя отрицать очевидное! Следует принять меры! Эта Вероника небось мечтает на твоем месте оказаться.

— Марк Матвеевич нравится многим!

— Ты дура! — заорала Раиса. — Лишишься всего! Детей-то не родила, а у этой прости господи девка подрастает. Подумает твой, подумает и поменяет жену!

Луиза положила в мойку тарелку, вытерла руки о фартук и улыбнулась.

— Не хотела пока тебе говорить, да, видно, надо. Я беременна, второй месяц уже.

Рая ахнула:

— С ума сойти!

— Почему? — спокойно спросила Луиза. — Мы с Марком Матвеевичем любим друг друга и хотели ребенка, и вот он наконец получился.

В отведенный природой срок на свет появился мальчик, нареченный Матвеем. Луиза тяжело перенесла роды, все-таки она уже была не молода, и Раиса временно перебралась к сестре, чтобы помочь той ухаживать за младенцем.

Марк Матвеевич был категорически против прислуги в доме, он считал, что женщине вполне под силу справиться с хозяйством без наемных помощников. Но против Раи конструктор не возражал, а когда Матвею исполнилось полгода, ученый позвал сестру жены в кабинет и заявил:

— Ты вроде любишь Луизу?

— Вам это не по душе? — с вызовом поинтересовалась Раиса.

В глазах Марка Матвеевича мелькнуло удивление.

— Луиза больна, — неожиданно участливо сказал он, — не оправится никак после родов, следует няньку для сына приглашать, но мне чужой человек мешать будет. Значит, так, живешь у нас, смотришь за Матвеем, трудовая книжка останется на заводе, стаж пойдет. Ясно?

Раиса хотела было возмутиться, но Марк Матвеевич зыркнул на свояченицу острым взглядом, и кладовщица помимо своей воли неожиданно ответила:

— Конечно, нет вопросов!

Потом она долго удивлялась собственному поведению и пришла к выводу, что Марк Матвеевич умел гипнотизировать людей, иначе по какой причине она, свободолюбивая Раечка, согласилась стать прислугой у сестры и ее малоприятного мужа.

Глава 23

Оторвавшись от альбома с фотографиями, Раиса Ивановна констатировала:

— Вот она, жизнь! Права поговорка: не родись красивой, а родись счастливой. Что мне в результате досталось? Ну квартира, спасибо Луизке, и все! Ни мужа, ни детей! Лучшие годы на чужого ребенка пропахала, своих не завела!

— Навряд ли племянник считает вас чужой, — отметила я, — няня порой роднее матери.

Раиса выпятила нижнюю губу.

— Матвей весь в отца уродился! Ничего от Луизы, ни внешне, ни внутренне, не взял. Уж как его сестра любила! Даже Марка своего драгоценного на второе место отодвинула, только Матвей щеку для поцелуя снисходительно подставлял.

— Он, наверное, вас навещает!

Раиса Ивановна одернула кофточку.

— Матвей? Нет.

— Совсем не появляется?

— Нет.

— Ну-у-у, — протянула я, — не слишком красиво с его стороны!

— Все объяснимо, — проронила Раиса Ивановна.

— Может, мне съездить к нему, — быстро предложила я, — рассказать о вашем бедственном положении, пусть поможет женщине, воспитавшей его! В конце концов, Матвей обязан это сделать! Давайте адрес!

Глаза Раисы Ивановны превратились в щелочки.

— Пожалуйста, пятая аллея, номер двенадцать.

— Это в Измайлове? — деловито переспросила я. — Вроде там много аллей!

— Нет, — хмыкнула старуха, — на Митино.

— Где? — удивилась я.

— На Митинском кладбище, — уточнила Раиса Ивановна.

— Живет на погосте?!

— Угу, — деловито подтвердила старуха, — в могилке, умер Матвей!

Я заморгала, потом пришла в себя и воскликнула:

— Но он же молодой?!

— И что? — равнодушно обронила Раиса. — Разве в юности помереть нельзя?

— Наверное, Луиза страшно переживала кончину сына, — прошептала я, — по-моему, самое ужасное — это пережить своего ребенка!

Раиса подняла голову, ее глаза, зло блеснув, пробежались по мне.

— Да уж, — с торжеством заявила она, — не все коту масленица. Луизка и в юности, и в зрелости с удачей рука об руку шла, ни в чем не нуждалась, в свое удовольствие жила. Небось считала, так всю жизнь и будет, ан нет, каждому на этом свете своя порция счастья и беды положена. Наливает судьба людям, словно суп в столовой, половничек туда, половничек сюда. Выхлебал из одной тарелочки, пожалуйте, принимайтесь за другую. Луиза вначале удачей наелась, ну и поперло ей под конец горе. А у меня наоборот получилось, в молодости я бедствовала, зато сейчас королева!

Я оторопело слушала старуху, мне кажется или она радуется беде, свалившейся на сестру?

Внезапно Раиса Ивановна хихикнула:

— Может, я еще и замуж выйду, появился у меня кавалер, хороший человек, вдовец, при деньгах. Вот как случается. Луизка все потеряла и померла, а я, наоборот, приобрела.

— Луиза Иосифовна умерла? — обомлела я.

— Ага, — почти радостно объявила Раиса Ивановна, — все на тот свет убрались. Сначала Марк пропал! Навсегда!

— Как пропал? — окончательно приуныла я.

— Исчез, — широко улыбнулась Раиса Ивановна. — Интересно? Могу рассказать кое-что.

— Сделайте одолжение, — тоскливо кивнула я, понимая, что очередная версия убийства Аси начинает разваливаться на куски.

Я-то полагала, что Локтева, узнав неведомыми путями некую постыдную тайну семьи, стала шантажировать Луизу Иосифовну. А оказывается, ни Марка Матвеевича, ни его супруги, ни сына нет в живых!

— Раз в году Луизка мне путевку покупала, — застрекотала Раиса Ивановна, — на двадцать четыре дня, раньше на меньший срок не ездили. В Сочи меня отправляла или в Ялту, в море покупаться, на солнышке понежиться. Ох и хитра моя сестра была! Понимала, что за рабочей лошадью ухаживать надо! А я, простодушная, вечно благодарила Луизку, вернусь и пашу на нее в тройном размере за зарплату кладовщицы, только ни выходных, ни лимита служба не имела!

Я стиснула ладони в кулаки, похоже, Раиса Ивановна завидовала родственнице лютой завистью, а потом, когда Луиза, решив помочь сестре, поселила ту у себя, еще и возненавидела ее. Есть такая странная категория людей, чем больше вы даете им, тем сильней они вас ненавидят.

Получив в подарок путевку, Раиса укатила на юг, и там у нее случился очередной краткосрочный роман. Домой она не звонила, наслаждалась отличной погодой, вином и любовью. Но рано или поздно счастье заканчивается, Рая вернулась в Москву и была немало удивлена произошедшим дома изменениям.

Луиза превратилась в тень, при ней, побледневшей, сильно исхудавшей, находилась Ира Малова, подружка детства, единственная из жительниц Веревкина, с которой Луиза после смерти матери и отчима поддерживала тесную связь. Ира иногда приезжала в столицу, и Луизка таскала ее по магазинам. Рая терпеть не могла наглую Малову, укатывающую в Веревкино с чемоданами добра, а Ира платила Раисе той же монетой, но при встречах женщины соблюдали нейтралитет.

Сухо кивнув Ирке, Рая бросилась к Луизе:

— Ты заболела?

— Нет, — прошептала сестра.

— Что случилось?

— Марк Матвеевич пропал, — с трудом выдавила из себя Луиза.

Раю словно ударили по голове поленом.

— Что за бред? — вырвалось у нее.

Луиза зарыдала, Ира сердито посмотрела на Раю,

потом поманила ее пальцем. Когда кладовщица вышла в коридор, Малова укоризненно сказала:

— Не терзай ее!

— Еще станешь учить, как мне с родной сестрой разговаривать, — взбеленилась Раиса, — ты вообще тут ни при чем!

— Меня Луиза позвала, — спокойно ответила Ира, — ей одной было с Матвеем не справиться. Тебя беспокоить не решились, ну зачем человеку отдых ломать. Марка, похоже, в живых нет.

— Можешь рассказать, что стряслось? — воскликнула нянька.

Ира кивнула, Рая молча слушала землячку.

Марк Матвеевич исчез через четыре дня после отъезда Раи. Поздно вечером он, как всегда, сел в машину и сказал своему охраннику:

— Езжай домой, Олег. Меня Миша в целости и сохранности на квартиру доставит.

Охранник был обязан сопроводить конструктора до порога апартаментов, но на Марка Матвеевича никто никогда не покушался, конструктор тяготился охраной и частенько по ночам прогонял Олега долой со словами:

— Дай хоть в машине отдохну от тебя, надоел, право слово.

Олег же в определенный момент уверился, что подведомственный объект вроде как никому не нужен, и расслабился, перестал спорить с конструктором.

Марк Матвеевич привычно устроился на заднем сиденье, Олег захлопнул дверь и помахал рукой, Михаил нажал на газ. Все, больше ни шофера, ни хозяина никто не видел. Домой Марк Матвеевич не приехал. Утром поднялся страшный шум, на ноги поставили всю милицию, но судьба конструктора и его водителя осталась неизвестной.

Завод гудел, словно разбуженный улей, какие только версии не выдвигали рабочие! Но у Раисы Ивановны имелось свое мнение по этому вопросу, ей почему-то казалось, что Луизка очень хорошо знает, где находится муж. Отчего сия, более чем вздорная мысль взбрела ей в голову, кладовщице было самой непонятно, но потом она утвердилась в собственном мнении.

Произошло это через полгода после таинственного исчезновения Марка Матвеевича. Утром в квартиру к Луизе пришла целая делегация во главе с директором завода.

— Луиза Иосифовна, — слишком сладким голосом завело высокое начальство, — вам придется проехать с нами.

— Зачем? — отшатнулась та.

— Не волнуйтесь, — залепетала, выдвигаясь из-за спины директора, медсестра, — вот, хлебните микстурку.

— Что случилось? — испуганно вопрошала Луиза.

— Нашли их, — пробормотал начальник, — Марка Матвеевича и шофера.

— Они все-таки убили его! — крикнула Луиза и свалилась без чувств.

Пока сестру поднимали и несли в спальню, Раиса, внешне пытаясь изобразить спокойствие, без конца прокручивала в голове фразу, вырвавшуюся у сестры. Кто эти «они»? Луиза что, знакома с убийцами?!

Еще через десять дней милиция нашла виновных, ими оказались парни и девушка, промышлявшие грабежом на дороге. Действовали они стандартно, поздним вечером в темноте на безлюдном шоссе появлялась девица, закутанная в рваную шаль. Одной рукой она прижимала к себе конверт с новорожденным, другой размахивала перед идущей навстречу машиной.

Если шофер тормозил, девушка бросалась к автомобилю с криком:

— Помогите, бога ради, довезите до милиции, в чем была от мужа-пьяницы убежала.

Большинство москвичей в подобной ситуации теряли бдительность. Они впускали несчастную мать в салон. Думаю, понятно, что следовало дальше? Шофера убивали, снимали с него ценные вещи, забирали кошелек, а машину продавали.

Марк Матвеевич и Миша погибли из-за собственной жалостливости. Хоронили конструктора с почетом, Луиза, вся в черном, сидела у закрытого гроба, на глазах вдовы не было ни слезинки, но никто не осуждал женщину, наоборот, ее жалели изо всех сил.

Но Раиса не поверила официальной версии. Ну посудите сами, разве мог Михаил, вышколенный водитель, остановиться в темном месте, на пустынном шоссе, около неизвестной девчонки? Миша очень хорошо понимал, кого везет на заднем сиденье, и не притормозил бы даже при виде группы окровавленных детсадовцев. Даже если бы Марк Матвеевич велел шоферу: «Остановитесь немедленно», — тот бы из соображений безопасности не стал слушать хозяина.

Должностная инструкция предписывала водителю в первую очередь беспокоиться о пассажире. И потом, Рая отлично знала зятя, тот, страшный эгоист, и глазом бы не моргнул, наткнувшись взглядом на мать с младенцем! И еще у Раисы никак не шла из головы фраза Луизы: «Они все-таки убили его!»

Но, естественно, Рая никому ничего о своих подозрениях не рассказывала. Летом Луиза вместе с

Матвеем, как всегда, поехала в гости к Ире Маловой, Рая осталась в просторных апартаментах одна и ощутила немыслимое счастье. Вся квартира была в распоряжении кладовщицы, можно было, никого не стесняясь, голой пройти из ванной в свою спальню или, развалясь на диване, глядеть в гостиной телик. Никто не бросал на Раису косые взгляды, когда она, решив погулять на полную катушку, оставила на ночь ухажера, не надо было таиться, ходить на цыпочках и присматривать за противным, капризным Матвеем.

Иногда Раиса глядела на календарь и с тоской констатировала: сестра скоро вернется, конец радости.

Настроение резко шло на спад, и однажды, укладываясь спать, Раиса вдруг подумала: «Эх, если бы Луизка вообще не появлялась больше в Москве, жить бы мне тогда счастливо».

Утро началось со звонка.

— Немедленно приезжай в Веревкино, — рыдала Ирина в трубку, — Луиза и Матвей погибли.

Раиса схватилась за вспыхнувшие огнем щеки, ох, не зря их с Луизой бабка, слывшая деревенской колдуньей, частенько говаривала:

— Не буди дьявола, не высказывай желания, еще сбудутся, потом наплачешься.

Похоже, посланец ада ненароком подслушал мечты Раисы и поспешил осуществить их.

— Отчего же они умерли? — только и сумела спросить я.

Старуха спокойно ответила:

— Сгорели. Ирина утром на рынок отправилась, она картошкой приторговывала, уехала на первой электричке. Соседи видели, как она мешки на тележке волокла, машины-то у Маловой нет, ну она на себе клубни тягала, у нее такая платформа на колесиках имелась. В общем, подалась она на базар. А в шесть как полыхнет! Жуть! Соседи спали, а когда проснулись, поздно уж было! Баллоны с газом рванули, Малова их в кухне держала. Представляете, какой Чернобыль?

Я кивнула.

— Пожарные приехали, — равнодушно вещала Раиса, — а тушить уж и нечего, одни головешки. От Луизы пару костей нашли и от Матвея что-то. В общем, беда! Одно хорошо, как только Марк пропал, Луизка меня к себе прописала в хоромы, сподобилась о сестре подумать. Других родственников у нас нету, мне апартаменты с мебелью и достались. Правда, я думала, что деньги на сберкнижке есть, но счета не оказалось, и еще куда-то Луизкины драгоценности подевались, она их не носила, просто в комоде держала, много чего хорошего имела. На Ирку грешу. Малова небось цацки прибрала, поминки-то в квартире организовали, вот она руки и распустила! Тварь!

— И вы живете сейчас в квартире сестры? — неизвестно зачем уточнила я.

— Нет, нет, — покачала головой Раиса, — да и не нужны мне такие громадные хоромины. Продала я их, вместе с мебелью и картинами, купила вот эту, двухкомнатную, а на разницу влачу жалкое существование, можно сказать, голодаю. Но вы сами, наверное, знаете, какие у людей пенсии! А цены!

Раису Ивановну понесло обличать правительство. Я молча кивала, пытаясь сохранить на лице мину заинтересованности, но в душе поселилась тоска. Ниточка оборвалась, тоненькая цепочка следов исчезла в непролазной чаще. Может, Ася и могла запугать законную жену своего отца, может, супруга конструктора и совершила некий гадкий поступок, только ни Марк Матвеевич, ни Луиза, ни Матвей совершенно не боятся шантажистов, нет у них ни перед кем ни малейшего страха, потому что они умерли. Я снова уперлась лбом в каменную стену.

— Конечно, Ирка скоммуниздила, — продолжала негодовать Раиса Ивановна, — или дочурка ее! Вот уж кто пройдой уродился! Маленькая, маленькая, а подметки на ходу стригла. Рождаются же такие девки!

Я вяло вслушивалась в возмущенные речи старухи, сейчас Раиса Ивановна умолкнет, и я начну прощаться.

— Уж не помню, сколько ее девке было лет, когда померла Луизка, — продолжала без всякой остановки хозяйка. — В школу она небось ходила, может, в класс десятый. Но такая стерва! Представляете, возвращаюсь один раз домой, еще в квартире Луизы жила, вхожу в дом и понимаю, что-то не так! Вам знакомо подобное ощущение?

Я машинально кивнула, каждый из нас, наверное, иногда испытывал тревогу, войдя в свое пустое обиталище. Вот и Раиса Ивановна в тот день почувствовала себя не в своей тарелке, положила ключи на столик, прошла на кухню, начала наливать воду в чайник и услышала из прихожей тихое шуршание. Женщина бросилась на звук. Представьте себе ее удивление, когда она увидела около вешалки дочку Иры Маловой, девочку, которую Рая, естественно, хорошо знала.

— Ты что тут делаешь? — заорала Раиса.

Школьница вздрогнула и прижалась к стене.

— Как ты попала в квартиру, — бушевала кладовщица, — отвечай немедленно!

Девчонка прижала руки к груди, и Раиса увидела у нее ключи.

— Откуда у тебя связка? — потеряла всякое самообладание хозяйка. — А-а-а! Воровка! Ну сейчас милицию вызову!

Внезапно маленькая дрянь топнула ногой:

— Только попробуйте! Мало вам не покажется! Живете тут, пользуетесь сами чужим добром, вы-то и есть воровка! Не зарабатывали, не копили, а получили!

Раиса Ивановна неожиданно для себя растерялась и вполне мирно ответила:

— Мне квартира в наследство досталась, от сестры.

— Ага, — уперла руки в бока девчонка, — а Луиза Иосифовна-то в ней как оказалась? Ее Марк Матвеевич прописал! Вы, ваще, что о своей сестричке знаете?

Раиса захлопала глазами, да и любой другой человек на ее месте испытал бы здоровое удивление. Юная преступница, раздобывшая невесть где ключи, вела себя весьма нагло.

— Никогда бы вашей Луизе за Марка Матвеевича замуж не выйти, — выкрикнула школьница, — если бы не моя мама! Это она их на свою голову познакомила, Марк Матвеевич сначала за моей мамочкой ухаживал, а потом бросил ее и на Луизе женился. То-то!

Раиса разинула рот.

— Это еще не все! — торжествующе сказала девица. — На самом деле, по-хорошему, тут половина моя!

При этом заявлении на Раечку просто напал столбняк.

— Да, да, — с триумфом закивала девчонка, — именно так! Марк Матвеевич мой отец, они с мамой продолжали отношения и после женитьбы папы! Так-то! Я должна быть прямой наследницей! Только мне ничего не получить, доказать кровное родство я не могу, а юридически он меня не признал!

Раиса села на пуфик и попыталась сгрести в кучу разбегавшиеся в разные стороны мысли. А юная негодяйка помахала перед ее носом связкой ключей.

— Вот, у мамочки взяла, ей Марк Матвеевич комплект вручил!

Перед лицом кладовщицы закачался пластмассовый слоник, точь-в-точь такой же брелок был на ключах у самой Раисы и Луизы. Значит, имелся еще и третий набор, отданный Ире.

— Я хотела часть законного наследства себе взять, — говорила девчонка, — только сейчас вдруг поняла: не надо мне ничего!

— Ты воровка! — ожила Раиса, вскакивая с пуфика и пытаясь схватить противную девку за одежду. — Сейчас милицию вызову.

Ловко увернувшись, девчонка подлетела к двери, распахнула ее и прошипела:

— В вашем случае лучше молчать, потому что я знаю много чего интересного! Целую кучу! И про Марка Матвеевича! И про Луизу Иосифовну, и еще кое про кого! Много гадостей сообщить могу! Сидите тихо, сопите носом в тряпочку! Понятно?

Дверь хлопнула, дрянь унеслась прочь.

Глава 24

На кухне обнаружился включенный ноутбук и полное отсутствие народа. Крикнув пару раз: «Эй, есть кто дома?» — и не получив никакого ответа, я с наслаждением помылась под душем, потом поставила чай и уже собралась было погрузиться в свои мысли, но тут взгляд снова упал на компьютер.

Я схватила мышку, ну-ка, зайду на сайт «Марко», может, они как-то прокомментировали ситуацию с писательницей Ариной Виоловой?

Я не слишком-то умелый пользователь, обучена

лишь самым примитивным правилам компьютерной грамоты, поэтому направила стрелочку не на тот ярлык и вместо основной страницы попала на форум.

«Уважаемый господин Достоевский», — начиналось одно из посланий.

Я удивилась и продолжила чтение.

«Пишет вам Джон Смит из Америки. Я большой любитель детективов, а недавно с удивлением узнал, что в России тоже имеются компьютеры. Сначала я хотел направить свое письмо по поводу творчества на ваш личный электронный адрес, но мне не удалось его раздобыть, поэтому направляю его в издательство, которое выпускает вас в России, надеюсь, редакторы передадут его вам, потому что послание очень важно.

Думаю, как большинство литераторов, вы зависите от полученного гонорара и заинтересованы в повышении тиража, поэтому позвольте дать вам пару советов, как легче завоевать книжный рынок нашей великой Америки.

Начнем с того, что сюжет вашей новой вещи не слишком затейлив. Лично я сразу сообразил, что студент должен кокнуть старуху, к тому же преступник вами никак не скрывается, и буквально сразу читатель уясняет: вот он, убийца. Можете не сомневаться, большинство людей мигом отложат книгу, не дочитав ее до конца. Вы же этого не хотели? Нужно сократить число рассуждений на тупые темы и постараться заинтересовать людей. Сделайте детективчик короче, я пару раз засыпал, пытаясь дочитать его до конца, но принадлежу к людям, которые не привыкли тратить деньги зря, если заплатил доллары, то желаю иметь товар, и, исходя из этого принципа, я все же добил нудятину. И еще, поменяйте имена и фамилии героев. «Raskolnikof», «Porfirij» — поверьте, очень сложно прочитать такое, а произнести просто нельзя. Книга рыхлая, вас часто уносит неведомо куда, хотя лично мне было интересно узнать о быте современной России, я люблю подмечать всякие детальки. Одно то, что господин «Raskolnikof» пошел на дело с топором, о многом скажет внимательному человеку, я сразу понял, что у вас оружие очень дорого стоит.

А вообще, лучше вам написать что-нибудь о жизни Дикого Запада, ковбойская тема — излюбленная на моей великой родине, и тут вас ждут успех и деньги.

Надеюсь, вас не оскорбили мои справедливые замечания, я уже пенсионер, но внимательно приглядываюсь к молодым писателям, стартующим на ниве детективного жанра. Устраните ошибки и ответьте мне. Ваш Джон Смит, Иллинойс, ферма «Счастливый двор». Кстати, письмо перевела на русский моя внучка, она учит ваш язык в колледже».

Давясь от хохота, я прочитала послание, испещренное орфографическими ошибками, два раза. Какой замечательный дедушка этот Джон Смит, утром управляется со скотиной, а вечером пытается читать детективы и наставлять авторов, не менее хороша и внучка, учит русский язык, но о Достоевском, похоже, не слышала. Жаль, покойный Федор Михайлович не способен ознакомиться с сим посланием, вот бы порадовался, сердешный! Писал, старался, вложил всю душу в роман «Преступление и наказание», а Джон Смит недоволен вялым развитием сюжета.

За спиной послышался кашель, я подскочила от ужаса.

— Кто там?

— А ты кого ожидаешь? — буркнула Зинаида, плюхнувшись на соседнюю табуретку.

— Думала, я одна дома.

— Между прочим, я нахожусь на работе, — простонала Зина, — весь день за копейки!

— Когда я вошла, тут стояла полнейшая тишина, — улыбнулась я, — пылесос не гудел, и вода не лилась.

— Нельзя же весь день убиваться, — обиженно протянула Зина, — не всем же так везет, как Линде! Приехала неизвестно откуда, за москвича выскочила и хоп — все получила: квартиру, машину, работу. Некоторые сами горбатятся и ребенка тащат!

— Мне всегда казалось, что москвичу в родном городе устроиться легче, чем провинциалу, — возразила я.

— Понаехали сюда, поотнимали у нас работу! — загудела Зина.

— Линда, наоборот, ее вам дала, — напомнила я.

— Поломойкой! А сама-то людьми руководит! — засопела Зина.

— Попробуйте пойти в другое место!

Зина кашлянула:

— Больная я, устаю быстро. Вон сегодня в час дня свалилась.

— И проспали до восьми вечера?!

— Так устала же! Сколько всего переделала!

— Посуда в раковине как стояла, так и стоит, — не выдержала я, — в коридоре грязь, чем же вы занимались?

Зина обиженно скривилась:

— Ты мне денег не платишь и правов спрашивать не имеешь! Но могу сказать: про чашки ты врешь! Я их четыре дня назад перемыла, просто тута люди неаккуратные, попьют кофе и швырнут кружки. Нет бы самим ополоснуть и в сушку сунуть. А пол под Новый год хорошо протерла. Кто ж виноват, что грязи натащили. Сегодня подоконник разбирала, неужто не заметно, что на нем порядок? Вот оно, домашнее хозяйство — сколько ни паши, не видно! Стараешься, стараешься, а толку фиг. Эх, жизнь моя разнесчастная!

— Зато вы имеете отличного сына, — решила я приободрить хныксу, — Ролик замечательно играет на скрипке, он непременно добьется успеха!

Зинаиду перекосило:

— О господи! Еще одно несчастье на мою голову. А все соседка придурковатая! Просили ее мальчишку портить? Сейчас был бы как все! Получил хорошую профессию, да хоть в метро бы пошел, машинистом, нет, водит палкой по деревяшке! Кровь в жилах сворачивается! А какой упорный, противный! Сколько раз просила: «Вбей гвоздь в стену, календарик повесить хочу», — даже ухом не повел, ответил: «Извини, не могу, вдруг палец пораню». И во всем так! Сумки с рынка принести — не способен, картошку почистить и мать покормить не хочет, все ладошки бережем, словно они из золота.

Мне стало жаль Ролика.

— Ваш сын удивительно талантлив, — воскликнула я, — подождите немного, он непременно добьется успеха! И денег!

Зина мрачно ухмыльнулась:

— Кто ж за пиликанье заплатит? Кому оно нужно! Ох, беда! А нам рублики очень пригодятся, в особенности сейчас, когда я заболела.

— И что же у тебя за болезнь, — рассердилась я, переходя с лентяйкой на «ты», — чем таким странным заразилась? Может, лучше домой отправиться, чего инфекцию к другим людям приносить! Занедужила — лежи в кровати!

— Вот я и спала!

— Так у себя дома почивать надо.

Зина положила объемистую грудь на стол и завздыхала:

— Незаразная я, психическая хвороба прицепилась!

— Час от часу не легче, — подскочила я, — совсем хорошо! Ступай к себе, я сама уберу квартиру.

— Да не бойся.

— Совершенно не боюсь, — нарочито твердым голосом ответила я, — просто решила о тебе позаботиться.

Зина поерзала на табуретке.

— Видения у меня. Хочешь расскажу?

Зная, что с психами спорить опасно, я кивнула. Зинаида подперла рукой щеку, похожую на брыли бульдога, и завела:

— Сижу вчера на кухне, устала, словно кофемолка, весь день вжик, вжик, без роздыху, вот и присела чайку глотнуть. Налила кружечку, вдруг вижу, матерь божья, идет младенец! Но как!

Зинаида протянула толстую руку, схватила бутылку лимонада и принялась со стоном глотать из горла.

— В розовой одежке, — продолжала она, вытирая рот тыльной стороной ладони, — на четвереньках! Перепугалась я до усрачки! Ну откуда у Линды дети? Ясное дело, народу полно живет, она всякую шелупонь тут селит, до денег сильно жадная, то Ахмет ночует, то украинки-штукатуры, то молдаванки, то еще невесть кто колбасится, ты, например. Я в Линдины дела не лезу, нос в дырки не сую, чего в чужой жизни разбираться, только дитя откуда? Дальше чего было, знаешь?

— Нет, — покачала я головой.

— Я ласково так окликнула ребятенка, — лихорадочно блестя глазами, продолжала Зина: — «Ма-

ленький, ты чей?» А он! Матерь божья! Подпрыгнул
и прямо с пола на раковину взлетел! Господи, я чуть
не умерла! А малыш сел, да так странно сгорбатился,
вытянул руку и тут... О! О! О!

Я затаилась на табуретке. Все ясно, Зинаида увидела Бакса, который захотел то ли пить, то ли есть,
вот и заявился на кухню.

— О! О! О! — стонала Зина. — У него вдруг появилось лицо, не могу описать словами! На секунду
показалось! Черт! Поверь уж мне, я хорошо его знаю!
Настоящий чертяка.

Наверное, надо спросить у Зины, где и сколько
раз она встречалась с сатаной, но я предпочла про-
молчать, а домработница продолжала излагать события:

— Зашипел, засвистел, потом как скажет: «Зинаида, продай душу!»

— Кто это сказал? — изумилась я.

— Так дьявол!

— Ты ничего не перепутала?

— Нет, конечно, — обиделась баба.

— Он не мог завести диалог!

— Почему?!

— Ну... так!

— Во всех кино показывают, как черт душу покупает!

Я крякнула, и тут Зина заголосила:

— Вон он, вон, гляди!

Я обернулась, на пороге маячил Бакс. Услыхав
нечеловеческий вопль Зинаиды, кот молнией мет-
нулся в коридор.

— Видела? — в полном изнеможении поинтересовалась баба.

— Нет, — быстро соврала я, — тебе показалось.

— Он был!

— Никого не было, абсолютно!

Зина вздрогнула:

— Смерть меня поджидает, чует мое сердце!

Я погладила лентяйку по плечу.

— Ты просто устала.

— Ага.

— Иди отдохни.

— Верно.

— Поспи.

— Хорошо.

— Только у себя дома.

— Ну... Линда заругается.

— Ничего, я объясню ей, что ты слишком много сегодня сделала. Помою кухню сама.

— Да?

— Да!

— Ну ладно, — протянула Зинаида, — должна же и от тебя быть какая-то польза.

Глава 25

Утром я вскочила очень рано и стала тихо одеваться. Противный Бакс спрятался где-то в квартире. Напугав до одури Зину, он затаился в некоем укромном убежище. Оставалось лишь надеяться на то, что котяра не попадется на глаза Линде, та живо сообразит, какой черт перемещается по квартире. Интересно, когда кот снова обрастет шерстью и с него можно будет стащить одежду? Хорошо хоть Линда считает, что Бакс сейчас играет свадьбу на чердаке, и не ищет своего любимца.

Путь до Веревкина оказался сумасшедшим. Сначала я тряслась в электричке, потом села на автобус, докатила до места с поэтическим названием «Обжорово», зашла в местный магазин и спросила у продавщицы:

— Не подскажете, где тут тропинка на Веревкино?

Сильно накрашенная блондинка оторвала взор от растрепанного журнала и мрачно сообщила:

— Здесь не справочное бюро.

— Конечно, но, кроме вас, тут никого нет, где же узнать дорогу? — попыталась я наладить контакт.

— Мое дело какое? На остановке поинтересуйся, — вякнула грубиянка.

Я вышла на улицу и обозрела абсолютно пустую дорогу. Пришлось снова обращаться к неприветливой торгашке:

— Извините, людей на остановке нет.

— Прямо беда, — неожиданно вступила в разговор баба, — горю синим пламенем. Неделю назад тута не пропихаться было, а как мороз вдарил, так народ по щелям попрятался и в магазин не ходит. За фигом я столько хлеба заказала?

Я машинально посмотрела в сторону прилавка, заваленного батонами, заметила среди них булочку с корицей и попросила:

— Дайте, пожалуйста, вон ту плюшку и маленький пакет кефира, я рано из Москвы выехала, не позавтракала, теперь есть захотелось.

Получив просимое, я отошла в сторону и, устроившись на подоконнике, начала есть. Сперва заболел зуб, потом стало понятно: булка несвежая. Выбросить ее на глазах у продавщицы показалось мне неприличным, и я, снова вернувшись к прилавку, попросила:

— Можно пакетик взять?

— Рубль гони, — велела баба и, получив монетку, стала наблюдать, как я, положив булку в мешочек, запихиваю ее в сумочку.

— Зачем еду комкаешь? — неожиданно спросила она.

— Сразу столько мне не проглотить, потом доем.

— Чего там жрать, на один укус.

— Да, вы правы, — кивнула я и пошла к двери.

— Эй, стой!

Я обернулась.

— Ты моя покупательница, — по-прежнему сурово заявила продавщица, — могу теперь и ответить. Веревкино тут близко, налево по дороге, полтора километра. Только что ты там забыла?

— Дачу на лето ищу, ребенка вывезти, — быстро нашелся ответ.

Баба засмеялась:

— Откуда про Веревкино услыхала?

— Женщина одна подсказала, мы на детской площадке познакомились, — улыбнулась я.

Торговка захихикала:

— Ну, ну, сгоняй по морозцу, коли присоветовали. Знатное местечко Веревкино, понравится до жути.

— Значит, налево? — решила я уточнить еще раз дорогу.

— Ага, спокойно чапай. Там трактор колею разгреб, его из Овсянкина прислали, — вдруг обрела редкостную словоохотливость мрачная тетка, — овсянкинцы хорошо живут, вот сами о себе и позаботились, чтоб по сугробам не переть.

Я вышла за дверь, накинула на голову капюшон и пошла в указанном направлении. Красота вокруг стояла невероятная. Белый-белый снег — такого никогда не встретишь в городе — искрился на солнце, потом тропа резко свернула в лес, и я двинулась сквозь строй вековых темно-зеленых елей, от макушки до корней осыпанных инеем. Давно, с самого детства, когда Раиса отправляла меня на январские каникулы к своей матери, я не видела такой зимы. В Москве постоянная слякоть и грязь, а тут настоящее царство Берендея.

Некоторое время я любовалась пейзажем, потом холод начал быстро проникать под одежду, и очень скоро стало понятно: пуховая куртка китайского производства хороша только для столицы. Она вполне держит тепло, пока вы скачками несетесь от дома до метро, но за городом от такого «полушубка» нет никакого толка. Пронизывающий ветер сдувал капюшон, руки в кожаных перчатках замерзли, а ноги в казавшихся еще утром теплыми сапогах задеревенели. Я попыталась увеличить скорость и поняла, что лицо заледенело. Впрочем, в любой ситуации надо искать светлые моменты. Конечно, еще десять минут, и я превращусь в Снежную королеву, зато зуб совершенно перестал болеть, скорей всего, он заморозился и поэтому прекратил беспокоить хозяйку.

Пытаясь согреться, я побежала и вознеслась на холм, посередине которого маячил столбик с табличкой «Веревкино». Огромная радость охватила меня. Ура! Цель достигнута, сейчас постучусь в первый попавшийся дом и попрошусь погреться. Сельские жители милосерднее городских, ну не выкинут же они меня вон, пожалеют почти околевшую от холода глупую москвичку, решившую бродить по лесу в неподходящей одежде и сапогах итальянского производства. Надо же было сообразить: то, что на родине Леонардо да Винчи считается обувью для зимы, в России подойдет только для осени, причем сухой и не слишком холодной. Эх, мне бы валенки! Следует помнить об уроках истории! Солдаты Наполеона замерзли в Подмосковье, да и фашистская армия не выдержала схватки с генералом Стужей! Ладно, сейчас согреюсь!

Полная оптимистических надежд, я быстро спустилась с горки и побежала вперед. Тут и там виднелись припорошенные снегом горы вырытой непонятно зачем земли, потом я наткнулась на длинный, похоже, жестяной забор. Изгородь казалась бесконечной. Потратив последние силы, я добежала до того места, где она заканчивалась, и увидела прибитую на крепко запертых воротах табличку «Строительство коттеджного поселка «Светлый рай», продажа участков».

Название местечка меня насмешило. Светлый рай! Разве противоположность ада может быть темной?

Переставшие что-либо чувствовать ноги вынесли меня к лесу, глаза наткнулись на новый столбик с указателями. Вверху висела табличка с перечеркнутым названием «Веревкино», внизу была еще одна, равнодушно сообщавшая: «Овсянкино. 2 км».

Секунду я пыталась оценить ситуацию, потом пришла в ужас. Похоже, деревни под названием «Веревкино» нет. На ее месте сейчас возводится коттеджный поселок. Вот почему продавщица из магазина гнусно захихикала, услыхав мою ложь про желание снять дачу на лето. Какая мерзкая баба! Она явно знала, что нужный незнакомой москвичке населенный пункт остался лишь на карте, но не остановила меня, не сказала: «Не бегай зря по холоду, Веревкино загнулось».

И что мне теперь делать? Сил идти ни назад, ни вперед нет, я попросту замерзну, потому что ноги окончательно превратились в колоды, а тело в заледеневшую чугунную чурку.

Осознав почти полную безнадежность случившегося, я навалилась на какой-то здоровенный ящик, стоявший у запертых ворот. Интересно, когда найдут мое тело? Скорей всего, активная работа на стройке начнется лишь весной. К тому времени от госпожи Таракановой останутся только сапожки! Все остальное съедят волки! Или дикие кабаны! А может, тут водятся медведи! Меня затрясло от ужаса, пальцы вцепились в крышку ящика.

— Мадам, — послышалось за спиной, — вам будет трудно открыть сей контейнер, оставьте работу профессионалам!

Я взвизгнула, попыталась сделать шаг, поскользнулась и шлепнулась в мягкий сугроб. Моментально перед носом появилась темно-зеленая варежка, сшитая из брезента.

— Мадам, — произнес все тот же голос, — экая вы, право, дикая орхидея, падаете на землю. Вставайте, иначе филей отморозите! Вы как сюда завернули?

— Мне нужно Веревкино, — еле-еле выдавила я из себя.

— О, мадам! Оно когда-то было здесь, вернее, еще летом стояло, но сейчас, увы, к большому горю, а может, и к счастью, его снесли. Сровняли с землей, убрали, словно Содом и Гоморру. Простите, вам удобно в сугробе?

— Нет, — прошептала я, — холодно очень.

— Разрешите пригласить вас к себе? Если, конечно, не сочтете за наглость подобное предложение, сделанное незнакомым мужчиной.

— Большое спасибо, — почти теряя сознание от окончательно сковавшей меня стужи, пролепетала я.

— Извольте встать, давайте руку, теперь сюда, левее, чуть-чуть осталось, нагнитесь, тут притолока, отлично. Прошу, разоблачайтесь!

Негнущимися пальцами я расстегнула куртку и повесила ее на гвоздь, вбитый в стену.

— Вам лучше снять сапоги, — сказал спасший

меня от неминуемой смерти мужчина, — облачитесь, коли не побрезгуете, в валеночки.

В ту же секунду он обернулся, я увидела большую седую лопатообразную бороду, закрывавшую почти все лицо, и пронзительно голубые глаза под клочкастыми бровями.

— Нуте-с, — ласково прогудел старичок, — опомнились? Прошу, катанки[1] теплые!

Прежде чем я сообразила, о чем он толкует, дедушка ловко наклонился, расстегнул мои сапоги, стащил их и нацепил на потерявшие всякую чувствительность ноги огромные серые валенки.

— Эх, молодо-зелено, — протянул он, — все фик-фок на один бок! Чулочки пристегнула — и на мороз. Наверное, совсем вам плохо?

Я закивала, не в силах сказать ни слова.

— Посидите, мадам, пару минут и оттаете, — сказал дедуля, — а пока суд да дело, я чайку сгоношу.

Повернувшись спиной к гостье, хозяин начал греметь бидоном, по небольшому помещению поплыл запах керосина. Ноги начали отогреваться, пальцы закололо иголочками, я принялась осматривать комнатенку. В углу громоздится железная кровать, около нее колченогая тумбочка и этажерка, на которой горой навален всякий хлам. Левая сторона была отдана кухне. Тут висела оббитая раковина, над ней — самый обычный рукомойник, к такому подносят руки, поднимают вверх железный шпенек, и в образовавшееся отверстие медленной струйкой начинает вытекать вода. Чуть поодаль стоит ведро, прикрытое куском фанерки, и столик...

— Вы, мадам, похоже, никогда не видели керосинки? — вдруг спросил дедуля, обернувшись.

— Нет, — ответила я, — у нас дома всегда был газ.

---

[1] Катанки — валенки.

— Прекрасная вещь! — воскликнул старичок. — Знаете, иногда я вспоминаю прежние восхитительные бытовые условия: горячая вода, например! Ей-богу, чудесно иметь ее в доме, хотя вроде летом и не очень нужно. Впрочем, водичку легко вскипятить. Прошу, мадам. Увы, ничем, кроме заварки, порадовать вас не могу. Мои продуктовые запасы подошли к концу. Хотел к станции пройти, там еды раздобыть, но сперва решил личный магазин проверить, и тут смотрю, вы, мадам, валяетесь!

— У меня есть булочка! — воскликнула я и расстегнула сумочку.

— С корицей! — восхитился старичок. — Моя самая любимая.

— Угощайтесь!

— Право, неудобно. Я, мадам, человек старой закваски и считаю, что мужчина должен предложить девушке ужин, а не она ему.

— Ну до вечера еще далеко! — воскликнула я. — И потом, все по-честному, ваша заварка — моя булка. Впрочем, вы обмолвились, что здесь неподалеку есть ваш личный магазин? Если разрешите сходить в этих замечательных валенках, то я мигом сношусь в лавку и куплю нечто более существенное!

Дедушка засмеялся:

— Мадам, мой магазин — это тот мусорный бачок, возле которого я имел честь вас подобрать. Туда строители возводимого на месте Веревкина капища сбрасывают остатки харчей. Коли в контейнере пусто, я иду к станции и там запасаюсь. Сейчас люди стали очень хорошо жить, порой вышвыривают истинные деликатесы. Кстати, как вам чаек?

Сообразив, в каком «супермаркете» дедуся отрыл заварку, я испытала огромное желание выплюнуть напиток, но отчего-то машинально проглотила его и заявила:

— Восхитительно горячий!

Дедуля ласково улыбнулся:

— Разрешите представиться, мадам, Андрей Архипович Кутякин, актер Московского Художественного академического театра.

Я подавилась новым глотком чая, закашлялась, затем уточнила:

— МХАТа? Которого?

— Что значит «которого», мадам? — возмутился Кутякин. — МХАТ, как и Советский Союз, один!

Я приоткрыла рот и осторожно сказала:

— Понимаете, МХАТа теперь два, а Советский Союз, он того, развалился, причем довольно давно!

— Действительно, — хлопнул себя по лбу Андрей Архипович, — запамятовал. Ну да не важно, когда я выступал на прославленной сцене, она была единой! Да-с!

— Как же вы тут оказались! — изумилась я.

Андрей Архипович старательно пригладил бороду.

— Заболел! Мучился долго, а когда в себя пришел, из храма Мельпомены меня выгнали, пришлось сначала Христа ради по знакомым побираться. А потом господь послал мне Нюшу... Кстати, вы торопитесь?

— Нет, — покачала я головой, — приехала сюда, чтобы отыскать Ирину Малову с дочерью, но, похоже, зря проделала путь.

— И кем вы Ирочке приходитесь? — заинтересовался Андрей Архипович;

— Вы знали Малову? — обрадовалась я.

— Как же, — кивнул старичок, — через забор жили! В Веревкине все друг у друга как на ладони были! А что за печаль привела вас, мадам, сюда? И вы так и не назвали своего имени?

— Зовут меня Виолой, а фамилия слегка смешная — Тараканова, — ответила я.

— Замечательная фамилия, — кивнул дедуля. — Так по какой причине вы направили свои легкие стопы в Веревкино?

Голубые глаза Андрея Архиповича были полны нежнейшего участия, мне неожиданно стало жарко, уютно и очень хорошо.

— Я занимаюсь написанием детективных романов, — вдруг призналась я.

— Восхитительно, — прошуршал старичок.

Я одним залпом допила чай и стала рассказывать приветливому старику о своих злоключениях. Давно никому не жаловалась с таким восторгом и честностью.

Андрей Архипович, не перебивая, выслушал меня, потом спокойно сказал:

— Мадам, вы были со мной откровенны, теперь черед моего рассказа. Думается, он может вам оказаться полезен. Наберитесь терпения, повествование долгое, но торопиться вам некуда, вечерняя лошадь поедет к станции лишь в шесть часов. Я имею в виду рейсовый автобус. Так я начну?

— Сделайте одолжение, — кивнула я и чихнула.

Глава 26

Уж не знаю, правду ли говорил Андрей Архипович, когда утверждал, что в свое время успешно закончил театральное училище и был распределен не куда-нибудь, а во МХАТ. Может, он и был одним из тех не известных никому актеров, которые появляются во время действия словно тени. Авторы любят делать ремарки, типа: «Слуга вносит стул». Кто-то же должен притащить его на сцену! А еще во многих классических пьесах есть роли лакеев с канонической фразой: «Кушать подано».

Скорей всего, Андрей Архипович был из этой когорты артистов, хотя сейчас он уверял меня, что играл Гамлета, короля Лира, Чичикова, Отелло и другие заглавные роли. Но, в конце концов, рассказ о сценической карьере Кутякина интересовал меня меньше всего, внимание привлекла другая часть повествования, та, в которой Андрей Архипович объяснил причины своего появления в Веревкине.

Не секрет, что многие деятели сцены любят крепко выпить. Дружбой с зеленым змием могли похвастаться актеры и прежних, и нынешних лет. Кого-то главные режиссеры, не вынеся скандалов, увольняют, кого-то, наиболее талантливого, терпят, сцепив зубы. Выкинешь пьяного обормота на улицу, и сборов не будет, народ идет на «фамилию», и зрителю, в общем, все равно, что блистающего сейчас на сцене премьера за полчаса до начала спектакля приводили в чувство все помощники режиссера. Кстати, абсолютное большинство нетвердо стоящих на ногах звезд, оказавшись на сцене перед переполненным залом, концентрируются и играют просто замечательно. Это одна из загадок профессии, заика на подмостках начинает говорить гладко и плавно, горбатый выпрямляется, а алкоголик трезвеет.

Но, видно, Андрей Архипович не представлял особого интереса для постановщиков, потому что его за дружбу с бутылкой выгнали сначала из МХАТа, а потом еще из парочки не столь известных коллективов.

Наступило голодное время. Ни родственников, ни жены Андрей Архипович не имел, кормить его было некому. Одно время актер ходил по знакомым, у одних обедал, у других ужинал, но очень скоро его перестали пускать в приличные дома. Единственным богатством Андрея Архиповича была хорошая, с двумя окнами, комната в коммунальной квартире.

Оставшаяся часть апартаментов принадлежала полковнику Епифанову и его семье.

Как-то раз жена военного, Нинель Михайловна, пришла к актеру и с участием сказала:

— Вижу, плохо тебе.

— Ничего, мадам, выживу, — бодро ответил Кутякин.

— Чего на работу устраиваться не идешь? — протянула полковница.

— Я, мадам, трамваи водить не обучен, — улыбнулся лицедей, — токмо способен сцене служить, вот, жду-с предложений.

— Кто ж тебе, ханурику запойному, чего предложит? — прищурилась Нинель.

— Вы, мадам, желаете оскорбить творческую личность? — без всякой злобы отреагировал Кутякин.

— Помочь дураку хочу, — вздохнула полковница, — слушай вот лучшее предложение. Тебе жрать нечего и за комнату, между прочим, платить надо. Где деньги взять, а? То-то и оно. А я мечтаю пожить спокойно, одной хозяйкой в квартире, надоело твой пьяный храп слышать, усек?

— Вы, мадам, предлагаете мне удавиться и тем самым решить проблему? — хмыкнул Кутякин.

— Да не перебивай, идиот, — обозлилась Нинель, — у моей домработницы Верки сестра есть, Нюра. Хорошая баба, спокойная, не пьет, хозяйствует, живет в деревне Веревкино, работает уборщицей в клубе.

— И что? — насторожился Андрей Архипович.

— Замуж она хочет! Распишешься с Нюрой, уедешь в Веревкино.

— Упаси бог, мадам!

— Какая тебе разница, где квасить!

— Нет, нет.

— Там клуб есть, будешь спектакли ставить!

— Ни за что!

— Деньги платить станут!

— О боже!

— И я в кошелек насыплю, — гудела полковница. Но Андрей Архипович лишь тряс головой.

— Какая деревня, мадам, помилуйте, я актер МХАТа!

Нинель плюнула и ушла. В субботу она снова заглянула к соседу:

— Хочешь пять рублей?

— Спасибо, мадам, — отозвался Кутякин, — храни вас господь за милостыню.

— За так ничего не получишь, — прищурилась дама, — помоги Верке домой всякую лабуду отвезти.

Денег не было совсем, и Андрей Архипович согласился. Обвешанный узлами, он прибыл в Веревкино, где познакомился с Нюрой, сестрой Веры, хихикающей бабой, по самые брови замотанной в серый платок. Нюра быстро вытащила картошечку с укропом, соленые огурчики и выставила на стол четверть, в которой плескалась прозрачная, как слеза младенца, самогонка.

Андрей Архипович потер руки, сел к столу и принялся за угощение. Дальнейшее вспоминалось туманно, ночь сменяла день, в избу приходили какие-то люди, потом актер подписывал бумаги, его куда-то везли на телеге под ноющую игру гармошки.

Протрезвел Кутякин внезапно, проснулся от непривычной жары, сел на кровати и обалдел. Где он? Отчего находится на постели, под тяжелой красной периной, и что за баба храпит рядом?

Немного поколебавшись, Андрей Архипович потряс «нимфу», а когда та разомкнула веки, спросил:

— Мадам, вы кто? И где я?

Тетка села и, собрав в узел перепутанные волосы, ласково сказала:

— Ну ты даешь, муженек, знатно погулял. Жену не признал!

— Чью? — оторопел актер.

— Свою. Нюра я!

Андрей Архипович шлепнулся на подушку и выпалил:

— Сие невероятно, мадам, я холост и, к своему глубокому сожалению, не имею чести знать вас.

— Охо-хо, грехи наши тяжкие, — вздохнула баба, потом она встала, пошарила за иконой, вытащила паспорт и ткнула актеру в нос: — Гляди!

Кутякин раскрыл документ, удостоверился, что он принадлежит ему, полистал странички и ахнул. В нужном месте стоял штамп о его бракосочетании с Анной Сергеевной Ершовой.

— Это как же так? — растерялся Кутякин. — Ну ничего не помню.

— Бывает, — успокоила его Нюра, — давай яишенку пожарю.

Брак, заключенный столь странным, невероятным образом, неожиданно оказался счастливым. Андрей Архипович устроился в клуб руководителем театрального кружка, потом он стал библиотекарем, затем вахтером.

Карьера шла на убыль из-за пьянки. Нюра мужа никогда не упрекала, алкоголиком не величала и, как ни странно, чувствовала себя счастливой. В Веревкине пили все мужики, но Андрей Архипович, в отличие от них, не бил жену, просто тихо укладывался в кровать и мирно засыпал. Зато в трезвые минуты он звал супругу «райской розой», постоянно хвалил ее, целовал задубевшие от работы руки и никогда не забывал вручить ей подарок. Коли не имел денег, то хоть цветов на опушке наберет и принесет в избу.

А еще Кутякин не таскался по другим бабам, он во весь голос заявлял:

— Моя Нюрочка женщина исключительной красоты и редкого ума, ну с какой стати мне на другую смотреть, если жена трепетная нимфа!

Местное женское население поголовно завидовало Нюре. Ну и что из того, что Андрей Архипович ничего делать не умеет? Нюра сама лихо заколачивает гвозди, чинит крыльцо и вскапывает огород. Зато вечерами она с супругом на зависть остальным сидит на лавочке, с вязаньем в разбитых пальцах, а Андрей Архипович разыгрывает перед ней пьесы, читает текст за всех героев.

В общем, жила пара счастливо до того момента, как Нюре на работе велели пройти диспансеризацию в районной поликлинике. Домой она не вернулась, у нее нашли опухоль и моментально отвезли в больницу. Встревоженный Андрей Архипович кинулся к жене, как всегда, с букетом.

— Ну не дурак ли, — зашипела ему вслед медсестра, — другой бы догадался умирающей бабе чего вкусного притащить, а этот ромашки припер.

Андрей Архипович услышал злобную речь и вздрогнул. Как «умирающей»? Это ошибка, Нюра же никогда не болела.

В отличие от медсестры, Нюра обрадовалась букету, велела поставить его в банку, потом сказала:

— Бабы, дайте мужу словечко наедине сказать.

Остальные обитательницы палаты тихими тенями выскользнули в коридор. Нюра взяла супруга за руку.

— Уж прости меня, Андрей Архипович, повиниться хочу!

— Да в чем? — изумился супруг.

— Опоили мы тебя тогда с сестрой, — вздохнула Нюра, — полковница нам денег дала. Очень уж ей твою комнату получить хотелось, ну и заплатила всем. Верке, мне и председателю, чтоб расписал тебя со мной по-быстрому. Невменяемый ты был на свадьбе, в самогонку лекарство натолкали, уж не помню, как оно называлось, Верка из города приволокла, ей его полковница дала.

Андрей Архипович только моргал.

— Пока ты после свадьбы месяц без роздыху самогонку пил, — продолжала Нюра, — Нинель все устроила с жильем. Якобы ее сосед к жене прописался. Уж не знаю, сколько и где она взяток раздала, только дело моментом связалось.

Андрей Архипович лишь моргал, оценивая происходящее.

— Я думала, ты убежишь сразу, — шептала Нюра, — а видишь, как вышло, столько лет в любви прожили. Спасибо тебе. Прости, коли чего плохого сделала.

Кутякин ощутил вдруг пинок совести.

— Это ты меня извини, — пробормотал он, — не такой уж я хороший муж, денег не заработал.

— Зато любовь у нас была!

— Так почему «была», — приободрился Кутякин, — я тебя люблю.

— И не осерчал за обман?

— Ерунда какая! Наоборот, к счастью получилось!

Нюра заплакала, муж начал успокаивать ее, в конце концов она вытерла лицо и сказала:

— Иди домой!

Супруг покорно кивнул и направился к двери.

— Андрюша! — окликнула его Нюра.

Кутякин остановился и с удивлением посмотрел на Нюшу, до сих пор она его иначе как Андрей Архипович не величала.

— Что, милая? — спросил он.

— Ты не пей после моей смерти, иначе погибнешь! — совсем тихо попросила Нюра.

— Выбрось глупости из головы.

— Дай честное слово, что последнюю рюмку поднимешь на моих поминках.

— О боже, прекрати!

— Нет, скажи.

Чтобы успокоить жену, Андрей Архипович скороговоркой бормотнул:

— Обещаю.

Но Нюра снова осталась недовольна.

— Поклянись, возьми в руки крестик!

Пришлось Кутякину повиноваться, Нюра с облегчением вздохнула.

— Хорошо, но помни, ты на нательном кресте обещание давал, нарушишь его, господь не простит.

Андрей Архипович только вздохнул и ушел, бросив на прощанье:

— Завтра встретимся.

— Ты на Иру Малову посмотри, — вдруг крикнула Нюра, — хорошая баба, ничего, что у нее дочь! У нас-то дети не получились, может, чужую воспитаешь.

Андрей опрометью бросился в коридор. Ну и глупости несет Нюрка! Андрею Архипочиву никого, кроме жены, не надо. Идя домой, бывший актер изумлялся, только сейчас он понял, что любит Нюру, и только сейчас сообразил, как много она для него сделала.

— Ничего, моя роза, — бормотал Кутякин, бодро шагая через лес, — теперь я исправлюсь, одену тебя, осыплю золотом, шубу куплю! Засучу рукава и за дело, заработаю на манто.

Но, видно, не суждено было Нюре носить шубу, ночью жена Кутякина умерла. С горя Андрей Архипович впал в запой и не помнил ни похорон, ни поминок. Очухался лишь через неделю, открыл глаза и увидел... Нюру.

— Смотри, Андрей, — погрозила супруга пальцем, — попросила я, чтобы тебя пока не наказывали. Только не пей больше, иначе плохо тебе придется!

Кутякин вскочил на ноги и с воплем: «Милая! Моя роза!» — попытался обнять ожившую покойницу.

Нюра печально улыбнулась и начала таять, обомлевший Андрей Архипович увидел, как растворились ноги, потом тело, руки и голова. На месте Нюры остался небольшой сгусток тумана, который тихо подплыл к окну и проник сквозь стекло наружу.

Ошалевший Кутякин схватился за бутылку, понюхал содержимое и вдруг понял: он больше не может пить, душа, как говорится, не принимает!

С тех пор Андрей Архипович ведет трезвый образ жизни, и до недавнего времени ему вполне хватало пенсии. Веревкино тихо умирало, в конце концов в нем остались три семьи и Кутякин. Было принято решение на месте деревни строить коттеджный поселок, коренных жителей переселили в городок Юрск, а вот с Андреем Архиповичем вышла незадача. Собственно говоря, в чем загвоздка, не понял и сам Кутякин. Вроде он оказался не прописан в избе и не имел прав на новую жилплощадь. Отчего так случилось, бывший актер не знал, но он остался единственным обитателем скончавшегося Веревкина. Другой бы пенсионер на его месте поднял бучу, принялся бегать по начальству, орать:

— С ума посходили! Я тут большую часть жизни провел и работал, на трудовую книжку гляньте, да и пенсию мне платят, значит, с документами полный порядок! Застройщики жулики, решили на мне сэкономить.

В конце концов, не добившись правды в кабинетах у начальства, любой бы человек объявил голодовку, разбил палатку у входа в здание правительства Московской области, водрузил рядом плакат, типа: «Чиновники — воры, отняли жилье у ветерана», и добился бы своего. Но Андрей Архипович не был бойцом, все бытовые проблемы ранее решала Нюра, муж только рассуждал на умные темы и давал жене советы. Поэтому сейчас Кутякин живет в избушке рядом с бытовкой строителей, он даже сумел найти некую выгоду в своем нынешнем положении.

— За свет я не плачу, — деловито объяснял Андрей Архипович, — мне рабочие провод бросили, от линии. Вот газа нет, но и на керосинке можно кашу варить, а мыться я в баню хожу, в Овсянкино.

— Какое безобразие, — пришла я в негодование, выслушав его историю, — вас попросту обманули! Вернусь в город и попробую вам помочь, у меня есть друзья среди журналистов!

— Спасибо, конечно, — кивнул Андрей Архипович, — только отсюда уезжать не хочется, здесь могилка Нюры, недалеко, на кладбище в Овсянкине. Это местечко никогда не снесут, там зона для преступниц, женщины срок сидят. Многие овсянкинцы в лагере работают, у них и магазин, и церковь, и клуб есть. Мне б туда перебраться, только никто не пустит, отправят в Юрск, а он запредельно далеко. И как мне с Нюрой тогда видеться? Раз в году только соберусь. Нет, уж лучше тут.

— Что же с вами будет, когда построят поселок? — осторожно спросила я.

Андрей Архипович погладил свою бороду.

— Ну так сразу он не образуется, года два-три небось пройдет. Может, уж к тому времени я вместе с Нюрой окажусь, а коли суждено будет еще землю топтать, тут и останусь. Я никому не помеха, ведь правда? Живу в избушке, к богатым людям не полезу.

Голубые, простодушные глаза Кутякина уставились на меня. Я поежилась, ну как сообщить этому
состарившемуся, но так и не успевшему повзрослеть
ребенку правду: обеспеченные граждане, пожелав-
шие приобрести дом в лесу, подальше от любопытных глаз, никогда не потерпят около въезда в элит-
ный поселок избушку-развалюшку с бомжеватого
вида старичком. Да Кутякина просто пристрелят,
чтобы не путался под ногами.

— Ну и как вам моя история? — вдруг спросил
Андрей Архипович.

Я опять вздохнула, интересно, конечно, какие
коленца выделывает чужая судьба, но, увы, мне это
повествование ничем не помогло!

Кутякин внимательно посмотрел на меня и продолжил:

— Следовательно, вы не знаете, что за тайна была
у Луизы?

— Вы с ней были знакомы?

Андрей Архипович усмехнулся в бороду:

— Наш с женой дом стоит на прежнем месте,
справа Малова обитала, слева Луиза, Раиса и их
мать, та два раза замуж выходила. Все очень прилично, достойная женщина, директором школы состояла. Луиза с Ириной крепко дружили, я еще застал их
до того, как они в город подались.

Ну а потом жизнь всех разметала. Луиза в город
уехала вслед за Ирой Маловой, та первой на учебу
подалась, но затем, правда, вернулась и вновь в Веревкине осела, ее тут уважали, работящая женщина,
все было — и огород, и дом, и скотина. Ее даже не
осудили, когда она ребенка незнамо от кого родила,
поговаривали, что у Ирины в Москве любовник
есть, вроде девочка от него, дескать, и имя мужчина
сам ей придумал, очень уж оно заковыристое, не на-
шенское. Я его и произнести не могу! Вер... бер...

лим... дер... Господь с ним! Да и одета девочка всегда была хорошо, не по-колхозному, Ирина ее баловала. Раз в месяц в столицу каталась и назад с полными руками возвращалась: игрушки, платья, сладости. Вот оттого наши бабы и считали, что она любовника-москвича имеет. Только, я думаю, дело иначе обстояло. Луиза подруге помогала, она ей ближе сестры была, да... вот так... вот так... Что же касается чужой тайны, то... э... э...

Андрей Архипович замялся, потом закашлялся, завздыхал и наконец решился:

— Понимаете, мадам, я человек с принципами, хоть и любил поднять рюмочку, но подлым не был. Не секрет, что многие пьющие люди за деньги готовы на все... Вам понятен ход моих рассуждений?

— Более чем, — кивнула я.

— Никогда не умел биться за свои права, — продолжал Андрей Архипович.

Я окинула взглядом избушку, да уж, последнее заявление бывшего актера соответствует действительности. Сначала он потерял комнату в московской квартире и смирился с переездом в Веревкино, потом не стал ругаться с застройщиками коттеджного поселка и снова проиграл.

— Я не способен заниматься продажей чужих тайн, — говорил тем временем Кутякин, — но есть у меня мечта, пока не осуществимая. Понимаете, мадам, я не сумел купить своей жене шубу, не свозил на курорт, не одел ее, даже в театр ни разу не сводил, мы из Веревкина в Москву не ездили. Вот я и решил поставить Нюре памятник, настоящий, из камня, а не фанерную пирамидку. Сходил в мастерскую, они меня заверили, что дело плевое, любое надгробие соорудят, шельмецы, в одночасье, только деньги плати, даже счет составили. Вот!

Кутякин взял с подоконника бумажку и протянул мне.

— Видите цифру?

— Да.

— И откуда мне такие средства взять?

Я молча смотрела на калькуляцию, конечно, под словом «Итого» стоят не копейки, однако стабильно работающий человек вполне способен поднапрячься и скопить нужную сумму, но побирающемуся по помойкам Андрею Архиповичу нечего и думать об установке монумента.

— Так вот, цена дана обычная, понимаете?

— Нет.

— Здесь калькуляция на само надгробие и на решетку, кованую ограду с вензелями, — принялся объяснять Кутякин, — чудесная вещь, с железными цветами. На плиту я средства имею, получил их от... Впрочем, вас это не должно интересовать, где я рублики раздобыл. Но та, что помочь мне согласилась с памятником, на ограду средств не нашла. Я был рад и надгробию, думал, потом как-нибудь и изгородь получится, а тут вы, мадам!

Вы писательница, — продолжал Кутякин, — значит, человек богатый. Я обладаю очень нужной для вас информацией, а вы имеете столь необходимые для увековечивания Нюриной памяти деньги. Следовательно... Понимаете?

— Вы хотите продать мне сведения? За ограду?

— Именно так, — закивал Кутякин, — но, опасаясь самого себя, я попрошу вас поступить таким образом: оплатите счет, и бригада примется за работу.

Я произвела в уме кое-какие расчеты. Итак, если Андрей Архипович, всю жизнь проведший в непосредственной близости с Ирой Маловой, знает тайну Луизы Иосифовны, то я выясню, чем таким можно было шантажировать даму, и, вполне вероятно,

пойму, кто это делал, в общем, докопаюсь до истины. Ладно, сейчас попытаюсь договориться с Андреем Архиповичем.

— Видите ли, — осторожно начала я, — литерато-
ры не столь уж обеспечены, сколь о них судачит
молва. Но я готова совершить сделку с одной по-
правкой: информация мне нужна прямо сейчас, а
расплатиться с вами я сумею лишь в апреле.

Кутякин покрутил в пальцах бороду.

— Памятник зимой не ставят, земля стылая.

— Верно.

— Та женщина тоже пообещала после марта расплатиться. Значит, сумму можно весной внести.
Даете честное слово?

— Да, — воскликнула я, — могу написать расписку!

Андрей Архипович улыбнулся:

— Не надо, вы меня не обманете, я людей хорошо
вижу. Ладно, слушайте!

Глава 27

Описываемые события произошли как-то летом.
В начале июня Луиза вместе с сыном Матвеем приехала в Веревкино, вывезла мальчика на свежий воздух и на жирное деревенское молоко. Поселилась
она у Ирины, ее родной дом, где жили мать и отчим,
был давно продан чужим людям, на сделке настояла
младшая сестра Раиса, очень жадная до денег особа.
Это она, едва осела земля на могиле родителей, поспешила избавиться от доставшегося наследства.

Малова с радостью приняла подругу, а Андрей
Архипович тоже взбодрился, увидев Луизу, та, не
забыв соседей, привезла ему и Нюре презенты, Кутякину красивый свитер, а его жене флакон духов и
коробку дорогих шоколадных конфет.

Лето в тот год выдалось замечательное, Андрей

Архипович частенько сидел за домом, слушая веселые крики детей, бегавших по улице. С десятого июля установилась немыслимая жара, именно она и стала причиной того, что Кутякин случайно узнал чужую тайну.

В субботу Нюра сказала мужу:

— Мне предложили в больнице поработать, пока их санитарка в отпуске, ты не против?

— Конечно, нет, моя роза, — ответил муж.

— Только я на сутки уходить буду, — продолжала Нюра.

— Может, не надо так много работать? — спохватился Андрей Архипович.

— Уголь на зиму понадобится, дрова, — стала загибать пальцы жена.

— Ладно, ладно, — закивал Кутякин, — решай сама, моя роза.

Нюра улыбнулась и ушла, а Андрей Архипович улегся спать, но в избе было душно, и он перебрался за дом, поставил раскладушку, умостился на ней и ощутил себя счастливым. Высокие лопухи скрывали ложе, и от сорного растения тянуло приятной прохладой. Кутякин задремал, разбудили его тихие голоса, доносившиеся со двора Маловой. Слегка раздвинув рукой широкие листья, Андрей Архипович взглянул на участок Ирины и увидел соседку, а около нее женщину с ребенком лет восьми с большой ссадиной на лбу.

— Спасибо вам, — чуть не кланялась в пояс незнакомка, — кабы не вы, ночевать бы нам на станции.

— Ерунда, — ответила Ира, — только очень прошу вас, не шумите, соседей разбудите, идите скорей в дом, завтра я подумаю, как вам помочь!

Гостья, схватив мальчика за руку, шмыгнула в приоткрытую дверь, Ира пошла следом.

Андрей Архипович задремал и снова был разбужен голосами. Он раскрыл глаза и понял, что наступило утро, в прозрачном воздухе разливалась свежесть, а солнце уже успело подняться на небо.

— Ты уверена, что мы поступаем правильно? — прозвучало за изгородью.

Кутякин снова раздвинул лопухи и уставился на соседский двор. Самого его не было видно, сорняки у забора в тот год выросли просто чудовищные, зато перед Андреем Архиповичем открылся полный вид на задний двор Маловой, а там происходило нечто загадочное. Сначала Луиза и Ирина вытащили на улицу крепко спящего Матвея. Мальчик уже был большим, и женщины раскраснелись от натуги.

— Очень крепко спит, — сказала вдруг Луиза.

Ее тихий голос в рассветной тишине показался Кутякину оглушающим. Очевидно, то же почувствовала и Ирина, потому что она, вздрогнув, шикнула:

— Тише!

— Не волнуйся, — улыбнулась Луиза, — нас никто не заметит, деревня спит.

— Щас в коровники потянутся, — нервничала Малова.

— У Кутякиных только кролики, — снова спокойно отозвалась подруга, — и потом, Нюша в больнице, на дежурстве, она мне вчера про новую работу рассказывала, а Андрей Архипович пьяный, как обычно. Нет причин для тревоги!

— Давай по-быстрому, — поежилась Малова, — время поджимает, мне на первую электричку успеть надо.

Андрей Архипович, немало заинтригованный увиденным, внимательно наблюдал за женщинами. А те начали вытворять совсем уж несусветные вещи, они взяли большой мешок, в таком веревкинские хозяйки таскали картофель на рынок, и сунули в него... спящего Матвея.

— Не задохнется? — озабоченно поинтересовалась Луиза, после того как они с Ириной положили мешок с ребенком на платформу с колесиками.

— Нет, — помотала головой Ира, — воздух через рядно спокойно проходит. Теперь ты.

Луиза кивнула, быстро забралась на тележку, потом... влезла во второй мешок, а Малова ловко завязала горловину.

Андрей Архипович разинул рот, если не знать, в чем дело, то подумаешь, что на «тачанке» уложены кули с клубнями.

— Теперь не шевелись, — попросила Ирина, — устройся поудобней и затаись, нам только по улице проехать, чтобы Ленка Круглова, сплетница чертова, увидела, как я на рынок ушкандыбала!

— Ага, — ответила из мешка Луиза, — давай тащи!

Ира схватилась за длинные ручки и тронула колымагу с места. Изумленный до предела Кутякин ужом прополз по траве до своих ворот и посмотрел в щель. Ирина довольно бодро шагала по направлению к станции, кули из рогожи мирно серели на тележке.

— Эй, куды подалась? — услышал Андрей Архипович издалека противный, скрипучий голос Ленки Кругловой.

— Да на базар, — ответила Ирина, — хочу вот картошечкой торгануть, много осталось, скоро новая пойдет. Избавлюсь от запаса, дочке одежду куплю.

— Правильное дело, — одобрила Ленка, — кто ж тебе поможет, одна девку на горбу тащишь.

Андрей Архипович в состоянии, близком к опьянению, вернулся в избу. С чего бы соседке творить глупости? По какой причине Луиза решила покинуть родное Веревкино в мешке? Кутякин и так и эдак покрутил в голове увиденное, не придумал ничего разумного, хлопнул стакан и лег спать, на этот раз дома, на кровати.

Проснулся Андрей Архипович от криков:

— Вставай, Кутякин, пожар горит!

С трудом разомкнув слипающиеся веки, он увидел перед собой орущую Ленку Круглову.

— С ума сошла? — возмутился Кутякин. — Чего пришла?

— Это ты последние мозги пропил, — завизжала баба, — Малова горит, вся изба занялась, тама Луизка с дитем! Да и на ваш дом ща пламя перекинется! Бери ведро, поливай крышу и стену! Дрыхнет тут без задних ног.

Андрея Архиповича сдуло с кровати, он выскочил во двор и зажмурился, домик Иры полыхал факелом, только Кутякин увидел пламя, как крыша дома подлетела вверх, раздалось оглушительное «бах» и кровля рухнула внутрь здания.

— Господи помилуй, — закрестилась Круглова, — пришибло-то Луизку с дитем! Вот беда, ой горе! Люди-и-и!

Воя на все лады, Ленка полетела по селу, а Андрей Архипович кинулся за водой, огонь и впрямь мог подобраться к их с Нюшей жилью.

Потом приехали пожарные, милиция... Кутякин молча наблюдал за происходящим. Вот по колдобинам проскакал «козел», из него выбралась Ирина и, упав на колени у обочины, заголосила:

— Ой, подруженька моя, ой, несчастье-то! Ой, Луизочка, ой Матюша! Сгорели живьем! Вчера они чаю с валерьяной напились и заснули крепко, а я решила их не будить, когда спозаранку на базар подалась! Ой, люди добрые!

Потом она упала, над ней наклонилась фельдшерица... Кутякин ушел в избу и начал обдумывать положение. Из громких переговоров между милицией и пожарными всем стало ясно, что среди головешек обнаружены останки двух человек, установить личности их не представлялось возможным, но Ирина Малова мгновенно сообщила:

— Так никого, кроме Луизы и Матюши, не было, сгорела моя лучшая подруженька!

Андрей Архипович хорошо понимал, что Малова врет. Сначала она вечером привела в свою избу неизвестную Кутякину особу с ребенком, а потом утром увезла мешки с Луизой и Матвеем. Значит, и Луиза, и мальчик живы, а погибли совсем другие люди. Ну зачем Ирина устраивает спектакль?

Наверное, следовало выйти к представителям власти и изобличить врунью, но Кутякин всю жизнь придерживался принципа «моя хата с краю» и «не тронь дерьмо, оно и не завоняет».

Решив, что все произошедшее его совершенно не касается, Андрей Архипович никому не обронил ни слова.

Но на этом события не закончились. Спустя месяц после пожара к Кутякину постучался незнакомый мужичонка.

— Уж простите за нахальство, — забубнил он, — из Овсянкина я, Сергей Прохоров. Жена у меня пропала, Люся, и сын Костя. Поругались мы под вечер, я психанул и заорал: «Пошла вон, дура, убирайся к своей мамаше, шлепай в Путькино, тама жила, туда назад и чапай».

Кутякин внимательно слушал мужика. А тот, запинаясь, повествовал свою историю.

Разодравшись с супругой, Сергей схватил бутылку водки и ушел в баню. Там, основательно помывшись и хорошо приняв на грудь, он расслабился и улегся спать прямо в предбаннике, на диване.

Утром Прохоров обнаружил дом пустым, а на столе записку: «Уехала жить к маме, чтоб тебе сдохнуть». Сергей обрадовался и загулял по-черному. Супруга, естественно, прихватила с собой и ребенка, поэтому муж почувствовал себя холостым и использовал ситуацию на все сто процентов. За женой он ехать не собирался, сама вернется, когда надоест дуться.

Месяц Сергей жил счастливо, лишенный «воспитательной работы», никто его не поучал, не ругал, не отнимал бутылку и не визжал: «Ступай на службу, олух!»

Но долго длиться радость не может, позавчера утром Сергей увидел, как во двор, обвешанная узлами, втаскивается теща. Очевидно, Люська решила сначала прислать в качестве парламентера маменьку.

— Ну, здравствуй, зятек, — едко заявила бабка, — чегой-то грязно у вас, не убираете совсем!

— Здрассти, Катерина Ивановна, — буркнул Сергей.

— Похоже, ты мне не рад, — с ходу полезла в бутылку теща.

— Да вы проходьте, — завздыхал Сергей, — чего в дверях болтать!

Теща вошла в комнату, демонстративно обмахнула рукой табуретку, усадила на нее свое грузное тело и завелась:

— Пьешь, смотрю, не первый день!

— На свои покупаю!

— С чего гуляешь?

— Мое дело.

— На работу не ходишь!

— Какого хрена вы, Катерина Ивановна, припер-лись, — начал злиться Сергей.

Он ожидал, что теща начнет визжать, но та вдруг горестно подперла рукой щеку и заявила:

— А и правда! Чего меня подняло? Неспокойно как-то, и Люська приснилась, вся в белом, на голове венок огненный, склонилась и плачет: «До свида-ния, мама». К чему бы такое привиделось?

— На ночь жирного поели, — предположил зять, — вы покушать любите, а потом кошмары мучают.

Катерина Ивановна шумно вздохнула:

— Ладно, зови ее! Ты-то пьяница, чего с тебя спрашивать, а она хозяйка! Вона, грязищи развела!

— Кого звать? — удивился Прохоров.

— Дык Люську!

— Нет ее, — растерянно ответил Сергей.

— Куда ж она подалась с ранья? — всплеснула ру-ками теща. — Воскресенье севодни, на работу не хо-дить.

Прохоров впервые почувствовал беспокойство.

— Люся к вам уехала, вместе с парнем, — выда-вил он из себя.

— Когда ж? — вскинулась теща. — Неужели на первой электричке укатила? Вот беда, разминулись, я на поезде оттудова, а она отсюдова.

Сергея от нервов затошнило, и он пробормотал:

— Мы месяц тому назад поругались, и она домой подалась, записку оставила, вон, на комоде валяет-ся. Думал, Люся в Путькине, у родителей, вернется, как нагостится, не в первый же раз полаялись. Так ее у вас не было?

— Не, — прошептала Катерина Ивановна.

— И дома ее нет, — тоже отчего-то шепотом от-кликнулся Сергей.

Через час встревоженный муж и рыдающая мать

начали бегать по жителям Овсянкина, задавая всем один и тот же вопрос:

— Люську не видали?

К ночи они узнали, что Прохорову, ведущую за руку сына, встретила в лесу Ксения Куркина. Любопытная Ксюха, всегда чуявшая сплетни, быстро поинтересовалась:

— Куда это на ночь глядя подалась, да еще с дитем?

Люська подбоченилась и заорала:

— Надоел Серега хуже репейника! Все, к матери уезжаю!

— Ночью? Дождись утра, — посоветовала Ксюха, — охота ребенка мучить.

— Ничего, — рявкнула Люся, — не грудной, перетопчется. Прощай, недосуг трепаться, через полчаса автобус на Колькино пойдет, последний. Я на нем и доберусь, а там и до Путькина всего три километра по дороге.

Ксения только покачала головой, а Люська схватила за руку сынишку и поволокла его вперед, не обращая никакого внимания на хныканье мальчика. Куркина пошла в Овсянкино, но через пару метров услышала истошный детский вопль и крик Люськи.

— Чтоб тебя разорвало, хорош валяться, вставай! Подумаешь, ушибся!

Куркина еще раз вздохнула и направилась домой.

Услыхав от Ксюши про встречу с Люсей, Катерина Ивановна завыла так, что в избе Куркиной затряслись стекла.

— Тише, мама, — перепуганно принялся утешать тещу, никогда ранее не называемую матерью, Сергей.

— Убили! Изнасиловали! Утопили, — билась в истерике старуха. — Лесом побегла, в ночь! Ой, господи-и-и!

— Погодьте рыдать, — попытался сохранить мало-мальское спокойствие Сергей, — слышали же, мальчишка упал, ушибся. Небось Люська его до Веревкина дотянула, тут идти всего ничего, к кому-нибудь на ночлег попросилась, а утром в больницу подалась. Наверно, лежат сейчас в районе, может, сын ногу сломал.

— Нет, Сереженька, — простонала теща, — померла она, вот к чему сон был.

— Тьфу на вас, мама, — сказал зять, — завтра в Веревкино слетаю и все узнаю.

Андрей Архипович замолчал.

— И вы ничего не сказали Сергею? — подскочила я.

— Нет.

— Но почему?

— А что было говорить?

— Правду!

— Какую?

— Про смерть Люси и мальчика!!!

Кутякин сгорбился:

— И кто бы мне поверил? Ирина ни словом о гостье не обмолвилась, милиция посчитала, что в пожаре погибли Луиза и Матвей. Какие доказательства своих слов я мог предъявить, а? И вообще, в чужие дела лезть не надо, узнал что ненароком, лучше молчи, целей будешь! Я бы и вам, мадам, никогда истину не поведал, но сами знаете про памятник!

— Значит, Луиза и Матвей живы! — воскликнула я.

— По всей видимости, да, — ответил Кутякин, — мальчик точно, но и она не древняя, моложе меня будет.

— И где же Луиза живет? — растерянно спросила я.

— То мне неведомо, — ответил Андрей Архипович, — будете еще чай?

— Ага, — рассеянно кивнула я, пытаясь причесать мысли.

Значит, Ася Локтева неведомыми путями выяснила, что Луиза Иосифовна решила по непонятной причине прикинуться мертвой. Зачем она придумала это? Впрочем, причина пока не важна, интересно иное. Локтева узнала адрес Луизы, наверное, та проживает по документам Люси Прохоровой, и заявилась к ней, требуя денег за молчание. Осталось лишь отыскать Луизу Иосифовну.

— Пейте, мадам! — бодро воскликнул Андрей Архипович.

И тут меня осенило:

— А где сейчас Ирина Малова?

Андрей Архипович грустно вздохнул:

— Ее еще в прошлом году в больницу определили, такое скорбное место, в Литвиновке. Только-только начали веревкинцев расселять. Маловой тоже квартира положена была, но она попросила: «Жить мне недолго осталось, совсем меня болячка съела, лучше устройте в Литвиновку». Там монастырь женский стоит, и монашки за больными ухаживают бесплатно, но берут лишь одиноких и безнадежных. Говорят, хороший уход, питание и лекарства есть, но по мне, так не дай бог у них оказаться. Ясно ведь, где следующая остановка будет — на кладбище.

— Малова жива? — лихорадочно спросила я. — Что у нее за болезнь?

Кутякин кашлянул:

— Уж и не знаю ни про то, ни про другое. Ирина совсем плохо выглядела перед расселением, лицо желтое, глаза ввалились, может, и умерла уже.

— Где эта Литвиновка? — нервно воскликнула я.

Кутякин покосился на часы с гирьками:

— В пять часов, то есть через пятнадцать минут, туда автобус поедет, на вокзальную площадь привезет, а монастырь рядом, в двух шагах. Думаете, Ирина расскажет вам правду?

— Не уверена, но надо попытаться разговорить ее! — воскликнула я.

— Вы, мадам, езжайте в валеночках, — посоветовал Кутякин, — и еще, гляньте.

Сопя от напряжения, старик открыл большой сундук, по избе поплыл запах нафталина.

— Вот, надевайте, — сказал Андрей Архипович, вытаскивая наружу огромный серый пуховый платок и такие же варежки. — Тулупчик ваш, мадам, на рыбьем меху, этак и околеть можно. Вы его нацепите, а сверху платочком обмотайтесь, да не так, крест-накрест.

Я не стала стесняться и, завязавшись в серую шаль, спросила:

— Вам не жаль платка? Он совсем новый.

— Нюрина вещичка, и рукавицы ее, — пояснил Кутякин, — сами понимаете, жене они уже не понадобятся. Вы в апреле, когда деньги привезете, шарфик, варежки и катанки вернете.

— Спасибо! — воскликнула я.

— А сапожки ваши в эту торбочку влезут, — заботливо продолжал Кутякин и сунул мою непригодную для настоящей российской зимы обувь в холщовый мешок с лямками. — Цепляйте на спину и бегите. Я вас на тропинку выведу.

Бодро похрустывая валенками, мы вышли к лесу.

— Поторопитесь, нимфа, — велел Кутякин, — не бойтесь, темно, правда, но волков тут не водится, и люди не ходят, овсянкинцы уже пробежали, никто вас не тронет.

— Очень на это надеюсь, — кашлянула я.

Внезапно Кутякин поднял правую руку и перекрестил меня.

— Бегите, мадам, — сказал он. — Господь вас храни.

Я прошла пару шагов и обернулась. Андрей Архипович стоял на том же месте, его седая борода развевалась по ветру. Странное, однако, существо человек. Тот же Кутякин прожил всю жизнь зря, ничего не сделал, не достиг успеха, сам зарыл отпущенный ему богом талант, кроме того, Андрей Архипович настоящий трус, не пожелавший палец о палец ударить, чтобы помочь Сергею найти жену. Но, с другой стороны, Кутякин добрый, приветливый, совсем не жадный, и он очень любил Нюру, если решил ради памятника развязать язык. Наверное, Андрея Архиповича надо осудить, но мне его отчего-то жаль до слез!

— Торопитесь, мадам, и ничего не бойтесь, — донеслось до моих ушей.

— Не волнуйтесь, — крикнула я в ответ, — деньги привезу обязательно, и одежду верну!

— И в мыслях у меня нет сомневаться, — откликнулся Кутякин, — спешите, нимфа, а то вечерняя лошадь ускачет.

Глава 28

До монастыря я добралась без особых приключений. Можете мне не верить, но дребезжащий всеми частями автобус приехал вовремя и, несмотря на допотопность, лихо довез пассажиров до Литвиновки, а там местная жительница словоохотливо мне пояснила:

— Монастырская больница? А вон она, видите красное кирпичное здание? Вход у них со двора, идите смело, денег сестры не берут.

Обрадовавшись, я добежала до нужного дома и дернула дверь, она приоткрылась, и я вошла внутрь небольшого, пахнущего хлоркой помещения. Тут было не слишком светло, в правом углу висела темная икона с суровым ликом. Слегка растерявшись, я осмотрелась по сторонам и увидела вбитые прямо в стену крючки и два бака с надписью: «Бахилы».

Сняв верхнюю одежду и нацепив на ноги голубые пластиковые мешочки, я побрела по длинному коридору мимо высоких, выкрашенных белой краской дверей, на которых висели таблички: «Палата женская», «Палата мужская», в конце концов уперлась в лестницу и приметила дверь с объявлением: «Сестринская». Поколебавшись пару секунд, я осторожно постучала и услышала вежливое:

— Входите.

Я потянула за ручку, перед глазами оказалась небольшая комната, заставленная стеклянными шкафами, в углу опять висела икона, а у окна стояла полная молодая женщина с приветливым ненакрашенным лицом. Голова незнакомки была повязана платком с красным крестом, тело укрывала длинная темно-синяя хламида с белым фартуком.

— Вы ко мне? — участливо спросила она. — Чем могу помочь? Больного привезли? Или навестить кого-то желаете?

Я улыбнулась ей.

— Понимаете, я ищу Ирину Малову.

Медсестра вдруг перекрестилась.

— Милостив господь, услышал наши молитвы.

— Значит, она у вас, — обрадовалась я, — и жива?

Девушка снова осенила себя крестным знамением.

— Меня зовут Полиной. Матушку вашу летом привезли, не в лучшем состоянии, болезнь запущенная очень, и душой она озлоблена была. Но батюшка наш с ней много разговаривал, и в конце концов Ирина оттаяла, раскаялась, приняла обряд крещения. Только осенью ей худо стало, она призвала батюшку и призналась, что обманула его, так и сказала:

— Я вам правды о себе не открыла, грех тяжелый на душе ношу, только перед самой смертью исповедуюсь, потому что не готова пока о тайне рассказать.

Батюшка попытался разговорить больную, но та упорно твердила:

— Болезнь мне господь в наказание послал, я это теперь хорошо понимаю. Вы уж помогите, найдите мою дочь, мы с ней поругались, нам помириться надо.

Полина и другие сестры приложили все усилия, чтобы отыскать младшую Малову, но она словно сгинула. Единственное, что выяснили послушницы: девушка в свое время уехала в Москву, бросила в Веревкине отчий дом, подалась вроде как на заработки и исчезла в огромном мегаполисе. Ирина, чьи отношения с дочкой складывались очень непросто, сначала была довольна и, решив забыть неблагодарную дщерь, жила себе спокойно в Веревкине. Но потом на нее напала болезнь, скрутила, и уже немолодая женщина попала в Литвиновку, пообщалась с батюшкой, монашками и поняла: ей во что бы то ни стало нужно помириться со своим ребенком.

— Давно бы господь душу Ирины забрал, — тихо сказала Полина, — и тело от физических страданий избавил, только она вас ждет и, пока не поговорит, не упокоится. Вы правильно сделали, что приехали, даже если испытываете к ней неприязнь, перед входом матери в царствие божие следует помириться. Пойдемте скорей, матушка ваша очень страдает.

Не успела я опомниться, как Полина крепкой

мозолистой ладонью схватила меня за руку и буквально потащила сначала к двери, а потом по лестнице. Не зная, как поступить, я растерянно шла за медсестрой, а та, ловко управляясь с длинной юбкой, добежала до нужной двери, распахнула ее и крикнула:

— Ирина Сергеевна, радость у меня для вас!

Меня девушка, словно боясь, что гостья исчезнет, держала по-прежнему за руку.

Одеяло на кровати слегка зашевелилось.

— Кто пришел? — донеслось из-под него. — Анфиса?

— Нет, Ирина Сергеевна, Полина.

— Совсем ничего не вижу, — пожаловалась больная, — вконец ослепла! Мне бы укольчик, чтобы заснуть.

— Непременно, Ирина Сергеевна, — воскликнула медсестра, — обязательно сделаю, только чуть позднее! Выполнили мы просьбу, нашли вашу дочь.

Я заморгала, вот идиотское положение! Эта Полина, очевидно, не очень большого ума, ну с какой стати она приняла меня за дочь Маловой? Хотя послушницу понять можно. Наверное, за все время пребывания в Литвиновке Ирину никто не навещал, родственников, похоже, у нее нет, друзей тоже. А тут приходит вдруг женщина и спрашивает Малову! Ясное дело — дочь!

— Она приехала? — прошептала Ирина. — Не верю!

Полина подтолкнула меня к кровати.

— Обнимите же матушку! Она не видит ничего.

Я заколебалась: господи, как поступить? С одной стороны, мне надо остаться с Ириной наедине, только она может приоткрыть завесу тайны, с другой — я не могу обмануть больную и монахиню. От растерянности и отвратительности положения я вспотела, потом набрала полную грудь воздуха и хотела сказать: «Простите, вышла чудовищная ошибка», — но тут Ирина вдруг вытянула вперед худые руки и заплакала, повторяя одну и ту же фразу:

— Ну вот, ну вот, ну вот!

Полина подтолкнула меня в спину, я сделала шаг, другой и села на край кровати.

— Умру теперь спокойно, — прошептала Ирина, — господь-то добр, послал мне счастье! Послал! Ты же меня сейчас простишь, простишь, простишь...

Руки Маловой продолжали висеть в воздухе, мне стало плохо, и тут глупая Полина, наверное, подумав, что я не решаюсь приникнуть к материнской груди, толкнула меня в спину. Я покачнулась и попала в объятия больной.

— Ты меня простила, — зашептала Ирина, — любимая доченька! Все такая же, маленькая, худенькая...

Нервные пальцы начали гладить меня по голове.

— Волосы остригла, — констатировала Малова, — хотя мы же с тобой так долго не виделись! Здравствуй, родная. Знаешь, я наконец-то впервые за столько лет счастлива!

И что оставалось делать? Вырваться из судорожных объятий несчастной женщины и заявить: «Я не ваша дочь. Монашки так и не сумели ее найти. Умирайте с осознанием того, что вам никогда не помириться с родным ребенком»?

Не знаю, как вы, а я оказалась в этой ситуации неспособной на честность и с огромным трудом выдавила из себя:

— Здравствуйте... то есть здравствуй!

— Детонька, — всхлипнула Ирина, — я так давно не слышала твой голос! Забыла его совсем.

— Я охрипла слегка, — быстро добавила я, — кха, кха. Уж извини, простуженной приехала.

— Только тебя я ждала, чтобы умереть, — прошептала Ирина, — вот обнимаю и чувствую, ты это, ты! Отчего не хочешь назвать меня мамой?

— Здравствуй, мама, — выдавила я из себя, фраза далась мне нелегко.

Я никого до сих пор никогда не называла матерью[1].

Ирина внезапно села.

— Слушай меня! Я виновата очень, но совсем не в том, в чем ты меня подозревала.

По моей спине пробежал легкий ветерок, я обернулась и поняла, что мы с Ириной находимся в палате одни. Полина, сообразив, что Малова сейчас станет исповедоваться перед дочерью, деликатно удалилась.

— Слушай меня, — повторила Ирина, — сядь спокойно, мне надо душу освободить и тебе все объяснить. Когда основные события разворачивались, я молчала, права не имела рта раскрыть, а потом... Ладно, начинаю.

Я затаилась на краю кровати, а Ирина, крепко вцепившись в мою ладонь, начала связный рассказ, наверное, больная не раз обдумывала свою беседу с дочерью, потому что речь ее текла без запинки.

— Уж не знаю, кто наболтал тебе, что ты являешься дочерью Марка Матвеевича, — неожиданно твердым голосом завела Ирина, — может, ты с Вероникой Локтевой пообщалась? Вот уж кто ревнивицей была, она меня ненавидела, ну, да я все расскажу по порядку.

Ирина Малова была на два года старше своей соседки Луизы, но это не мешало девочкам дружить.

---

[1] История жизни Виолы Таракановой рассказана в книге Д. Донцовой «Черт из табакерки», издательство «Эксмо».

Говорят, что противоположности легко сходятся, я не уверена в этом, но активная, бойкая, говорливая Ирина и тихая, скромная, незаметная Луиза великолепно дополняли друг друга. Малова в этой паре была лидером, а Луиза ведомым, покорным придатком, она охотно выполняла все поручения подружки и слепо повиновалась ей.

Доходило до смешного. Луиза носила ту же прическу, что и Ирина, и никогда не выражала собственного мнения ни по какому поводу, стратегические решения в этом тандеме принимала Малова. Это ей пришло в голову, закончив школу, укатить из Веревкина в Москву, поступать в институт. На робкое замечание Луизы: «Ну кому мы там нужны?» — Ирина ответила:

— Никому, и что из этого? Надо же хоть попробовать получить хорошую профессию!

Высказалась и укатила в Москву, поступила в вуз, и через два года велела Луизе нести документы в тот же институт. Луизочка, как всегда, повиновалась и тоже стала студенткой. Ирина, первой получив диплом, устроилась на завод, где работал Марк Матвеевич. На оборонное предприятие брали только людей с чистой анкетой, а документы у Маловой были просто образцовыми: русская, комсомолка, отличница, происхождение деревенское, никаких сомнительных родственников в роду.

Попав на предприятие, умная, хваткая Ирина стала делать карьеру и через год оказалась в лаборатории, которая работала непосредственно с главным конструктором. Очень скоро Маловой стало понятно: Марк Матвеевич жуткий бабник, ни одна маломальски симпатичная юбка не проходила мимо взора начальника, но он внешне вел себя прилично, рук не распускал, знаков внимания понравившимся девочкам очень явно не оказывал, и вначале Ирочка подумала, что Марк Матвеевич издали глотает слюнки. Но затем она сообразила, как действует сластолюбец.

В лаборатории работало всего пять человек, одни женщины. Две из них, Ирочка и Оля Рыкова, увольняться не собирались, девушки считали, что им страшно повезло: богатый завод платил хорошую зарплату, давал продуктовый паек, на предприятии имелась поликлиника, спортивный комплекс... В общем, и Малова, и Рыкова старались изо всех сил, чтобы начальство было ими довольно. А вот остальные девочки менялись быстро, приходили, работали максимум полгода и сматывали удочки. Ира только диву давалась, ну почему глупышки так странно себя ведут! Отчего не желают зацепиться за хорошую работу? Но потом ей открыла глаза Оля Рыкова. Глядя как-то раз на опустевший у окна стол, она тихо сказала:

— Повезло же нам.

— В чем? — спросила Ирина.

Рыкова оглянулась, удостоверилась, что в комнате никого нет, и вздохнула.

— Вот, опять уволилась!

— Бывают же дуры на свете, из такого места убежать! — воскликнула Ира.

Оля прищурилась:

— Будто ты не понимаешь почему!

— Не понимаю.

— Не ври.

— Да точно, — растерянно ответила Малова.

Рыкова хмыкнула:

— Каждая из девчонок с Марком Матвеевичем роман крутила, тихо дело обстряпывали, но я все равно поняла. Надеялись небось на создание семьи, наш-то не женат. Только ничего не получалось. Марк Матвеевич, похоже, долго с одной бабой жить не может, вот и увольняются потом, или он так делает, что их выгоняют. Жуткий бабник, ни одной юбки не пропустит, думаешь, чего он девок постоянно в кабинет зазывает?

Ира пожала плечами:

— Так он и меня порой приглашает, по работе, но никогда никаких поползновений не делал!

Рыкова тоненько засмеялась:

— Меня тоже стороной обходит, знаешь почему? А ну, глянь в зеркало. Ты, как и я, смуглая, черноволосая, с карими глазами, полная. А у Марка Матвеевича иной стандарт, ему блондиночки по душе, маленькие, хрупкие. Вот с такими он крутит романы, усекла? Только недолго ему котовать осталось.

— Почему? — заинтересовалась Ирина.

Ольга сморщила нос:

— Я в субботу ночью работала, помнишь?

— Ну да, и что из этого?

— Полезла я в чуланчик за бумагами, — рассказывала Ольга, — дверца за мной захлопнулась. Только ее открыть хотела, слышу голоса, входят в основную комнату Марк Матвеевич и наш директор, Семен Михайлович. Они же не знали, что я в чуланчике копошусь, решили — нет никого, и спокойно разговаривать продолжали.

Рыкова побоялась высунуться из укрытия, она предполагала, что высокое начальство сейчас пройдет в кабинет Марка Матвеевича, куда можно было попасть только через лабораторию. Но мужчины отчего-то задержались, и Ольга услышала их весьма откровенный разговор.

— Короче, Марк, тебе надо жениться, — заявил директор, — историю замяли, но, если опять какая-нибудь из бабенок скандал учудит, тебе здорово влетит, не посмотрят на талант, всыпят по первое число.

— Не уверен, что мне следует связывать жизнь с одной женщиной, — возразил конструктор.

— Марк, — торжественно заявил директор, — это приказ. Даю тебе полгода на устройство дел. Ищи кандидатуру.

— Чей приказ-то? — усмехнулся конструктор.

Повисла тишина, потом Марк Матвеевич уже другим тоном продолжал:

— Ну тогда понятно, хорошо, выполню, однако, Сеня, у меня никого на примете нет.

— А Лена?

— О боже! Только не она!

— Ладно, ищи. Думаю, особых трудностей на этом пути не встретишь, — засмеялся директор, — выбирай положительную, неболтливую, хозяйственную.

Продолжая переговариваться, мужчины скрылись в кабинете конструктора. Рыкова вылезла из чуланчика и злорадно подумала: «Не все коту масленица, приструнят тебя, потаскуна!»

Узнав от Ольги о положении дел, Ирина призадумалась, а потом решила действовать, выждала момент, подошла к конструктору и попросила:

— Марк Матвеевич, окажите милость.

— Что случилось? — спросил тот.

— У меня есть подруга, роднее сестры стала, — пояснила Малова, — сейчас заканчивает тот же институт, что и я, с отличием, умная, положительная, родители хорошие люди, мама директор школы в деревне Веревкино, член партии. Сама Луиза комсомолка, характеристики безупречные, помогите ей к нам на завод устроиться.

Марк Матвеевич улыбнулся:

— Тебя послушать, так подруга просто идеал.

— Есть у нее один недостаток, — потупилась Малова, — она не замужем. И не знаю, сумеет ли с таким характером пару найти, скромная очень, домашняя, принца ждет, считает, что любовь один раз в жизни приходит! У нее до сих пор кавалеров не было.

Марк Матвеевич полистал перекидной календарь.

— Ну приводи, — милостиво кивнул он, — поговорю с девушкой, если на тебя похожа по деловым качествам, то возьму.

Ирина сделала наивное лицо и воскликнула:

— Ой, мы с ней внешне совершенно разные! Луизка блондиночка с голубыми глазами, хрупкая такая. Но вы не сомневайтесь, на самом деле она не болезненная, очень даже сильная!

Во взгляде Марка Матвеевича появился неприкрытый интерес.

— Хорошо, — кивнул он, — пусть приходит завтра.

Глава 29

Конечно, Ирина надеялась на успех затеянного ею знакомства, но она не предполагала столь стремительного развития событий. Через месяц Марк Матвеевич сделал предложение Луизе, и они сыграли свадьбу.

Через год после замужества подруги Ирина поняла: Марка Матвеевича могила исправит. Он по-прежнему ласково поглядывал в сторону белокурых девочек, и по-прежнему в лаборатории наблюдалась текучка. Малову радовало лишь то, что Луиза не работала на заводе, муж устроил ее в другое место. Луиза страстно любила супруга, Ира даже представить себе не могла, что человек настолько способен раствориться в другой личности. Луиза полностью подчинила себя мужу, думала лишь о его удобстве и жертвовала собой. Иру сначала восхищала столь преданная любовь, потом она стала удивляться: ну неужели Луиза не замечает очевидных вещей? Марк Матвеевич, умный, талантливый специалист, в быту был беспомощен, как ребенок, он не думал или не хотел думать о том, что от его рубашек частенько пахнет чужими духами. Летом Луиза уезжала в Веревкино, и тогда муж безобразничал дома, предоставив вернувшейся супруге разбираться с грязным постельным бельем. Но Луиза ни разу не устроила мужу скандала и никогда не беседовала с Ириной об интимных пристрастиях супруга. Единственное, что омрачало их брак, — отсутствие детей. Втайне от мужа Луиза сбегала к врачу и выяснила, что у нее есть некий дефект, мешающий зачатию. Она стала упорно лечиться, и в результате на свет появился маленький Матвей. Одним словом, судьба наградила Луизу по полной программе, а вот у Иры дела шли не столь блестяще. В ее жизни тоже случались кавалеры, но семьи так и не получилось, более того, у Иры давно, еще до того, как Луиза стала счастливой матерью, появилась аллергия на некоторые химические компоненты, ей пришлось увольняться из лаборатории. Дальше — больше, аллергия стала усиливаться, Ира начала задыхаться, пару раз попадала в больницу, и в конце концов врачи сказали ей:

— Большой город убьет вас, уезжайте в деревню, на свежий воздух.

Малова расстроилась, ей очень не хотелось возвращаться в Веревкино, и она решила наплевать на советы докторов. Но в конце концов опять угодила в клинику, провела там целый месяц и поняла: делать нечего, придется вновь становиться сельской жительницей.

Ирина вернулась в родные пенаты и быстро стала в Веревкине уважаемым человеком. Замуж она так никогда и не вышла, зато родила дочь. Это произошло вследствии большой глупости, Малова ездила в Москву, в гости к Луизе, она тосковала и по лучшей подруге, и по столице. Зная, что по выходным Луиза всегда дома, Ирина не предупреждала ее о своих визитах. И однажды ткнулась носом в закрытую дверь.

Решив, что подруга побежала в магазин, Ира вышла на улицу и устроилась в скверике, стояла чудесная майская погода, было тепло и как-то спокойно. На скамейку к ней подсел мужчина и начал оказывать Ирине знаки внимания. Он оказался командированным из Свердловска инженером, а у Ирины уже давно не было кавалера. Сначала они просто поболтали, потом пошли к парню в гостиницу. Ира, свободная от обязательств женщина, не испытывала никаких угрызений совести, в конце концов ей просто захотелось мужчину, ну что в этом плохого?

Командированный отбыл домой, а Ира через некоторое время поняла, что забеременела.

Первым желанием было сделать аборт. Малова примчалась к Луизе, рассказала ей о произошедшем и попросила:

— У тебя же есть хороший гинеколог, устрой меня к нему!

Подруга всплеснула руками:

— Ни в коем случае не убивай дитя, тебе его бог послал! Вот я никак не могу родить.

— Я даже не знаю фамилии того мужика, — призналась Ирина, — ни адреса не записала, ни телефона!

— Зачем он тебе, — стала убеждать Луиза подругу, — я помогу поднять девочку.

— С чего ты решила, что у меня появится дочка? — усмехнулась Ирина.

— Не знаю, — ответила подруга, — мне так кажется, и я ей внезапно имя придумала. Вчера на ночь Вальтера Скотта читала, там оно мне и попалось!

Дальше жизнь завертелась калейдоскопом событий, и довольно долгое время подруги были счастливы. Луиза изо всех сил помогала единственной подруге, ставшей для нее ближе сестры. Марк Матвеевич не был жадным, никаких замечаний супруге по поводу потраченных на чужого ребенка средств не делал, и Ирина каждый раз уезжала в Веревкино нагруженная сумками. По деревне стали змеями ползать слухи. Дескать, повезло Маловой, родила дочку от большого начальника, вроде директора завода или его заместителя, женатого мужика, который теперь и содержит ребенка.

Ира на сплетни внимания не обращала, ни с кем из деревенских баб доверительных разговоров не вела, и понемногу народ успокоился. Ирину на селе любили и за внебрачного ребенка не осуждали. Ну родила себе одинокая бабенка малышку на радость — и что из того?

Луиза и Малова подружились еще больше, теперь Ира была в курсе всех проблем подруги, она служила для нее жилеткой и психотерапевтом. Единственная тема, никогда не всплывавшая в их разговоре, — это неуемное кобелирование Марка Матвеевича. Конструктор с возрастом сильно обрюзг и потерял всякую внешнюю привлекательность, но в свою лабораторию по-прежнему набирал только молоденьких, хорошеньких, стройных блондиночек.

Иногда Ира встречалась с Олей Рыковой, сидевшей до пенсии в лаборатории, и узнавала от той кое-какие интересные новости о нимфетках. Оказывается, одна из них приобрела квартиру, вторая машину, третья вдруг получила якобы в наследство дачу. И Малова поняла — конструктор теперь вынужден покупать любовь. Если в прежние годы блондиночки искренне влюблялись в симпатичного и умного мужчину, то теперь постаревший Марк Матвеевич растерял привлекательность, и ему приходилось расплачиваться с дамами.

Летом Луиза всегда ездила отдыхать в Веревкино, хотя могла податься на море. Луиза очень любила Ирину и использовала любую возможность, чтобы побыть вместе с подругой. Когда она родила, то приезжала к Ирине вместе с сыном, хотя дочь Ирины была лет на восемь старше его.

Кстати, после появления Матвея Луиза стала ненормальной матерью, кидавшейся со всех ног выполнять любые желания сына.

— Ты его избалуешь, — иногда пыталась одернуть потерявшую разум подружку Ира.

— Любовью испортить нельзя, — отвечала та, — господи, я так счастлива! У меня теперь есть сын.

Ира только вздыхала, предвидя, как разовьются события в дальнейшем. Мальчик вырастет эгоистом, ну разве можно с пеленок внушать малышу: «Ты гений, ты станешь великим, знаменитым...»

А Луиза именно так и вела себя. Сначала у Матвея появилась домашняя учительница, и Луиза заквохтала:

— Матюша уже говорит по-английски! Он гениально чувствует язык.

Затем, чтобы развить творческие способности мальчика, его стали учить рисованию и живописи, и мать мигом заявила:

— Матвей уже пишет пейзажи!

— В три года! — ухмыльнулась Малова.

Но Луиза не услышала насмешки в словах подруги.

— Да! Конечно! Он гениально чувствует краски.

В пять лет Матвея отвели в музыкальную школу, и безумно любящая мать стала уверять окружающих: «Матвейчик гениально чувствует инструмент».

Ира злилась, слыша эти идиотские высказывания, но молчала, свою дочь она воспитывала иначе, вкладывала ей в голову простые мысли: «Ты ничем особым не выделяешься, помочь тебе будет некому, надо хорошо учиться и самой всего достигать, мама не вечна!»

Вот так они и жили, летом вместе, зимой порознь, и чем старше становился сын подруги, тем ясней Ира понимала: из Матвея не получится ничего хорошего. Очень уж он надеется на маму, чуть что кричит:

— Ой, помогите! Мне тяжело!

— Сейчас, сыночек, — кидалась на призыв Луиза и в момент разруливала все мелкие проблемы, — мамочка с тобой, она всегда рядом.

Если исключить разницу во взглядах на воспитание, в остальном жизнь подруг шла гладко, но потом случилось страшное событие.

В декабре, незадолго до Нового года, к Маловой заявилась гостья, пришла без спроса в избу и сказала:

— Здравствуй, Ирина.

— Добрый день, — осторожно ответила Малова.

— Не узнаешь?

— Простите, нет!

Баба размотала платок, на плечи хлынул водопад рыжих, мелко завитых кудряшек.

— Вероника, — подскочила Малова, — ты откуда?

— Значит, вспомнила, — удовлетворенно сказала Ника.

— Конечно, — улыбнулась Ира, — хоть мы и не виделись давно, но волосы у тебя прежними остались.

Ника кивнула:

— Ну да, рыжая я, редкое исключение в жизни Марка Матвеевича.

Малова попятилась, от гостьи попахивало спиртным.

— Ты о чем?

Ника без приглашения села на табуретку.

— Да ладно тебе кривляться, я по делу приехала, денежному.

Ира напряглась.

— Извини, не понимаю, о чем речь.

— У меня есть дочь, Ася, слышала о ней?

— Прости, — замялась Ирина, — знаю, что у тебя дочь, но не более того, мы ведь с тобой никогда на личные темы не беседовали, лишь по работе общались. Ты откуда мой адрес узнала?

— В кадрах, — пояснила Ника, — а я вот про твою девку все знаю, — протянула она, — и в курсе, что наши дочки сестры.

— В каком смысле? — оторопела Малова.

— По отцу, — объяснила бывшая коллега, — ты от Марка Матвеевича родила, и я тоже, он еще тот кобель!

Ирина замахала руками:

— Что за дурь тебе в голову пришла! Моя девочка совсем от другого мужчины!

Но Ника, словно не слыша ее, продолжала:

— Мне Марк обещал помогать и слово сдержал, деньги давал, но Асю не признал, а я момент выжидала!

— Какой? — заинтересовалась Малова.

— Я надеялась, что он свою жену, крысу, бросит и со мной распишется, — топнула ногой Ника, — поэтому и родила от него, Луизка-то не сумела! Думала, не мытьем, так катаньем своего добьюсь, ужом в сердце вползу, очень уж хотелось в достатке пожить. Не скандалила, не требовала ничего, просто тихо напоминала: «Дочь у нас, других детей у тебя нет, кто же после на земле останется». И Марк постепенно поддаваться стал, даже начал девочкой интересоваться. А потом, бац, эта сволота забеременела!

Ника опустила голову и глухо сказала:

— Как я мечтала, что она в родах помрет! К ведьме бегала, заговор ей на смерть сделала, только не вышло ничего! Марк сразу сына полюбил, а меня вон! Правда, одно время деньги давал, но потом вообще помогать перестал, отшвырнул нас. Вот почему я к тебе и приехала!

— Чем же я могу помочь? — пришла в изумление Малова.

— Хочу тебе сделку предложить, — сообщила Ника. — Давай вместе к Марку заявимся и скажем: «Все друг про друга знаем, не один сын у тебя, красавчик, есть еще и дочери, плати нам алименты. А не захочешь, прямо сейчас к Луизке поедем и правду расскажем, девочек продемонстрируем». Кстати, и анализы сдать можно, по ним сразу определят, кто папенька. Только, я думаю, до лаборатории дело не дойдет! Испугается сволочь! Станет платить! Одну меня еще может выпереть, а двоих нет, вместе мы сила! Чего молчишь? Тебе деньги не нужны? Девок поднимать надо, кормить, поить, учить! Эй, очнись!

Ирина вздрогнула:

— Ника, ты ошибаешься!

— В чем же? — подбоченилась Локтева.

— Я родила не от Марка Матвеевича.

— Не ври.

— Честное слово, — с жаром стала убеждать бывшую коллегу Ира, — конструктор тут ни при чем.

— Весь завод говорил: он отец!

— С ума сойти!

— Ты думала, люди слепые?

— Но...

— Да почти все про его лабораторию в курсе!

— Ника...

— А ты там долго просидела. С какой радости?

— Ну...

— У Марка вечно бабы менялись.

— Я...

— Ты просто главной в гареме состояла!

— Прекрати нести чушь, — заорала Малова, — моя девочка родилась от командированного из Владивостока, нет, Уральска, то есть Свердловска!..

— Придумай сначала, откуда парень был, а уж потом бреши! — гаркнула Ника.

— Я не брешу, и впрямь забыла, понимаешь, мы с ним всего один раз...

— Хочешь сказать, что к Марку не поедешь!

— Нет!

Ника схватила платок.

— Значит, он тебе платит! Дает денег на девчонку!

— Нет!!!

— Почему же тогда прищучить его не желаешь?

— Но Марк Матвеевич не имеет ко мне никакого отношения!

— Ой!

— Ей-богу! — неизвестно по какой причине принялась оправдываться Ирина.

Вероника молча замотала голову, натянула варежки, подошла к двери, взялась за ручку и обернулась.

— Видно, одна я дура, остальные умные, сумели из денежного ручейка ведерком черпать. Ладно, понятно, ты от Марка алименты имеешь и посему молчать будешь! Что ж! Прямиком сейчас к Луизе поеду и глаза ей раскрою! Пора услышать правду о любимом муженьке, все ей выложу, и про лабораторию, и про себя, и про тебя! Денег у меня от скандала не прибавится, но хоть душу отведу! Пусть Луиза от Марка уйдет, поживет матерью-одиночкой! Да!

Хлопнув дверью, Ника выбежала на улицу, Ирина сначала замерла, а потом кинулась следом за ней. На дворе мела вьюга, вопль Маловой: «Вероника, вернись!» — утонул в буране.

Понимая, что допустить встречу Локтевой с Луизой никак нельзя, Ира кинулась в избу одеваться, это заняло несколько минут, наконец, облачившись в тулуп и валенки, Ира погналась за Никой.

Веревкино находится относительно недалеко от станции. Дорога к платформе идет по высокой насыпи, а внизу вьются рельсы, по ним несутся поезда.

Понимая, что Ника торопится на электричку, Ира припустила изо всех сил и в конце концов увидела небольшую фигурку в пальто. Догнав Локтеву, Ирина сказала:

— Постой!

— Отвали, — ответила Ника.

— Послушай!

— Пошла вон!

— Да погоди!

— Отцепись, я тороплюсь! — лихорадочно выкрикнула Ника и, вывернувшись из рук Ирины, понеслась вперед.

Малова снова догнала Веронику, уцепила ее за рукав, та пихнула Ирину, завязалась драка. Малова решила во что бы то ни стало задержать лаборантку, она хорошо знала, что сейчас проедет электричка, следующая же будет лишь через полтора часа. Можно успеть переубедить Нику, оставить ее у себя ночевать. В пылу борьбы Ирина сильно толкнула Нику, а та, чтобы удержаться на ногах, сделала шаг назад, споткнулась, упала и покатилась вниз по насыпи...

Малова закричала от ужаса, ее вопль потонул в тревожном сигнале приближающейся электрички, фары поезда осветили путь, Ира увидела тело, лежащее на рельсах, и зажмурилась.

Когда грохот колес стих, рыдающая Ирина стала

сползать по насыпи вниз, в ее душе жила безумная надежда, что Ника жива, что она сломала ногу или руку...

Набрав полные валенки снега, Ира очутилась внизу, посмотрела на рельсы и опрометью бросилась прочь. Лучше бы она никогда не видела того, что осталось от Вероники, Локтевой уже нельзя было помочь, колесами ей отрезало голову.

Неделю после происшествия Ирина пролежала в лихорадке. Она плохо помнила, как добралась домой и шмыгнула под одеяло. Слава богу, дочка в тот день отправилась ночевать к подружке, жившей через два дома, в Веревкине такое поведение было обычным, в просторных избах хватало места для гостей. Вот почему Ира оказалась одна, да еще Ника приехала под вечер, на улице безостановочно сыпал снег, гудел ветер, и веревкинцы засели в домах, никто не видел чужой женщины из Москвы.

Очнувшись, Ира поняла, что к ней никто не собирается предъявлять претензий. Местные бабы, правда, рассказали учительнице, что на рельсах был найден труп неизвестной женщины.

— Небось заплутала в буране, — спокойно объясняли сплетницы, — оступилась и свалилась, не местная она, вот и не знала, что насыпь сильно крутая.

Но это были только разговоры, снег в прямом смысле этого слова занес все следы, никто не заметил, что в избушку Маловой наведывалась гостья.

Ира потихоньку успокоилась. Виновной в смерти Ники она себя не считала, произошел трагический случай, и потом, кто велел Локтевой начинать драку? Одно хорошо, Луиза никогда не узнает, что у Марка Матвеевича есть дочь.

Впрочем, было одно тревожащее душу обстоятельство! Выздоровев, Ирина собралась на работу, надела тулупчик и ахнула: одна из пуговиц, большая костяная, была выдрана «с мясом», очевидно, это случилось во время драки.

Сначала Малова чуть не зарыдала от страха, но потом взяла себя в руки и успокоилась, если пуговица и осталась валяться на тропинке, то ничего ужасного в этом нет, ее давным-давно замело снегом, нечего бояться. На всякий случай Ирина вечером распорола тулупчик, сделала из него несколько ковриков, а ту часть, на которой крепились пуговицы, завернула в мешок и, поехав в очередной раз в гости к Луизе, выбросила пакетик в урну на вокзале в Москве.

Глава 30

Луизе Ирина ничего не рассказала, это была первая тайна от лучшей подруги. Дальше потекла обычная жизнь с ее небольшими радостями, хлопотами и неприятностями. Малова никогда не вспоминала о Локтевой, сумела убедить себя, что Вероника пала жертвой неосмотрительности и собственной вздорности, помноженной на жадность. С какой стати она захотела лишить Луизу счастья? Ведь не жена Марка Матвеевича укладывала лаборантку в постель к своему мужу, Ника сама приняла решение стать любовницей конструктора и родить от него дочь, ей лично надо и отвечать за содеянное. Луиза для Иры ближе всех на свете, и Малова никогда никому не позволит обижать названую сестру.

Внезапно Ирина умолкла, потом стиснула мою ладонь.

— Теперь понимаешь?

Я вздрогнула, пальцы больной были настолько горячими, что мне показалось, будто руку засунули в раскаленные угли.

— Понимаешь? — лихорадочно повторила Ирина. — Ты ошибалась! Да?

— Да, — на всякий случай повторила я, не понимая, о чем речь.

— Я не стану врать на пороге смерти!

— Да, да.

— Марк Матвеевич не твой отец! Уж извини, я родила тебя от почти незнакомого мужчины.

— Да, да.

— Это правда!

— Я верю!

По щекам Ирины потекли слезы.

— Господи, слава богу! Ну-ка залезь под подушку, видишь конверт? Вытащи его, узнаешь?

— Нет.

— Загляни внутрь, там письмо, которое ты мне оставила, перед тем как убежать. Злое, гадкое, несправедливое, ужасное! Обвинила мать во всех смертных грехах! Я, пока не ослепла, все перечитывала его и думала: «Ну за что?» Отчего ты мне не поверила! Ведь, когда с расспросами пристала, я чистую правду тебе сказала: Марк Матвеевич к тебе отношения не имеет. Отчего же ты озлобилась? И ключи! Я чуть не скончалась, услышав про них!

— Какие ключи? — робко поинтересовалась я.

Ирина откинулась на подушку.

— Хорошо, напомню тебе! Неужто ты забыла, как мы поругались?

— Ну... в общем, конечно, не во всех деталях... много времени прошло, — забубнила я.

Малова всхлипнула.

— Ладно, напомню тебе кое-что, может, тогда ты окончательно поймешь, что зря мать обидела. Ты свое письмо-то забери, я его под головой хранила, наизусть выучила, теперь, раз мы навсегда помирились, унеси его и порви, как будто ничего и не было! Хотя та история с ключами чуть нас не убила! Всех! Такое дело провернули, а тут связка!

— Что за ключи?

Ирина села.

— Неужели запамятовала, как мы расстались?

— Ну...

— Помнишь, у нас изба сгорела?

— Да, — тихо ответила я, — вместе с Луизой и Матвеем!

Малова вдруг стала быстро-быстро креститься.

— Ты меня в убийстве заподозрила, но я Нику не убивала, она сама упала и по насыпи под поезд скатилась, нет моей вины в той смерти, в другом я повинна, но тебе об этом ничего не известно! Не могу уйти с грехом на душе, слушай, доченька, и прости меня, да и Луизу тоже! Знаешь ведь, что Марка Матвеевича убили грабители, да? Вроде как он их в машину к себе посадил!

— Слышала о происшествии, — подтвердила я.

— Не так все было!

— А как? — изумилась я. — И при чем тут Луиза? Ирина судорожно вздохнула.

— Не было у нас друг от друга тайн никаких, это я так считала! Вернее, сама Луизе ничего про визит и кончину Ники я не рассказывала, не хотела подругу будоражить, но полагала, что о Луизе все знаю. Ан нет! Была у нее своя тайна, она мне ее после смерти Марка открыла.

Похоронив то, что осталось от мужа, Луиза в подавленном состоянии приехала в Веревкино вместе с Матвеем. Ее визит никого не удивил, жена Марка Матвеевича каждое лето проводила в родной деревне у Маловой.

В первый же день, уложив сына спать, Луиза вдруг спросила у дочки Ирины.

— Чего ты дома сидишь? Восемь часов только! Сбегала бы в Овсянкино на дискотеку.

— Там вход платный, — сердито ответила десятиклассница, — нужны деньги, а мама не дает, жадная очень.

Ирина только вздохнула. Ее отношения с девочкой портились день ото дня, дочка частенько называла мать скупердяйкой и гневно восклицала:

— У других всего полно, а мне ничего не достается!

Луиза покачала головой:

— Нехорошие слова ты о маме говоришь, она тебя кормит, поит, одевает.

— Ага, — надулась капризница, — мы могли бы все иметь!

— Замолчи! — воскликнула Ирина, а Луиза достала кошелек, вытащила из него несколько купюр и протянула школьнице:

— На, сбегай на танцульки, можешь еще и подружек позвать, тут на всех хватит.

Забыв сказать «спасибо», маленькая нахалка вылетела из избы.

— Зачем ты ей столько дала? — возмутилась Ирина. — Она совсем охамела, кричит на меня, чуть ли не с кулаками обновок требует! Ну почему такая дрянь растет? Ведь не баловала ее совсем, к труду приучала! Зря ты ей потакаешь!

Луиза тяжело вздохнула:

— У детей уши длинные, а мне с тобой наедине поговорить надо, спокойно. Беда у меня большая.

— Да, — пригорюнилась Ирина, — знаю, Марк погиб.

— Это горе, — тихо сказала подруга, — но дальше еще хуже будет, теперь и нас с Матвеем убьют, конечно, не сразу, может, через год или полгода. Обстряпают дело тихо, как с Марком, комар носа не подточит, ну... не знаю я, что придумают! Пожар в квартире! Замкнет проводку ночью! Уничтожат, как Марка Матвеевича. Мне, собственно говоря, наплевать на жизнь, а вот Матвей, ему жить да жить! В общем, в страшное дело меня муж втравил!

— Постой, постой, — забормотала Ирина, — ничего не понимаю.

Луиза встала, закрыла окно, заперла дверь и тихо сказала:

— Слушай. Знаешь ведь, что Марк Матвеевич любовниц имел?

— Что ты, — делано завозмущалась Малова, — кто такие глупости тебе наплел?!

Луиза грустно улыбнулась:

— Да он и не скрывался особо, я через три месяца после свадьбы в бачке для грязного белья его рубашку нашла, всю в губной помаде!

Жена возмутилась, вошла в кабинет и сунула мужу сорочку под нос. Марк Матвеевич отложил работу и ледяным голосом дал жене отповедь. Суть ее сводилась к следующему. Жениться конструктору было велено свыше, холостой специалист ненадежен, легкая добыча для врагов. Луиза Марку понравилась, он был вполне искренен в своих чувствах, когда вел ее в ЗАГС. Но, увы, на долгоиграющие отношения Марк не способен, он очень хорошо относится к супруге, уважает ее, считает замечательной хозяйкой, готов изредка навещать ее спальню... но страсти к Луизе он более не испытывает. На данном этапе жизни Марку Матвеевичу очень нравится хорошенькая Неля Ручкина, и именно с ней он намерен провести ближайшие выходные. У Луизы остается два выхода: либо сейчас она собирает чемодан, хлопает дверью и уезжает к родителям, либо спокойно продолжает жить с мужем. В первом случае она лишается всего: статуса жены крупного специалиста и, соответственно, материального благополучия. И не надо думать, что конструктору сильно достанется за развод от вышестоящего начальства. Конечно, аморальное поведение наверху не приветствуют, но не следует забывать, что Марк Матвеевич уникальный специалист, ну пожурят его и простят. Во втором же варианте Луиза остается не только супругой со всеми вытекающими отсюда дивидендами, но и делается его лучшим другом!

— Подумай, — сухо закончил Марк, — и прими нужное тебе решение. При этом учти, ни одна баба более полугода около меня не задерживается, а жена — это навсегда. Ты мне в качестве супруги абсолютно подходишь! И потом, я все равно буду вынужден жениться, в этом доме появится другая женщина. Поэтому, прежде чем устраивать скандал, взвесь все «за» и «против». Хорошо ли тебе в Веревкине будет после Москвы, а?

— И ты решила остаться с ним! — подскочила на стуле Ирина. — Ну вообще! Отчего не бросила мерзавца, неужели из-за денег?

— Нет, конечно, — ответила Луиза, — я очень любила Марка Матвеевича, безумно, и поняла, что готова на все, лишь бы находиться рядом с ним.

— С ума сойти, — всплеснула руками Ира, — я полагала, что ты и не подозреваешь о его бабах!

— Считала меня дурой?

— Ну... в общем, в этом плане да, — призналась Ирина, — мне не довелось испытать такие сильные чувства, как тебе! Даже завидно!

Луиза оперлась локтями о стол.

— Уж не знаю, в награду или в наказанье мне бог послал всепоглощающую любовь. Но Марк слово сдержал, я после того разговора и впрямь его лучшим другом стала. Впрочем, я была для супруга всем: мамой, нянькой, утешительницей, рабыней.

Марк Матвеевич, кстати, более жену в неприятное положение не ставил, о любовницах с Луизой не разговаривал, о том, что у мужа завершился очередной роман, жена узнавала по его поведению. После некоторого воздержания (конструктор мог не наведываться в спальню к Луизе три-четыре месяца) он возникал на пороге опочивальни с коробочкой в руках. Внутри всегда оказывались очень дорогие вещи: раритетные кольца или ожерелье, а то и целый комплект. Луиза не любила драгоценности и практически никогда их не надевала, просто складывала очередное подношение в комод, «Алмазный фонд» рос, ширился и пополнялся с завидной регулярностью. Но самую дорогую вещь, бриллиантовое колье, конструктор преподнес Луизе за рождение Матвея, застегнул на шее супруги сверкающий «ошейник» и неожиданно сказал:

— Вот, в случае чего после моей смерти продашь и проживешь лет десять спокойно. Знаю, знаю, что камни тебе не по душе, но это капитал на старость, я не вечен, старше тебя намного.

— Не говори так, — испуганно воскликнула Луиза, — меня не станет вместе с тобой!

— Они жили счастливо и умерли в один день, — улыбнулся Марк, — так лишь в сказках случается, в жизни по-иному выходит. Когда я окажусь в могиле, ты и Матвей никому не нужны станете, вот тогда «золотой запас» и пригодится, мальчика поднимать!

Луиза вздрогнула. Нет, нет, муж еще совсем не стар, впереди длинная жизнь. Но разговор запал ей в душу и иногда вспоминался женщине.

Несколько лет они потом жили счастливо, Матвей рос тихим, слегка капризным ребенком, любимым маменькиным сыночком, Марк Матвеевич усиленно работал на оборону Родины, Луиза защитила кандидатскую. Семья вела такую размеренную жизнь, что Луиза уверилась: ее родным не грозят никакие беды. Но тут богиня судьбы встрепенулась и решила все по-своему.

Как-то раз Марк Матвеевич позвонил Луизе и сказал:

— Давай пройдемся вечером по воздуху, погода хорошая!

Она не удивилась, супруги частенько прогуливались по парку, расположенному недалеко от их дома. Во время таких променадов конструктор любил обсуждать с женой всякие вопросы, так сказать, не для посторонних ушей. Дома у них жила в няньках Раиса, Марк не хотел, чтобы сводная сестра жены подслушивала их беседы. Конструктор крайне негативно относился к посторонним людям в квартире, на присутствие Раисы он согласился лишь потому, что та являлась родственницей Луизы, и пусть уж лучше она служит в няньках при сыне, чем совсем чужая баба.

А еще Марк Матвеевич подозревал, что дома могут стоять «жучки», поэтому и вытаскивал жену в парк. Прогулки, кстати, были обставлены с соблюдением мер безопасности. Конструктор с супругой шли по аллее, рядом, по шоссе, тихо ехал в машине шофер, а за семейной парой на некотором отдалении следовал охранник. О привычке ученого гулять в хорошую погоду знали все, кому следовало, и никакого удивления очередной променад ни у кого не вызвал.

Сначала они обсудили некоторые покупки, в частности, приобретение нового холодильника, потом, не меняя тона, Марк Матвеевич сказал:

— Слушай внимательно, улыбайся по-прежнему,

не меняй выражения лица, на нас смотрит слишком много глаз. Спокойно восприми информацию, а потом громко так, чтобы охранник услышал, воскликни: «О нет! Мне не нужна еще одна шуба!» Ясно?

Луиза, приученная слушаться мужа, с готовностью согласилась.

— Завтра утром войдешь в мой кабинет, возьмешь на столе журнал «Огонек». Затем отправишься в ванную, открутишь краны, достанешь из «Огонька» письмо, прочитаешь его и немедленно уничтожишь, съешь без остатка! Только ни в коем случае не оставляй и не жги. Мало ли что! Запах кто-нибудь учует. Береженого бог бережет. Ну, теперь давай про шубу!

Собрав в кулак всю волю, жена воскликнула:

— Не хочу манто!

Марк Матвеевич поманил охранника.

— Мы идем в машину, — сказал он ему. — Ох, Луиза, не угодить тебе! Ведь не дрянь предлагаю, не цигейку! Каракулевую шубу!

— Нет, нет, — послушно вступила в игру жена, — не желаю шубу!

— Другие бабы за мех удавятся, — умело изобразил негодование Марк Матвеевич, — впрочем, твое дело, не хочешь, и не надо, ходи в пальто, оно еще хорошее. Кстати, я бы съел оладьи с вареньем. Миша, ты любишь сладкое?

— Кто ж откажется от вкусного, — тихо ответил водитель.

Утром Луиза поспешила в кабинет Марка Матвеевича и четко выполнила полученную инструкцию: взяла журнал, пошла в ванную, открыла кран, вынула письмо и впилась глазами в текст. Через пятнадцать минут ей стало плохо, чего-чего, а такого она не ожидала. Без всяких сантиментов, охов и ахов Марк Матвеевич сообщал любимой супруге, что давно работает на иностранную разведку, передает за рубеж чертежи и секретную информацию. Причин подобного поведения было несколько. Марк Матвеевич мечтал жить на Западе. Он знал, что в любой капиталистической стране мира получит за свою работу гигантские деньги. Конструктору хотелось миллионов, дом на берегу океана, личный самолет и многое другое из того, что имели крупные «оборонщики» по ту сторону железного занавеса. А еще Марк Матвеевич не мог простить коммунистам смерти в одном из подразделений ГУЛАГА[1] своих родителей, у конструктора был свой счет к советскому государству, но долгие годы он успешно скрывал ненависть к Советам, работал на их оборону и ждал удобного момента для контакта с западными разведслужбами. В конце концов ему удалось договориться с неким дипломатом, и началась работа. Конечно, можно было удрать за кордон и трудиться там, но Марк Матвеевич был жаден, и он знал: оставаясь на Родине и передавая секреты обороны на Запад, заработает намного больше, чем просто сидя в лаборатории в какой-нибудь Америке-Англии-Франции. Кстати, денег Марк на руках не имел, все средства поступали по его просьбе на счет, открытый в швейцарском банке, и сейчас там оказалась огромная сумма, коей хватит детям Матвея для нормального существования. Короче говоря, настал момент, когда надо сматывать удочки.

Сегодня Марк Матвеевич исчезнет, Луизе не следует бояться, для переброски супруга за границу разработана целая операция. Не надо падать в обморок, ей предстоит, конечно, изобразить горе, отчаянье,

---

[1] ГУЛАГ — Главное управление лагерей, так структура исполнения наказаний именовалась при Сталине, сейчас имя ей ГУИН.

ужас, рыдать в голос, но в глубине души она должна знать: Марк жив! Он обязательно встретится с женой, Луизе надо просто потерпеть, подождать, и их с Матвеем перевезут к мужу и отцу. Главное, не подавать вида, что знаешь, где супруг, вести себя естественно, как вдова!

Прочитав послание, Луиза с десяток минут сидела словно громом пораженная, потом она стала судорожно запихивать в рот послание. Бумага никак не желала пережевываться, плотные комки не проглатывались, по щекам Луизы текли слезы, дрожащими руками она налила в стаканчик для зубных щеток воды, попыталась запить «трапезу», но в этот момент ее стошнило. Смыв воду в унитазе, Луиза попыталась прийти в себя и, сев на стульчак, потрясла головой. Марк сошел с ума! Какая заграница! Боже мой! Он предатель, шпион! Нет, нет, самый лучший, любимый, Марк прав, в этой стране... Господи, вот почему муж отправил неделю назад Раису в дом отдыха! И сейчас Луизе нельзя рыдать в квартире, потому что в комнатах могут быть прослушки.

Взяв себя в руки, она, напевая, вышла из ванной и пошла делать обед. В голове билась лишь одна мысль: письмо — дурацкий розыгрыш, Марк вечером приедет домой, но в урочный час муж не появился.

Лиуза спешно вызвала из Веревкина Ирину, но, естественно, правды подруге не открыла. Свою роль она играла филигранно, больше всего Луиза боялась, что кто-нибудь заподозрит неладное, поэтому слегла в кровать, отвернулась к стенке и ни с кем не разговаривала. О Матвее заботилась вначале Ира, а потом вернувшаяся с отдыха Раиса, они же общались с угрюмо-молчаливыми мужчинами в темных костюмах, которые забирали из кабинета Марка

Матвеевича всякие бумаги, снимали спецтелефон, вскрывали сейф...

Через некоторое время Луиза «пришла в себя», она поняла, что письмо не было идиотской шуткой, оставалось лишь ждать весточки от мужа.

Глава 31

Прошло несколько месяцев после таинственного исчезновения Марка Матвеевича, тело его не было найдено, и следствие, казалось, зашло в тупик, во всяком случае, Луизу никто не трогал, на допросы не вызывал, а директор завода пару раз лично привозил вдове конструктора конверт с деньгами. Луиза купюры брать не хотела, но Семен мрачно говорил:

— Не тебе, Матвею принес. Марк мне другом был.

Приходилось принимать подачки и кланяться директору. Вообще-то говоря, Луиза не нуждалась, в тот странный день, уходя на работу, Марк оставил ей деньги, сказал:

— На хозяйство, — но в пачке оказалось слишком много ассигнаций.

А еще у Луизы имелись драгоценности, их можно было продавать, если нищета постучит в окно.

В общем, жизнь Луизы текла внешне размеренно, но в душе у нее пылал огонь тоски, страха и отчаянья. От Марка не было ни слуху ни духу, и Луиза мучилась неизвестностью. Она очень хорошо понимала, что муж не сможет позвонить ей по телефону и никогда не напишет письма, но ей должны были сообщить информацию о супруге и то, каким образом она с мальчиком сумеет выехать за границу! Пораскинув мозгами, Луиза стала часто и помногу ходить пешком по Москве, гуляла по центру, толкалась в магазинах. Ей думалось, что вестник от Марка вынырнет из толпы, подаст ей некий знак. Так и случилось.

Перед майскими праздниками Луиза бездумно ходила по ГУМу. Большой торговый центр полнился народом, а около знаменитого фонтана было не протолкаться, мужчины, женщины, дети фотографировались на память. Ощутив себя усталой, Луиза прислонилась к гранитному «бассейну», в середине которого мирно журчала вода. Около Луизы пристроилась дама лет сорока с приятным, добродушным лицом. Очевидно, ей хотелось поболтать, и она ничтоже сумняшеся вступила в разговор с женой конструктора:

— Какое тут вкусное мороженое!

— Да, — согласилась Луиза, — все меняется, а стаканчик в ГУМе такой же, как во времена моего студенчества!

— Народу — море, — подхватила нить беседы дама, — не протолкнуться! Вы москвичка?

Луиза кивнула, надо бы уйти от излишне активной собеседницы, но у жены конструктора устали ноги, и ей хотелось спокойно отдохнуть.

— Я тоже, — не успокаивалась незнакомка, — но, похоже, мы с вами одни тут столичные штучки, кстати, меня Алиной зовут.

— Луиза Иосифовна, — машинально ответила супруга Марка.

— Я работаю дамским мастером, — тарахтела Алина, — без преувеличения могу сказать: с волосами я умею делать все! Вы не хотели бы сменить прическу?

— Нет, спасибо.

— Не стесняйтесь, приходите, салон в Сандуновских банях, у нас недорого, адресок запомните!

— Благодарю.

— Обязательно наведайтесь, каждый день там

знаете какие у меня клиенты, — частила Алина, — имен я права называть не имею, но люди большие!

— Спасибо, — сквозь зубы вымолвила Луиза.

— Я, кстати, поэтесса, самодеятельная.

— Замечательно.

— Акростихами увлекаюсь, знаете, что это? Когда по первым буквам строк можно слово или фразу прочитать...

— Я в курсе.

— Хотите, могу на заказ сочинить поздравление, недорого возьму! Многие ко мне обращаются, начальникам нравится такое получать!

— Извините, мне пора.

— Право, не хотите стихи, приходите стричься.

— Непременно, — буркнула Луиза, — извините, дома меня ребенок ждет.

Больше ходить по ГУМу она и правда не стала, поехала домой, а вечером полезла за кошельком, чтобы дать Раисе денег на хозяйство, и обнаружила в сумочке невесть как попавшую туда записку самого идиотского содержания:

«Валерия Андреевна, широкое марлевое узко, желтое велико, короче говоря, берите другие, розовые, у Гали, и знаете, белое Ане не идет». И далее: «Цена новости — десять тысяч».

Луиза уставилась на текст, что за бред? Каким образом в ее сумку попало послание к некой Валерии Андреевне? Речь явно шла о какой-то одежде! Через четверть часа Луизу вдруг осенило. Болтливая Алина, парикмахер и любительница акростихов! Не иначе как она незаметно запихнула бумажонку в сумку! Луиза Иосифовна еще раз вытащила записку и прочитала первые буквы слов, получилась фраза «ВАШ МУЖ В КГБ, ДРУГ ИЗ БАНИ».

Супруге конструктора показалось, что земля уходит из-под ног. Потом, кое-как справившись с собой, она подумала, что это простое совпадение... или нет... или да! Проверить все можно было лишь одним образом: пойти в Сандуны.

Луиза не была дурой, поэтому тщательно продумала акцию. Для начала она стала громко охать, ахать, жаловаться на ноющую боль в пояснице, а потом позвонила одной из своих знакомых, Олесе, которая была страстной фанаткой парной.

Естественно, та, услыхав ее жалобы, тут же сказала:

— Иди в баню, все пройдет, но только в Сандуны, там лучше всего.

Луиза принялась громко обсуждать с Раисой проблему, до субботы она старательно ныла, изредка говоря:

— Может, Олеся и права, мне надо попариться!

Потом, решив, что если квартиру прослушивают, то ни у кого не должно возникнуть вопросов, отчего она пошла в баню, Луиза Иосифовна поехала в Сандуны, прихватив указанную сумму.

Салон оказался при женском отделении, и попасть в него могли лишь дамы. Замотавшись в простыню, Луиза вошла в небольшое помещение, где стояло всего одно кресло, и мигом узнала Алину. Та быстро поднесла руку ко рту, а потом весьма равнодушно спросила:

— Что желаете?

— На ваше усмотрение.

— Можно сделать каре.

— Это как?

— Вот журнальчик полистайте, а я пока ваши волосы посмотрю.

Луиза взяла затрепанное издание, Алина быстро положила сверху бумажку.

«Ничего не удалось. Я в КГБ, пока жив. Скорей всего меня убьют, чтобы не выносить сор из избы, и объяснят смерть уголовщиной. Будь очень осторожна, если заподозрят, что ты была в курсе дела, тебя уничтожат, и Матвея тоже. Постарайся скрыться, помочь не могу. Прощай. Заплати за услугу».

Подписи не было, но Луиза сразу узнала почерк мужа. Она оцепенела от ужаса.

— Надо вымыть голову! — быстро воскликнула Алина и пустила воду из крана.

Потом она схватила лист бумаги, и дальнейший диалог шел письменно.

— Молчите.

— Что с М.М.?

— Он написал.

— Можете передать ему мой ответ?

— Нет.

— Пожалуйста!

— Нет.

— Я заплачу.

— Нет.

— Скажите ему, я буду осторожна.

— Контакта нет. Больше сюда не приходите. Нельзя. Деньги положите в салфетку, которую я уроню вам на колени. Устройте скандал. Говорите, что я вам волосы испортила!

— Он здоров?

— Не знаю.

— Вы его видели?

— Нет.

— Как вы получили записку?

Алина схватила «переписку», скомкала, потом выдернула из рук Луизы послание Марка, бросила листы в фарфоровую миску и наплескала туда бесцветной жидкости из бутылки, бумага стала быстро растворяться.

— Что вы делаете? — воскликнула Луиза.

Алина моментально воспользовалась ее оплошностью.

— Прическа вам не нравится?

— Нет, — взяла себя в руки жена конструктора.

— По-другому не умею, значит, я не ваш мастер, — резко ответила Алина, — думаю, нам больше не следует встречаться, найдите себе другого парикмахера.

После этого она уронила салфетку на колени Луизы, та быстро достала из сумки пакет с деньгами и сунула его под ткань.

Почти в предсмертном состоянии Луиза вернулась домой и, ответив на вопрос Раисы: «Ну как, помогла баня?» — «Только хуже стало», — рухнула в кровать.

Ей нужно было осмыслить ситуацию, понять, как жить дальше, она промучилась всю ночь без сна, пытаясь составить план действий, а на следующий день к ней явилась делегация с сообщением: найдены останки конструктора и шофера!

Ирина на секунду замолчала, я, боясь шелохнуться, смотрела на Малову. Значит, противная Раиса оказалась права, Луиза и впрямь знала, где муж. Сначала она предполагала, что конструктор обретается в другой стране, затем пришла весть из КГБ. Вот почему Луиза воскликнула: «Они все-таки убили его», не сдержалась, была на пике стресса и выдала себя. Только окружающие, наверное, решили, что вдова имеет в виду грабителей, тело-то долго не находили, значит, Луиза Иосифовна могла теоретически надеяться на встречу с супругом, а тут известие о трупе, отсюда и возглас: «Они (то есть уголовники) все-таки убили его».

После торжественных похорон мужа Луизу никто не беспокоил, но она жила в постоянном страхе, очень хорошо понимая, что к ней внимательно присматриваются и прислушиваются, пытаются сообразить, была ли жена в курсе планов Марка, она сообщница или жертва супруга. Луиза очень хорошо понимала: шум вокруг имени Марка Матвеевича никому не нужен, громогласно заявлять о том, что конструктор продавал на Запад секреты, никто не станет. Марка ухитрились вычислить, схватить, вытрясти из него нужную информацию, а потом убить, обставив дело как банальное ограбление. Шофер Михаил пал пешкой в чужой игре. Наверное, его подозревали в пособничестве шефу, ведь Марк шага без него не делал. И если сейчас в отношении Луизы возникнет хоть минимальное подозрение, ее устранят столь же филигранно, подстроят автомобильную катастрофу или инсценируют самоубийство. Матвея отправят в детский дом, а может, тоже убьют. Сын уже не крохотный ребенок, школьник, значит, и его уничтожат и начисто закопают историю об измене Марка. Правда не должна выплыть наружу, народу не следует знать, что секреты обороны страны известны врагам!

Додумавшись до этого, Луиза не впала в панику. Она вдруг обрела силу и железную волю. На себя вдове было плевать, нужно спасать сына, и Луиза начала действовать, соблюдая крайнюю осторожность.

Понимая, что она не может, не вызвав ненужного внимания, обменять большую квартиру на маленькую, Луиза, заботясь о Раисе, прописала сестру к себе. После исчезновения вдовы и мальчика Раиса должна остаться обеспеченной дамой, Луиза считала себя ответственной за младшую сестру. И еще, апартаменты были набиты картинами, фарфором, антиквариатом; превратившись в наследницу, Раиса безбедно проведет вторую половину жизни.

Оформив бумаги, Луиза, дождавшись июня, как всегда, укатила в Веревкино.

— Ты обязана мне помочь, — завершила она свой рассказ.

Ирина, совершенно обалдев от обилия невероятных сведений, еле-еле выдавила из себя вопрос:

— Каким образом?

— Я все продумала до мельчайших деталей. — сказала Луиза, — Ты же иногда картошкой торгуешь?

— Ну да, — кивнула Малова.

— Значит, так! Через пару недель повезешь мешки на электричку, постарайся попасться на глаза соседкам и скажи: «Вот, решила картошку продать, много осталось». А через час после твоего отъезда изба вспыхнет огнем. Ты на базаре, соседи сразу на помощь не бросятся, баллоны с газом в кухне стоят. Ясно? Мы с Матвеем в огне погибнем!

— С ума сошла! — заорала Ирина. — Никогда!

— Сядь, — велела Луиза, — нас там не будет, мы в мешках уедем, под видом картошки. Матюша мелкий, я тоже некрупная, докатишь нас до леса, а там мы расстанемся. Ты на поезд, мы пешком до Колькина, ну и так далее. Кстати, мешков должно быть три, один с настоящей картошкой, два с нами. Разбежимся в разные стороны, ты на рынок езжай и в ряды становись, торгуй спокойно, потом на пепелище рыдать будешь и волосы на себе рвать, но никаких сомнений ни у кого возникнуть не должно: все опрошенные на рынке обязаны подтвердить: Малова с утра приехала и бойко корнеплодами торговала. Ясно?

Ира схватилась за голову:

— Куда же ты пойдешь?

— Тебе знать не надо, — сурово ответила Луиза, — за тобой могут следить, еще найдут нас. Но, поверь, я все приготовила, квартиру и работу, одна беда, документов у меня нет, паспорта настоящего! Ну да я такую службу пока нашла, что никаких бумаг не спросят, ладно, решу проблему. Главное нам сейчас «умереть», исчезнуть.

Малова вцепилась пальцами в стол.

— Но изба-то сгорит?

— Конечно!

— И где же нам жить с дочкой?

Луиза поморщилась:

— Сказала же, я все продумала. Вот, держи деньги. Тут тебе на многое хватит, и на дом, и на мебель, еще и останется.

— Откуда у тебя столько?

— Все Раисе отойдет, — меланхолично пояснила Луиза, — квартира, мебель, картины, кроме моих драгоценностей, они тут, в сумке. Ожерелье бриллиантовое я продала, из вырученных денег тебе на дом и барахло хватит, а на остальное сама жить буду. Впрочем, я прихватила лишь наиболее ценное, что попроще дома осталось. Соседи ничего не подумают, решат, тебе московский любовник помог, отец дочки.

— А Раиса не заподозрит неладное? Не начнет орать на всех углах: «Где же цацки? Почему их на месте нет?»?

Луиза улыбнулась одними губами.

— Не переживай! Как только о моей «смерти» узнаешь, сразу в Москву езжай и Раиске о беде сообщи. Пошляйся по квартире, потом и уезжай. Я свою сестру хорошо знаю, она решит, что ты драгоценности сперла.

— Ой! Еще в милицию заявит.

— Нет, побоится, доказательств-то нет. Все чисто будет.

— Нехорошо как-то...

Луиза встала:

— Ладно, забудь все, мы с Матюшей завтра уедем. Сама справлюсь, без тебя, новый план придумаю. Убить, правда, нас могут, пока другую историю затею, но, значит, судьба такая.

— Сядь, — велела Малова, — мы с тобой ближе некуда, естественно, я тебе помогу. Надо лишь еще раз все продумать. Кстати, Матвей уже большой...

— Я ему все объясню, — кивнула Луиза, — потом, когда сбежим! Вот только паспорт надо достать, да такой, чтобы в него мальчик вписан был, я все продумала, а с бумагами загвоздка, но ждать больше нельзя, чует мое сердце, вернемся осенью в город и сгинем.

Пару раз потом Луиза ездила в Москву, якобы к зубному, но Ира знала: подруга пытается раздобыть документы, только получить чужой паспорт никак не удавалось.

— Ничего, — сказала вдова конструктора подруге, вернувшись в очередной раз из столицы ни с чем, — бог милостив, пошлет помощь.

Вечером того же дня, совсем поздно, Ира, утомленная жарой, решила искупаться. Сил наполнять ведрами летний душ не было, и она надумала сбегать к речке, идти к ней всего ничего, напрямик, через лес. Наступала ночь, но Малова не боялась темноты. Прихватив полотенце, она пошла к задней калитке, дом Ирины был последним на улице, прямо за ним чернели ели.

Размахивая полотенцем, Ира побежала по дорожке, повернула влево и увидела мальчика и женщину. Лицо ребенка было в крови.

— Что случилось? — воскликнула Малова.

Тетка толкнула ребенка.

— Вот урод! Упал! Мы из Овсянкина, я с мужем поругалась, схватила сына и к маме подалась! Не вернусь больше к Сереге, дрянь он, пьяница. Да и мальчишка в него пошел, косоногий! Шел да и упал, теперь воет! Автобус уехал, че делать будем?

И она снова пнула мальчика, тот немедленно зарыдал.

— Зачем вы его бьете? — возмутилась Ира.

— Еще мало получил! Теперь из-за него в лесу ночевать придется!

Малова присела, вытерла личико ребенка полотенцем и предложила:

— Пойдемте ко мне, а завтра на первом автобусе отправитесь.

— Денег нет за постой платить!

— Я их не прошу, вон моя изба, самая крайняя.

— Ну, если за так, то спасибо, — после небольшого колебания ответила тетка.

Веревкино уже спало, когда Ира привела мать с сыном к себе, впрочем, пришли они со стороны леса, через «черную» калитку и даже днем бы остались не замечены соседями.

Женщина представилась Люсей и села пить чай, до трех утра она безостановочно жаловалась на жизнь, потом вдруг сразу заснула, прямо за столом.

— Пошли ляжем, — сказала Ира Луизе.

Подруга сверкнула глазами.

— Значит, так, утром начинаем действовать!

— Ты о чем?

— Неужели забыла? Мешки с картошкой! У меня есть паспорт!

— Откуда? — вытаращила глаза Малова.

Луиза встала, открыла сумку гостьи и вытащила документ.

— Вот! Теперь стану Люсей Прохоровой, она меня, правда, на пять лет моложе, но ведь я не выгляжу на свой возраст, и у Матвея и ее мальчика разница всего в год. Здорово вышло!

— Э... э... — забормотала Ирина, — ты... э... Подожди, но Люся проснется, станет искать...

— Не станет, — оборвала ее Луиза — тут и погибнет! Очень даже хорошо выйдет, найдут кости в углях, никаких сомнений не останется. Отлично все складывается.

Малова принялась судорожно креститься.

— Ужас! Замолчи!

— Здорово получится, — лихорадочно продолжала Луиза, — твоя дочка у подружки гостит, ее с нами нет. Соседи спали, когда вы пришли, никто ничего не приметил. Муж этой Люси, по ее рассказу, тревоги не поднимет, будет считать, что жена у матери, а когда опомнится, то и следов не найдет. Раз в жизни подобная удача случается! Что молчишь?

— Мы станем убийцами, — прошептала Малова, — как потом жить?

— Если сейчас ситуацией не воспользуемся, то совсем жить не будем, — прошипела Луиза, — нас с Матюшей точно убьют, так, на всякий случай, но и тебе не поздоровится. Думаешь, в органах идиоты сидят? Нет, живо скумекают, кто у Луизы Иосифовны лучшая подруга? Давай и ее с дочкой того, вдруг вдова ей что-нибудь сболтнула! И ведь как хорошо все у нас станцуется! Изба сгорит, на пепелище останутся кости! У меня паспорт, ты вне подозрений. Станут соседки приставать, где деньги на новую избу взяла, смело ври: «Дочкин отец дал». Все в Веревкине уверены, что ты от москвича богатого родила. Ну, давай решайся!

Ира уставилась на крепко спящую Люсю. Значит, жизнь этой совершенно незнакомой бабы и ее сына надо обменять на жизнь горячо любимых Луизы и Матвея, да и на свою с дочерью, между прочим, тоже!

— А вдруг она проснется и выскочит? — сказала Малова.

— Нет, — ответила Луиза, — я ей в чай лошадиную дозу своего снотворного напихала, и мальчишке тоже лекарство дала. Будут дрыхнуть и ничего не почувствуют, в дыму во сне задохнутся! Никаких неприятных ощущений, тихо уйдут, без боли и мучений. Кстати, я и Матвея успокоительным напоила, сунем его в мешок, он даже не шелохнется. Ну, вперед, скоро пять утра, торопиться надо!

Дальнейшее Ирина помнила смутно, действовала словно зомби под руководством Луизы. Расстались подруги в лесу, Малова свернула к электричке, таща на тележке единственный мешок с картошкой, а Луиза, ведя за руку едва проснувшегося Матвея, двинулась в сторону Колькина, ей предстояло пройти около десяти километров по чаще, минуя тропинки, и выйти в том месте, где ее никто не знал.

Ирина замолчала, я сидела, притихнув, на краю ее постели.

— Видишь, — вдруг воскликнула Малова, — я стала преступницей, но господь уберег, никто ничего не заподозрил, одна ты...

— Что я?

— Ты... ты... хочешь, чтобы мать сама все тебе напомнила! Изволь. Ты, оказывается, отлично знала про... да... да... Не хочу! Все! Хватит! Освободила душу! Не в том ты меня подозревала! Считала убийцей Вероники, пуговицу хранила! Ан нет, правды-то ты не знала! Ха-ха-ха, вот оно как! Я и впрямь женщину убила, но не ту, и сделала это ради тебя, от смерти спасала! Да! Это ты украсть драгоценности хотела, ты чуть не погубила всех! Или забыла? Так свое же письмо и прочитай! Забери его, порви, унеси...

Из глаз Ирины потоком хлынули слезы.

— Доченька, прости! Верлинда! Милая!

— Кто? — удивилась я.

— Знаю, знаю, — бормотала Ирина, — тебе имя Верлинда никогда не нравилось, ну прости, прости, обними меня. Если бы только ты понимала, как я мучилась, боялась, оттого небось господь болезнь мне и послал, за грех. Луизка-то, наверное, здорова, ей ничего не сделается. Что подруга со мной сотворила! Пройда анафемская!

Я вздрогнула. Пройда анафемская! В голове закружились разные мысли, они пытались сложиться вместе...

— Жива она, жива, — твердила Ирина, — сколько лет не виделись, ни слуху ни духу, ни весточки, а почти год назад мне вдруг открытку принесли, посмотри в тумбочке, она там!

Я открыла дверцу и на пустых полках увидела конверт.

— Я еще тогда не ослепла, — твердила Ирина, — и сразу скумекала: там Луизка!

— Где?

— На почтовую карточку глянь, чего видишь?

Я внимательно посмотрела на лист бумаги, это открытка-фотография. Снимок изображает дом, похоже, старинную усадьбу, под фото внизу идет подпись: «Памятники Подмосковья. Бывший дом купца Калашникова в Терехове, с 1921 года социальный интернат для престарелых».

— Текст на обороте прочти, — велела Малова.

— «У нас хорошая погода», — озвучила я написанную печатными буквами фразу, — это все!

— Да, — шепнула Ира, — все. Договорились мы с Луизой, коли опасность забрезжит, она мне даст знать. «У нас хорошая погода» — это код, а открытка такая, потому что подружка сообщает — живет сейчас в приюте, нам грозит беда, прячься, Ирина. Только мне на земле пару дней осталось, кончился мой страх, собственно говоря, когда в Литвиновку из Веревкина перебралась, я лишь одного боялась, что с тобой не увижусь и истину не расскажу. Открыточка-то не сразу ко мне дошла, она, видно, сначала в Веревкино прибыла, там адрес дома, который я выстроила после пожара, стоит, а уж затем кто-то сказал, что я тут. Верлинда, милая, обними меня, скажи, что любишь!

Чувствуя себя гаже некуда, я выполнила просьбу Ирины.

— Говори, — прошептала умирающая.

— Мама, я люблю тебя!

— Теперь прости меня.

— Мама, я прощаю тебя! — выдавила я с трудом.

Малова откинулась на подушку.

— Все! Теперь мне хорошо! Ступай в сестринскую, пусть отца Михаила позовут. А ты помни, я люблю тебя и стану на небесах о счастье дочери бога просить! Иди скорей, плохо мне!

На ватных ногах я добралась до комнаты медсестры и сказала Полине:

— Ирина просит отца Михаила!

— Сейчас! — воскликнула сестра. — Вы пока тут посидите, я вас чаем напою!

Я уставилась на захлопнувшуюся дверь. Ни есть, ни пить совершенно не хотелось, но сил уйти тоже нет. Съежившись на табуретке, я вытащила из кармана письмо дочери Ирины и принялась за чтение текста, черневшего восклицательными знаками.

Глава 32

«Ирина! Назвать тебя матерью не хочу, ты сделала все, чтобы я была несчастна. Мы жили в бедности, отчего ты никогда не потребовала от Марка Матвеевича денег побольше? Почему привозила мне из города дурацкую одежду? Зачем врала, что моим отцом был командированный на завод инженер из Екатеринбурга и что он умер, не успев узнать о моем рождении! Все ложь! Откуда мне известна правда? Тебе сейчас станет плохо, я знаю слишком много!

Да! Очень много! Помнишь, к тебе приехала тетка, Вероника? А-а-а! Ты думала, меня дома нет! А я вернулась и весь ваш разговор услышала! Ага! Про отца! Значит, он тебе алименты платил! Мало давал! Чего ты боялась? Луизку обидеть? Она-то ловко устроилась в Москве, с деньгами и мужем, а мы в Веревкине, с жалкой подачкой! Ты, сволочь, не захотела ради дочери скандал затеять! С подружкой решила не ругаться! Поменяла мои деньги на ее спокойствие! Хороша мать! Сейчас тебе еще хуже станет! Я в тот день за тобой побежала, за деревьями притаилась и видела, как ты Веронику под поезд толкнула! А, не ожидала такого?! И пуговицу твою нашла на тропинке, у меня она спрятана! Ты — убийца! Вон как за подружку старалась, а ради меня ничего! Ну теперь настал мой черед! Луизка с Матвеем, слава богу, подохли! Марк Матвеевич помер! Кому их богатство достанется? Мне-то ничего не светит, незаконная я! Да уж! Спасибо тебе, всего дочь лишила, нищей сделала! Но я не хочу, как ты, в Веревкине гнить! Мне деньги нужны! В Москву поеду! Давно хотела! Здорово получилось! Я у Луизки из кармана ключи сперла! Думала, съезжу, пока она у нас, возьму ее колечки и продам! Мое это! От отца! Не ее! А тут везуха! Сгорели они! Значит, так! Я подалась в город, пойду в квартиру и свое спокойно заберу! Пусть кто-нибудь помешает! Живо правду расскажу! Про тебя и про себя! А еще мне странно, с чего это у нас пожар вспыхнул? Печи не топили, проводка хорошая! Бойся меня, убийца! Сама хотела поживиться! Ан нет! Все мое! Жаль, квартиру не получить! Ты меня всю жизнь пройдой анафемской звала, вот ею я и стану! Прощай, не ищи, ненавижу тебя! *Верлинда*».

Внезапно у меня снова заболел зуб, челюсть словно свело судорогой, в голове стала складываться кар-

тинка. Имя дочери Ирины Верлинда. До сих пор его
никто при мне не произносил. Андрей Архипович
Кутякин, правда, попытался вспомнить его, но не смог,
сообщил лишь, что оно заковыристое. Верлинда...
пройда анафемская... Вот оно что! Ну не дура ли я...
ведь...

Дверь хлопнула, в сестринскую вошел толстый
румяный батюшка в черном одеянии до пят.

— Преставилась ваша матушка, — тихо сказал
он, — хорошо, что успели проститься! Ждала она
дочь очень, но господь милостив, даровал ей радость.

— Вы отец Михаил? — робко спросила я.

— Да, — кивнул священник, — в миру Михаил
Петрович. Земные страдания вашей матушки завершились, ей была дарована радость встречи с дочерью.

— Мне надо с вами поговорить.

— Пожалуйста, слушаю вас внимательно.

— Я не церковный человек, на службу не хожу,
меня не крестили...

— Никогда не поздно к вере повернуться.

— Не о том речь, понимаете... в общем... я никогда не была дочерью Ирины Маловой!

Михаил Петрович моргнул медленно, словно че-
репаха, потом, абсолютно не переменившись в лице,
произнес:

— Продолжайте!

Я попыталась как можно более связно изложить
историю. В конце концов я остановилась и осторожно поглядела на Михаила Петровича.

— Все. Ужасно получилось.

Церковнослужитель вздохнул.

— Ложь — нехорошее дело, но она бывает раз-
ной. Вы позволили умирающей стать на короткое
время счастливой, она скончалась успокоенной. Что

могу вам посоветовать: думается, страшного греха на вас нет, солгали вы во благо. Но все же плохой поступок налицо, раскайтесь и постарайтесь более никогда не врать. Знаю, это тяжело, но именно в преодолении трудностей и заключена радость. Не корите себя: что сделано, то сделано, просто впредь удерживайтесь от соблазна лжи.

Я покачала головой:

— Боюсь, не получится.

— Стоит попытаться, самое трудное, сделать первый шаг, — ответил батюшка, — любая дорога начинается с него.

— Спасибо, мне пора.

— Куда?

— Домой, в Москву.

— Советую остаться, ночь на дворе.

— Нет, нет, я поеду.

— На чем? Последняя электричка ушла.

— Что же делать? — в растерянности воскликнула я.

— Ложитесь спать у нас, у сестер в комнате, а утром отправитесь, — мягко предложил Михаил Петрович, — потрапезничаете гречневой кашею с чаем. Сегодня не постный день, сестра-хозяйка курицу на стол поставит, мы скромно живем, но в ладу с богом...

Тихий голос батюшки обволакивал покоем, мне внезапно захотелось вкусной ядрицы с маслом, в комнате висело расслабляющее тепло, зуб перестал болеть, надеть куртку и выйти на мороз показалось невозможным.

— Спасибо, — пробормотала я, — сколько я должна за постой?

— Нам деньги не нужны, — ответил батюшка, — помолитесь вместе со всеми за ужином, поверьте, вам легче станет.

Утром сестры поднялись ни свет ни заря. И хоть они двигались очень тихо, одевались молча, я тоже проснулась и поспешила на первую электричку.

В вагоне стоял адский холод. Еще раз мысленно поблагодарив Кутякина, давшего мне пуховый платок, рукавицы и валенки, я съежилась в комок и, чувствуя, как в десне снова бьется боль, попыталась еще раз обдумать ситуацию.

Убийца, которую я пыталась найти, находилась постоянно около меня, это Линда. Отчего я пришла к такому выводу? Ну, во-первых, имя дочери Ирины Верлинда, а, согласитесь, жену Василия зовут очень необычно. Линда! Скорей всего, девушка, удрав из Веревкина, просто отбросила первый слог «Вер» и стала «Линдой». Зачем? Да не нравилось ей дурацкое имя!

Потом странное выражение «пройда анафемская»! Первый раз я услышала его от Линды, затем от Ирины Маловой, она, оказывается, так величала дочь, Верлинда об этом написала в своем письме. В любой семье бывают некие слова, присущие только родственникам. Ну, допустим, Кристина частенько говорит «гадюково». «Это не сосиски, а гадюково». «Фу, какая кофта, просто гадюково». Не знаю, откуда девочка притащила сей оборот, но мы тоже начали повторять его. А тут «пройда анафемская».

Что мне известно о Линде? Вася говорил, будто она явилась в Москву из провинции и весьма быстро вышла за него замуж. А Верлинда как раз убежала из Веревкина, и брак с москвичом был ей просто необходим, девица разом получала и прописку, и мужа! Еще она знала, что у погибшей Ники Локтевой есть дочь, считала Асю своей сестрой по отцу и решила ее убить. Почему? Ну, не знаю, наверное, тут вопрос в деньгах, на которые рассчитывала жадная Верлинда. Если вспомнить послание, которое дочь оставила матери, то становится понятно: главным для девицы были хрустящие купюры. А я могу рассказать об алчности Линды. Она пускает в дом строителей, обирает их, обманывает, не покупает продукты, надеясь на то, что харчи принесут постояльцы. Кстати! Я вскочила, стукнулась головой о стекло окна, снова рухнула на сиденье и стиснула изо всех сил сумку. Понимаю теперь, что Линда еще задумала!

Глупый, наивный Вася, владелец тюнингованной «Оки» и любитель заложить за воротник, решил, что он ловко устроился в жизни! Пьет у соседки, домой приходит трезвым, а деньги на загулы зарабатывает в качестве Деда Мороза. Только Линда хитра и умна, она знает правду про супруга и позволяет ему веселиться! Почему? Да очень просто! Линда решила убить Асю, но как это незаметно сделать? Правильно, она надумала переодеться Снегурочкой. А откуда убийца узнала, что Вася поедет к Асе? О-о-о! Она все сама устроила! Локтева-то никак не могла сообразить, кто вызвал ей Деда Мороза! Это была Линда! Дело обстояло так! Жена знает правду про мужа, она сама заказывает «дедушку» на адрес Аси и просит:

— Пусть он ко мне к семи вечера придет.

Затем Вася засыпает... Минуточку... Память услужливо подсунула картину.

Вот мы с Дедом Морозом сидим за столом у девочки-инвалида, у Васи оживает мобильный, он хватает трубку и шипит:

— Тише, молчите, это моя жена! Да, да, я на работе. Ну не злись! Сейчас, хорошо, уже пью!

С этими словами он выуживает из кармана брюк фляжку и, почти опустошив ее, кричит:

— Слышала? Все в порядке, я выпил!

Потом засовывает телефон на место и говорит нам:

— Чегой-то внутри забарахлило, мне воду лечебную прописали, надо пить ее по часам, это гомеопатия. Вот Линда и волнуется, если не послушаюсь — она мне врежет!

И как развивались события дальше? Спустя несколько минут Вася осоловел, я еле-еле стащила его вниз. Значит, в бутылке было снотворное. Вот оно что! Линда не предполагала, что муж завернет к больной девочке, ее не было в списке. По расчету убийцы, Вася должен был наглотаться лекарства, сидя у Аси, если бы он там тяпнул его... «Дед Мороз» засыпает, Локтева злится, а тут звонок, на пороге Снегурочка.

— Здрассти, — говорит она, — извините, я задержалась, машину парковала, можно войти?

И Ася ничтоже сумняшеся впускает гостью, а та... Дальше, наверное, Линда хотела вложить пистолет в руку спящего Васи, да не нашла мужа и убежала прочь. План удался не полностью. Ася погибла, а Васю ни в чем не заподозрили. Милая жена-то хотела еще избавиться и от надоевшего мужика. Посадят супруга, Линда одна останется хозяйкой в квартире!

— Станция Москва-Товарная, — прозвучало из динамика, — следующая Москва-Пасссажирская. Граждане, не забывайте свои вещи!

Я встала и побрела в тамбур. Все сложилось, убийца найдена, есть кое-какие непонятные детали, небольшие несостыковки, но в целом картина ясна! И что мне делать? Садиться писать роман! Где? У Линды? Оставить ее безнаказанной? Это просто невозможно!

Соскочив на платформу, я понеслась к метро. Так, сейчас позвоню Олегу! Боже, как болит зуб и ухо! Такое ощущение, что мне дробят челюсть молотком. Да, без мужа не обойтись, он поможет, мой Куприн...

Ноги подкосились. Совсем забыла, что Куприн

больше не мой! Я ничья, никому не нужная особь! Меня бросил муж и выгнали из издательства. Слезы потекли по лицу, я попыталась смахнуть их варежкой, случайно задела щеку и чуть не скончалась от боли. Кое-как, скрючившись, я спустилась на платформу и села в поезд. Так, спокойно, Вилка! Может, все еще не так плохо. Надо позвонить Олегу и попросить о помощи, да, он больше не любит меня, но неужели бросит в беде? На Куприна это не похоже. Спокойствие, только спокойствие. Сейчас поеду в стоматологическую клинику, она начинает работу в восемь утра, пусть мне хоть что-нибудь сделают с зубом, а потом обращусь к супругу. Вернее, уже не супругу!

Слезы снова покатились из глаз, я обозлилась на себя. Прекратите истерику, госпожа Тараканова, эка печаль, муж ушел! У тебя остались Томочка, Семен, Кристина, Никита, напишешь великолепный роман, утрешь всем нос. Еще посмотрим, как зарыдают сотрудники «Марко» и сколько волос выдерет на своей голове Олег! Тут боль превратилась в невыносимую, схватившись за щеку, я застонала и что есть силы припустила в лечебницу.

— Здравствуйте, — приветливо улыбнулась медсестра на рецепшен, — вы к Наталье Алексеевне? Она вас ждет.

— Меня? — простонала я. — Но я не записывалась на прием, пришла с острой болью.

— Я в том смысле, что врач Колесникова всегда рада вам помочь, — воскликнула медсестра, — идите во второй кабинет!

— Но Наталья Алексеевна в первом всегда принимает.

— Туда сейчас пациент придет по записи, да вы не волнуйтесь, сюда, сюда. Татьяна Михайловна!

— Бегу, — послышался знакомый голос, — ой, Виола Ленинидовна! Как вам плохо, вот выпейте!

— Татьяна Михайловна, — заявила, материализовавшись у кресла, Наталья Алексеевна, — укол нам скорей. Виола Ленинидовна, душенька, не нервничайте. Нет, нет, это в руку, сюда.

Потолок резко пошел вниз, стены сложились вместе.

Глава 33

Я очнулась на жесткой кушетке и увидела Олега.

— Ну как? — с самым заботливым выражением лица спросил муж.

Я, плохо понимая, что происходит, провела языком по зубам, ощутила в их ряду дырку и пожаловалась:

— У меня во рту какие-то нитки, очень много!

Куприн закивал:

— Верно. Наталья Алексеевна зуб тебе удалила и целую операцию сделала. У тебя большая неприятность случилась, ну да она потом все объяснит, а сейчас поехали домой! Можешь встать? Давай помогу.

С этими словами муж обнял меня за плечи, я вдохнула хорошо знакомый аромат одеколона, села и тут же вспомнила все.

— Ты меня бросил!

— Поехали.

— Куда?

— Домой!

— А эту ты куда дел?

— Которую? — со вздохом спросил Олег.

— Ну свою любовницу, — стараясь не зарыдать, прошептала я.

Куприн покрепче обнял меня.

— Никаких любовниц у меня нет.

— Не ври! Я видела ее сама! Она лежала в нашей кровати! Развалилась, нахалка, а ты... ты... ты...

Олег зажал мне рот рукой:

— Ты способна спокойно выслушать другого человека, без вопля? Извини, Вилка, но с тобой иногда случаются припадки ревности, тебе отчего-то мерещатся мои любовницы! Ну-ка, вспомни, в свое время ты была уверена, что я закрутил роман с некой Лесей Комаровой![1] Теперь ситуация повторяется.

— Тогда меня Томочка с толку сбила, — ответила я из-под его ладони.

— А сейчас кто?

— Так я видела девицу в постели!

— Со мной?

— Ну нет, одну!

Олег усмехнулся:

— Ты частенько делаешь неправильные выводы из увиденного и услышанного.

Я обозлилась:

— Ага, анекдот в тему! Приходит жена домой, находит мужа на диване с чужой теткой, а супруг садится и заявляет: «Ну вот, опять начнутся упреки, подозренья!»

Куприн легонько встряхнул меня.

— Мы поругались весьма некрасиво, ты распсиховалась и убежала. Я тоже проявил себя не с лучшей стороны, уехал ночевать к Славке. Слабым оправданием мне служит лишь то, что на работе случился полный затык, но я мужчина и не имею права на истерические реакции. В общем, перекантовался я у Славки, утром отправился на службу, в районе обеда решил позвонить тебе — мобильный отключен, домашний не отвечает, ну я и подумал, что ты дуешься.

---

[1] Ситуация, о которой сейчас вспоминает Куприн, описана в книге Д. Донцовой «Главбух и полцарства в придачу». Издательство «Эксмо».

Не успел трубку повесить, прибегает Веня Кратов, чуть ли не в слезах.

«Олег, нет ли у тебя каких-нибудь приятелей, которые комнату сдают? Квартиру я не потяну. Нам с Ленкой всего лишь неделю перебиться, помоги, пожалуйста. Соседи сверху кран забыли закрыть, всю нашу жилплощадь залило, деваться некуда. Я за семь дней ремонт сделаю».

Ну я и позвал их к нам, сказал: «Прикатывайте, разместимся, часам к девяти пригребайте». Ну сам в восемь домой приехал, кругом тишина, на столе записка от тебя. Я опять обозлился, ну, думаю, погоди! А тут и Венька с женой заявляются. Ясно?

— Зачем ты сказал, что я к маме подалась?

— Так правду сообщил! Жена истерику закатила и бросила меня.

— Я тебя не бросала!

— А что написала? В письмишке?!

— Ты меня не так понял!!!

— Ага! «Живи сам как знаешь!»

— Ну... это я в запале! Зачем ты их в нашей спальне поселил? Я чуть не умерла, когда чужую тетку на своем месте обнаружила.

Олег потер лоб.

— Понимаешь, я подумал, ты другого нашла! Ну кто я такой? Не первой свежести мент, до сих пор майор, особых денег не имею, толстый, лысоватый, совсем не Аполлон. А ты красавица, талантливая... Мне в нашу спальню даже заходить не хотелось, лег в гостиной, а комнату Кратовым отдал.

— И ты меня не искал?

— Сначала нет, просто переживал, а потом, когда Лена рассказала, что ты приходила, испугался. Сразу понял, что за мысли у тебя в голове зашевелились, стал себя за тупость ругать. Ну не могла же ты так

подло со мной поступить! А тут еще Олеся Константиновна позвонила...

— Кто?!

— Твоя редактор из «Марко» стала озабоченность
проявлять: «Где Виола Ленинидовна? Куда подева-
лась? Мы ее потеряли!»

— Не может быть, они меня выгнали! Фира весьма конкретно выразилась! — закричала я. — Вот послушай...

Я, захлебываясь от негодования, рассказала о беседе с Фирой, противной сотрудницей «Марко».

— Ничего не понимаю, — воскликнул в конце
концов Олег, — Олеся Константиновна была очень
напугана, когда узнала, что ты неизвестно куда исчезла, потом звонило их начальство, затем представ-
витель службы безопасности! Я начал разыскивать
тебя по своим каналам, но потерпел неудачу. Женщина по имени Виола Ленинидовна Тараканова ни в
одной гостинице зарегистрирована не была, твоих
знакомых я методично обзвонил, никто ничего не
знал. Но Москву ты не покидала, во всяком случае,
официально билет не покупала. Я сделал все, что
мог, разослал твое фото по отделениям, но хорошо
понимал: если человек решил исчезнуть в огромном
мегаполисе, это сделать легче легкого. И тут у меня
на нервной почве заныл зуб.

Я внимательно слушала мужа. Олег хорошо знал,
что у меня лежат обезболивающие полоски, решив
воспользоваться одной, он перерыл весь письменный стол, а потом спросил у Лены, жены Вени.

— Скажи, когда Виола приходила, она что-нибудь взяла?

— Ага, — прошептала Ленка, — кричать начала, я
дико перепугалась. Орет, деньги из ящика достала,
потом со стола что-то схватила и взвизгнула: «Вот
они, вовремя я домой прибежала! Не успел Олег все

тебе отдать, хоть лекарство от зубной боли мне осталось».

Куприн призадумался и позвонил Наталье Алексеевне, муж задал Колесниковой всего один вопрос:

— Что у Виолы может в ближайшее время случиться с зубами?

Стоматолог моментально ответила:

— Увы, она ходит ко мне нерегулярно. На данном этапе у вашей супруги тихо умирает зуб под временной пломбой, пусть срочно приедет, а то возможна неприятность...

— Это больно? — продолжал «допрос» Олег.

— Весьма, — прозвучало в ответ.

Муж очень хорошо знает, как я боюсь стоматологов, но еще лучше ему известно: я никогда не пойду ни к какому врачу, кроме Натальи Алексеевны. Вот он и договорился с Колесниковой: если я появлюсь на пороге, в клинике сделают все, чтобы задержать меня до приезда Куприна. Олег рассчитал все правильно, я таки примчалась с острой болью.

— Ну, а теперь вставай осторожно, и поехали домой, — попытался было оторвать меня от кушетки Куприн.

Но я лихорадочно вцепилась в мужа.

— Выслушай меня скорей, я нашла убийцу Аси Локтевой... Линда... мой роман...

Куприн тяжело вздохнул, потом велел:

— Говори подробно, спокойно, сообщай только факты, ничего не домысливай.

Домой я прибыла после обеда и сразу была уложена в кровать. Лена Кратова постаралась и убрала квартиру, она же, очевидно испытывая передо мной некое неудобство, приготовила обед, но я не смогла проглотить ни кусочка: очень болела десна, и раздражали торчащие из нее нитки.

На следующее утро Олег вытащил меня из кровати около шести часов.

— С ума сошел, — завозмущалась я, — с какой стати мне вылезать из-под одеяла ни свет ни заря!

— Слушай внимательно, — приказал Куприн, — ты же хочешь написать новый роман?

Дремота моментально улетела прочь.

— Да! — с жаром воскликнула я. — Прямо сейчас сяду, я уже придумала начало: «Все счастливые семьи похожи друг на друга»[1].

— Где-то я уже читал подобную фразу, — пробормотал Куприн. — Ладно, не в этом суть. Хочу помочь тебе.

— А именно?

— Можешь подождать некоторое время и не садиться пока за рукопись?

— Но почему?

Супруг потер рукой затылок.

— Ты вчера легла спать в районе обеда...

— Ну и что? У меня же десна болит!

Куприн усмехнулся:

— Не надо мгновенно кидаться в бой, никто тебя не упрекает. Просто я хотел сказать: ты под одеялом устроилась, а я навел кое-какие справки о Линде.

— И что?

— Понимаешь... нет, пока не скажу. Хорошо, пиши роман, имя убийцы ведь ты собираешься назвать в самом конце?

— Конечно!

— Тогда работай, но сначала съезди к Линде.

— Зачем?

— Не надо, чтобы у нее и членов семьи возникли подозрения. Попрощайся с ними нормально, сообщи: нашла работу с проживанием, спасибо за приют и ласку, буду изредка приходить в гости!

---

[1] Так начинается роман Л.Н.Толстого «Анна Каренина».

— Ты считаешь...

— Да, — отрезал Куприн, — а потом запрешься дома и принимайся за творчество, в «Марко» ждут рукопись, я их предупредил, что ты сдашь книгу быстро.

— «Марко»! Ну зачем ты звонил им! Никогда туда не пойду!

Олег сел на кровать.

— Никто тебя не гнал, Арину Виолову считают в издательстве безалаберным, слегка ленивым, но перспективным автором.

— Но Фира...

Куприн кашлянул:

— Да уж! Добилась, чего хотела.

— Ты о чем?

Муж вытащил сигареты.

— Слышала имя Арианна Самуиловна?

— Конечно, это одна из совладелиц «Марко».

— Верно, так Фира ее дочь.

— Да ну?

— Точно. Девица возомнила себя эстрадной певицей, но мама пришла в ужас от перспективы увидеть свою кровиночку на сцене и велела дочери идти учиться на редактора. Фирочка пыталась сопротивляться, но у Арианны Самуиловны железная хватка, она решила, что дщерь должна продолжать семейный бизнес, и точка. Пришлось девушке покориться, таскаться в ненавистный институт, а получив диплом, идти работать в «Марко». Другой бы кто только обрадовался перспективе трудиться под началом мамы, зная, что рано или поздно станешь во главе фирмы. Но Фире было глубоко наплевать на книгоиздательский бизнес, она мечтала о сцене. Вырваться из рук матери не представлялось возможным, и тогда девица решила: надо демонстрировать свою абсолютную непригодность к редакторской работе, срывать план сдачи книг, хамить авторам...

Рано или поздно до ушей Арианны Самуиловны дойдет правда, и она со скандалом выставит родную дочь вон. Любовь любовью, а бизнес святое дело. Тогда у Фиры окажутся развязаны руки, и она спокойно посвятит себя эстраде.

— Вот почему она так со мной разговаривала!

— Угу, — кивнул Олег, — рассчитывала, что Арина Виолова обозлится, помчится жаловаться главному редактору, устроит скандал. Ведь Фира нахамила тебе отвратительно. Но она не знала о фобии писательницы, госпоже Таракановой-Виоловой постоянно кажется, что ее вот-вот выставят из «Марко», что она недостойна издаваться, ну и прочее в том же духе, поэтому никакой волны не пошло. Фира поняла, что просчиталась, но, обладая завидным упорством, применила разработанную тактику в отношении литераторши Краковой. А та мигом полетела к начальству и орала столь громко, что у нового здания «Марко» чуть крышу не снесло! Истерика с Краковой случилась вчера утром, не успела Арианна Самуиловна прийти в себя, как в районе пяти вечера явился я...

— Ты ездил в «Марко»!

— Разве нельзя?

— Это моя работа! Сама могу справиться с возникающими трудностями!

— Вилка, задави в себе комплекс подростка, — улыбнулся Куприн, — успокойся, все хорошо. Фира отправлена домой, Арианна Самуиловна поняла, что мучила дочь, и готова теперь оплатить ей клип, а тебя ждут с распростертыми объятиями с новой книгой!

— На белом коне, — вырвалось у меня.

— В общем, начинай работать, — подытожил Куприн, — а я помогу! Тоже сделал правильные выводы, как Арианна Самуиловна. Если уж тебе для вдохновения требуется влезать по уши в истории... ты ведь не можешь бросить писать?

— Никогда!!!

— ...то уж лучше пусть все будет под моим контролем, — сказал Олег, — извини, Вилка, я должен признать: ты раскопала кучу преинтереснейшей информации, нарыла невероятные факты, но... сделала неправильные выводы. Линда никого не убивала.

— С ума сойти, — заорала я, — она дочь Ирины Маловой!..

— Нет.

— Верлинда...

— Нет.

— Не может быть!

Куприн обнял меня за плечи:

— Милая, нельзя подгонять факты под свою версию. Ну отчего ты решила, что Верлинда и Линда одно и то же лицо?

— Во-первых, возраст сходится.

— Ладно, принимаю.

— Обе не москвички.

— И это верно.

— Редкое имя Верлинда! «Вер» она отбросила, и потом, слова «пройда анафемская»!

— Насчет второго заявления ничего сказать не могу, — сказал Олег, — мне тоже не встречались люди, говорящие «пройда анафемская», а вот о первом, о редком имени! У Линды-то оно самое простое!

— Офигеть! Линда! В нашем городе каждая вторая такое носит, да? — обозлилась я. — Ну-ка, посчитай, сколько вокруг тебя Линд?

— Ее зовут Таня, — вдруг сказал Куприн.

— Кого? — разинула я рот.

— Линду.

— Ты о чем?

— Линда — это фамилия, — заявил Олег, — я проверил, она Татьяна Линда, жительница местечка Птицыно, приехала в столицу на заработки, дальнейшее известно. Таню со школы Линдой звали, у нее фамилия в имя превратилась. Ты ведь в паспорт к ней не заглядывала?

— Нет, — чуть не зарыдала я. — Но кто же тогда убийца! Я не сумею написать книгу! Ужасно!

— Успокойся, — велел Олег, — у меня есть коекакие соображения, сказал же, теперь мы будем работать в тандеме, я тебе раньше не помогал и был не прав. Значит, так, поезжай к Линде, забирай вещи и ни в коем случае ни о чем с ней не беседуй, просто поблагодари за приют. Ясно? Если ее дома нет, оставь записку и уходи. А потом садись работать.

— Но я не знаю, кто виноват!

— И хорошо, просто описывай свои поиски, в эпилоге тайну откроешь!

— Ты самый лучший муж на свете! — закричала я. — Ни у кого такого нет!

Олег усмехнулся:

— Могу вернуть комплимент: такой жены, как ты, точно ни у кого нет! Мне достался эксклюзивный вариант, а с раритетом обычно хватает забот!

Решив не перечить мужу, я поехала к Линде.

Дверь открыл Ролик.

— Доброе утро, — вежливо кивнул он, — чуть свет, а вы уж на ногах! Не помешаю? У вас в квартире никого, вот я и пришел со скрипкой, дома мать головной болью мается, шуметь нельзя.

— Разве музыка шум? — удивилась я, стаскивая сапоги.

— Для нее да, — грустно ответил Ролик.

— Мне нравится ваша игра.

— Правда? Хотите послушать? — обрадовался музыкант.

— С удовольствием, но я очень тороплюсь.

— Понимаю, — протянул Ролик, — вы просто вежливый человек. А остальные... Мать откровенно говорит: «Иди работать нормально, нечего пиликать», Линда меня полусумасшедшим считает. А Василий... тот еще и издевается, знаете, как он меня обзывает: «Сопливый тапир».

— Почему тапир? — удивилась я. — Это милое животное, но к музыке отношения не имеет.

Ролик потупился.

— Василий не слишком образованный человек, он путает слова «тапёр» и «тапир». Первое обозначает человека, который играет на рояле в ресторане, чтобы ублажать жующую публику.

— Но вы же не ходите со скрипкой по шалманам, — улыбнулась я, вынимая из сумки заранее приготовленную записку.

Ролик заправил прядь волос за ухо.

— Именно этим я и занимаюсь!

— Боже мой, зачем? С вашим талантом можно легко устроиться в оркестр или начать сольную карьеру.

Парень засмеялся:

— Вы очень далеки от мира профессиональной музыки. Огромные гонорары получают единицы, сумевшие выбиться из общей массы, остальные выкручиваются как могут.

— В принципе, такое положение существует в любом ремесле, — попыталась я приободрить Ролика.

— Верно, я обязательно добьюсь своего, но мать резко против скрипки, — тихо ответил собеседник, — она не понимает и не любит музыку, считает «пиликанье» идиотской забавой, впрочем, все знакомые, включая Василия и Линду, на ее стороне, вечно подсмеиваются, подшучивают надо мной, а Вася, тот откровенно говорит:

«Не стыдно сидеть у матери на шее, иди работать, болван!»

— Посторонний мужчина, да к тому же читающий кулинарную книгу, как увлекательный роман, ожидая счастливого конца, не имеет права делать тебе замечания! Не обращай внимания, иди своим путем, не сворачивая, к цели! — закричала я, отбрасывая церемонное «вы».

Ролик помял пальцы правой руки.

— Да уж, я пытался, но, когда тебе каждый день твердят: идиот, дурак, лентяй, балбес, объедала... невольно начинаешь нервничать. Вот я и пристроился в трактир, играю по заказу «Мурку» и прочий подобный репертуар.

— Ужасно!

— Почему? Честная работа не оскорбление, деньги я матери отдаю. Я еще поднимусь, и все увидят, на что я способен. Педагоги считают меня талантливым, проталкивают в концерты. Жаль, дома не понимают. Так послушаете пьесу?

— Извини, — осторожно ответила я, — право слово, твоя игра завораживающе прекрасна, но я пришла за вещами.

— Уезжаете?

— Да, нашла работу в богатой семье, с проживанием, меня взяли нянькой к ребенку. Увидишь Линду?

— Конечно.

— Можешь ей от меня записку передать? Там слова благодарности за приют.

— Она вас бесплатно пригрела? — удивился Ролик.

— Не совсем.

— Тогда за что ее благодарить?

— Ну... так принято, нельзя же просто схватить сумку и смыться.

— Василий с Линдой переживать не станут, —

улыбнулся парень, — их только деньги волнуют, по остальным поводам они эмоций не испытывают.

— Все же передай записку.

— Не беспокойтесь, обязательно.

Я пошла в чуланчик, сложила сумку и позвала:

— Бакс, Бакс...

Но кот не появился, то ли не слышал, то ли решил не суетиться. Взяв саквояж, я дошла до кухни и заглянула внутрь, Ролик стоял у окна, слегка сгорбившись. Мне стало жаль парня, действительно, тяжело жить вегетарианцу среди людоедов, Ролик никогда не найдет общего языка с Василием и Линдой.

— Не грусти, — вырвалось у меня, — ты еще утрешь всем нос!

Скрипач обернулся:

— Спасибо, и вам удачи, очень жаль, что уезжаете, хоть вы и плохо разбираетесь в музыке, но... знаете, мне кажется, вы тоже, как и я, из племени изгоев.

— Ты о чем? — отступила я в коридор.

— Думается, вы тоже отмечены поцелуем ангела, — продолжал Ролик, — имеете талант, попытайтесь обнаружить его, вдруг в вас таится художник или... писатель. Мне отчего-то кажется, что вам дано сочинять романы.

Меня бросило в жар, да уж, интуиция у Ролика, как у тигра.

— Что ты, — делано засмеялась я, — меня при виде чистого листа бумаги плющит! Удачи тебе и счастья! Пусть исполнятся все твои мечты и заветные желания.

— И вам того же, — кивнул Ролик, — не зарывайте талант в землю, был такой поэт Данте, он написал книгу об аде. Знаете, кто там оказался среди всяких преступников?

— Нет, — ответила я, прижимая к себе сумку.

— Поэт, который никогда не писал стихов, — отчеканил Ролик, — человек, наделенный талантом, не сумевший реализовать свой потенциал, проведший жизнь, как все, а не так, как ждал от него господь. Кому много дано, с того много и спросится.

Глава 34

Отчего-то последняя встреча с Роликом очень сильно подействовала на меня, и я села за письменный стол, первый раз писала книгу, не зная, чем она завершится, просто излагала события в хронологическом порядке.

Кратовы уехали к себе домой, с Кипра вернулись Семен, Томочка и дети. Подруга, естественно, задала вопрос:

— Как вы тут жили?

Но я лишь отмахнулась, сказав:

— Подробности потом, сейчас надо рукопись добить.

Томочка кивнула и больше не приставала ко мне с расспросами. Олег пропадал целыми днями на работе, пару раз он даже не пришел ночевать. Случись это месяц назад, я бы мигом начала ревновать и злиться, но сейчас была совершенно спокойна. Более того, отчего-то я пребывала в уверенности, что муж непременно найдет разгадку этой истории, он же обещал мне помочь, а Олег всегда держит слово.

Если во что-то очень верить, то оно сбудется. Сегодня Олег пришел домой рано, в районе трех часов дня, и воскликнул:

— Как твоя книга?

— Готово все, кроме последней главы, — бодро отрапортовала я.

Куприн прищурился:

— Молодец! Это я про себя! Успел к сроку.

— Ты знаешь имя убийцы?

— Да, — кивнул муж.

— Это Луиза Иосифовна? — предположила я. — Больше просто некому.

Олег сел в кресло.

— Ну, в общем, ход твоих рассуждений был верен, и информация, собранная тобой, соответствует действительности. Мне пришлось задействовать кое-каких приятелей, не из нашей структуры, чтобы подобраться к архивам. Понимаешь, интересная штука выходит. Есть мнение, что Марка Матвеевича никто в застенки КГБ не сажал.

— Как? Это неправда! Просто история очень секретная, о ней небось знало только несколько человек!

— Верно, — согласился Олег, — я отыскал одного такого, давай назовем его Иваном Ивановичем, который и приоткрыл завесу тайны. Когда конструктор и шофер исчезли, то первое, о чем подумали соответствующие органы, — Марка Матвеевича похитили. Подозрения укрепились после того, как в его сейфе не нашли некоторых записей. О том, что ученый сам решил убежать на Запад, сначала не предполагали, мысль поисковиков работала в другом направлении, они разрабатывали такую версию: конструктор прихватил с собой секретные бумаги, чтобы поработать дома. Выносить документы с завода категорически запрещалось, но Марк Матвеевич частенько нарушал должностную инструкцию. И тут некто из его близкого окружения, ну, допустим, девочка из его лаборатории, сообщила об этом факте врагам. Те и похитили ученого вместе с расчетами. Шаткая версия, но иной не имелось.

К истине пытались пробиться маленькими шажочками, осторожно — и вдруг бац! Нашлись трупы! И это точно были Марк Матвеевич и Михаил! Стопроцентно они. Более того, при конструкторе имелся порфель, а в нем те самые документы, Марк Матвеевич перевозил их в специальном, железном «дипломате», ничего не истлело.

— Значит, и правда они стали жертвами бандитов!!!

Олег пожал плечами:

— Нет ответа. Иван Иванович предположил, что представители вражеских спецслужб уничтожили Марка, сняли копии с документов, а подлинники оставили.

— Но почему они так поступили?

— Не знаю, может, побоялись скандала? Рано или поздно правда о том, где находится конструктор, просочилась бы наружу, и тогда не избежать международного скандала. Опять нет у меня точного ответа. Лишь одно известно стопроцентно: Марк и шофер погибли. Некоторые коллеги конструктора поговаривали, что ученый выдохся, растратил весь потенциал, такое случается. Может, он перестал быть нужен своим заграничным боссам?

— Иван Иванович врет! А письмо, переданное парикмахершей?

Олег кивнул:

— Угу. Я проверил данные по этой женщине. Ничем не примечательная особа, работала в разных салонах средней руки, мужа давно похоронила, жила скромно, вместе с двумя сыновьями. А теперь внимание! Ее старший мальчик, Юра, очень положительный молодой человек, в тот год, когда мама передала Луизе записку, служил в армии. Юре повезло — его оставили в Москве, он оказался в подразделении, которое охраняло внутреннюю тюрьму на Лубянке. Поняла?

— Да, — прошептала я, — значит, твой Иван Иванович лгал! Марка Матвеевича отловили свои, допросили с пристрастием, потом убили и представили дело как ограбление.

— Я нашел этого Юру, — спокойно сказал Олег, — он жив, здоров, работает, имеет семью, мать давно похоронил. Разговаривал он со мной охотно, только удивился: «Письмо из тюрьмы? Я? Принес маме? Что за ерунда пришла вам в голову! Никогда ничего подобного не было!» А как узнать правду? Его мать давно умерла.

Олег умолк, потом вытащил сигареты и продолжил:

— В общем, истины не узнать, но, думаю, ты права. Скорее всего, Юра действительно передал через мать записку. Марка Матвеевича, как предателя, устранили свои, а он успел предупредить жену, хотел спасти ее и сына. Конечно, он очень рисковал, но добился своего: Луиза и Матвей «сгорели» в избе. Вот по поводу их кончины ни у кого не возникло сомнений. Нашли чьи-то останки, и экспертиза дала заключение: эти фрагменты принадлежат женщине и мальчику. Наружная проводка в избе была якобы плохая, Ирина, плача, говорила, что у нее стояли «жучки» в щитке, а еще на кухне, вопреки всем правилам безопасности, имелось два баллона с газом, «рабочий» и запасной. Ничего криминального в ситуации не усмотрели и дело закрыли.

Олег стал разыскивать следы Люси Прохоровой, он легко установил, что Люсьенда Митрофановна Прохорова и ее сын Константин Сергеевич Прохоров материализовались в Москве. Люсьенда Митрофановна нанялась на работу санитаркой в психиатрическую клинику. Место совсем непрестижное, работа адская, за смену нужно обслужить более десятка полувменяемых больных. Сами понимаете, никто на такую службу не рвался, зарплата маленькая, и никаких денежных вознаграждений от недужных людей, в основном брошенных родственниками, не поступало. У главврача остался единственный способ заманить сотрудников — предоставить им жилье. Вот Люсьенда Митрофановна с Костей и получили комнату в коммунальной квартире, в соседках у них оказались некие Трофимовы, тоже мать и сын.

Через некоторое время случилось несчастье. Костик заболел дифтеритом и умер. Люсьенда Митрофановна, человек далекий от медицины, не знала, как опасна эта болезнь, и слишком поздно вызвала «Скорую». Увы, врачи прибыли тогда, когда мальчик уже задохнулся, его похоронили.

Потеряв горячо любимого сына, Люсьенда Митрофановна быстро сдала, она начала заговариваться, иногда останавливала кого-нибудь из сотрудников клиники и, нервно оглядываясь по сторонам, бормотала:

— Вы знаете, меня ищут, чтобы убить, да, преследуют, вот я и вынуждена мыть здесь полы. На самом деле я кандидат наук! Но тсс! Это тайна! А Костя умер! Знаете, мой мальчик умер, его теперь не ищут!

И врачи, и медсестры очень хорошо понимали, что у Прохоровой беда с головой, но обострения у Люсьенды случались осенью, в остальное время она была тихой, очень исполнительной работницей, и медперсонал закрывал глаза на заморочки дамы. Ей просто прописывали лекарства, после приема которых она становилась адекватной.

Но потом болезнь взяла свое, Люсьенда Митрофановна окончательно свихнулась, провела несколько лет в палате на положении больной, а затем была переведена в социальный интернат, где находится до сих пор. Фазы обострения психического заболевания сменяет ремиссия, но жить одна Люсьенда Митрофановна не способна в силу возраста и психической нестабильности.

— Ну ничего не понимаю! — почти в отчаянии воскликнула я. — Сын Марка Матвеевича умер от дифтерита, вдова стала сумасшедшей, кто же убийца-то? И почему убили Асю? Кто лишил жизни Веру Ивановну?

Олег встал, открыл окно, выбросил на улицу окурок и сказал:

— В смерти старухи нет криминала, она свалилась сама, это установлено совершенно точно.

— Но почему у подоконника валялись банки из-под джин-тоника, — возмутилась я, — и вообще, по словам внучки Кати, Вера Ивановна терпеть не могла свежий воздух! С какой стати она окно открыла?

Куприн кивнул:

— Мне понятны твои сомнения. У старухи случился сердечный приступ, если реконструировать события, то они выглядели так. Вера Ивановна большая любительница выпить. Но в тот день у нее закончилось спиртное, очевидно, старухе не хотелось выходить на мороз. Сначала она позвонила соседке и попросила бутылку в долг, но у той не нашлось водки. Вера Ивановна поняла, что ей придется-таки идти в магазин, уж очень хотелось выпить, с другой стороны, перспектива высовываться на мороз не вдохновляла. Поэтому она решила сделать себе «коктейль». Для начала собрала на кухне пустые банки из-под джин-тоника и принесла их в свою комнату. Вера Ивановна очень хорошо знала, что на донышке жестяной банки остается немножко содержимого. Бабуля сначала старательно слила миллилитры джин-тоника в чашку, потом вытащила из шкафа настойку пустырника, добавила в алкоголь и опрокинула в себя пойло. Уже немолодое сердце не выдержало варварской мешанины. Вере Ивановне стало душно, почти теряя сознание, она встала, уронила пустые банки, которые покатились в сторону подоконника, затем добрела до окна, распахнула его... Может, она хотела позвать на помощь, а может, подумала, что холодный воздух приведет ее в чувство, не знаю, что за мысль озарила плохо соображавшую голову, только старуха высунулась наружу. И, потеряв сознание, рухнула вниз. При вскрытии обнаружили инфаркт, в крови алкоголь и лекарство. В смерти Веры Ивановны ничего загадочного нет: возраст, помноженный на элементарное бытовое пьянство. К нашей истории ее кончина не имеет отношения, это простое совпадение.

— Ага, — растерянно кивнула я, — понятно, я опять сделала неверный вывод.

— Ну ты же не имела на руках результатов экспертизы, — деликатно ответил Олег, — я бы тоже попытался связать вместе две смерти: Аси и старухи. Ладно, ты послушай дальше.

Люсьенда Митрофановна, она же Луиза, жива до сих пор, более того, в последний год женщина находится в относительном разуме. Конечно, от мании преследования она не избавилась, но способна на внятный разговор.

— Это она убила Асю!

— Нет, Луиза-Люсьенда не выходит за пределы больницы. И ее никто никогда не навещал до последнего времени. А вот с осени прошлого года начались удивительные события. Сначала в больницу приехала девушка, по описанию медсестер это была Ася. Она сказала медперсоналу, что является внучкой Прохоровой, якобы ее мать давно развелась с отцом, увезла девочку в другой город... Короче говоря, наврала с три короба. Ася приезжала к больной несколько раз, привозила сладкое, фрукты, теплый халат, пижаму. Накануне Нового года старуха сказала санитаркам:

— Скоро покину вас! Я куплю квартиру!

Одна из нянек, подыгрывая безумной, воскликнула:

— Вот и хорошо! Дома-то лучше.

Вторая же сердито заявила:

— Деньги-то где возьмете? Нынче жилье не копеечная забота.

Сумасшедшая выпрямилась.

— Я богата! Очень! Несметно!

— Ага, — захихикали технички, — прямо хозяйка
золотой горы!

Старуха разозлилась:

— Молчите, если ничего не знаете! Видите ключик на шее у меня?

Женщины посмотрели на цепочку.

— Похоже, от почтового ящика, — констатировала одна.

— От чего же еще? — подтвердила другая. — Маленький очень для нормального замка, плоский.

— Это отмычка от сейфа! — воскликнула Лю-
сьенда-Луиза.

— Иди лучше спать!

— Нет, знайте, там миллионы.

— Хорошо, хорошо, ступай в палату.

Сгорбившись, бабка побрела по коридору, ня-
нечки схватились за ведра, разговору они особого
значения не придали, в клинике и не такое услышать можно.

Потом случилось еще одно событие, вместо Аси
к Луизе явилась другая девушка, стройная, с приятным глубоким голосом, кудрявыми волосами, слишком ярко накрашенная, в очках.

— Здесь бабушка моей подруги живет, — сообщила она, — знаете, внучка сломала ногу, а меня по-
слала к ней с гостинцами.

Не заподозрившие ничего плохого сотрудники
клиники препроводили гостью к Люсьенде. Девица
просидела у старухи долго, почти до вечера, потом

ушла. А на следующий день заявилась... внучка, никаких переломов у нее не было. Услыхав, что вчера приезжала ее подруга, девушка ахнула, а потом быстро сказала:

— Ерунда вышла, фамилия у меня... э... Иванова. Я и впрямь упала, но просто ушиблась, а подружке в справочной больницы про другую Иванову сказали.

Пожелай врачи разобраться в ситуации, они бы мигом потребовали у девушки паспорт, начали бы задавать вопросы, но в клинике царит атмосфера полнейшего пофигизма, больных много, персонала мало, и по большей части никому ни до кого дела нет.

Внучка вошла в палату, потом прибежала на пост.

— У бабушки ключ пропал! Тот, что на шее висел! Она нервничает! Приведите врача!

Тяжело вздыхая, доктор пошел к Люсьенде, внучка крутилась рядом и все время спрашивала:

— Бабуля, а ты зачем ключик снимала?

В какой-то момент больная шепнула врачу:

— Пусть она уйдет.

Психиатр велел внучке подождать в коридоре, та нехотя удалилась, а Люсьенда сказала:

— Не пускайте ее ко мне! Она обманщица, не внучка мне! Ключ я любимому сыну отдала, он его. Ну как эта баба может моей внучкой быть! Гляньте, сколько мне лет, я еще не древняя, просто из-за болезни так выгляжу!

Доктор поразился разумным речам Люсьенды и, решив потом как-нибудь разобраться в ситуации, вышел в коридор и сказал лжевнучке:

— Прохоровой стало плохо, ее нельзя тревожить.

— Ага, поняла, приеду в субботу, — закивала девица.

Все, больше ее никто не видел.

Куприн замолк, я вскочила и забегала по спальне.

— Так кто убийца?

Олег помрачнел.

— Сейчас сама назовешь имя, впрочем, я тебе помогу. Знаешь, как звали соседку по коммуналке, ну ту, Трофимову, с которой Луиза бок о бок прожила пару лет.

— Нет.

— Зинаида.

— И что?

— А ее сын носит имя Роланд.

— Ролик и Зина! Это же... домработница Линды.

— Верно.

— Но как она оказалась на одной лестничной клетке с Василием и его женой?

Олег развел руками:

— Просто купила себе квартиру, вроде имела кое-какие побрякушки от бабки, продала их...

— Странно, — протянула я, — Зина вынуждена была наняться к Линде из-за отсутствия средств на жизнь, а Ролик, очень талантливый музыкант, играет в ресторанах за гроши.

— Точно, — потер руки Олег, — на первый взгляд странно, но все становится на свои места, когда делаешь правильные выводы. Луиза страстно любила сына, а после известия о кончине мужа страх за ребенка превратился в манию. Став Люсьендой, Луиза не успокоилась, у нее начиналось психическое заболевание, но дама этого не понимала, ей хотелось получше спрятать своего сына, чтобы мифические убийцы его не нашли. Поэтому, когда у Зины умер от дифтерита сын...

— Что? Кто умер от дифтерита?

— Сын Зины, Роланд, — повторил Олег, — Луиза-Люсьенда предложила не слишком опечаленной бабе сделку: та молчит о кончине мальчика, по его документам станет жить Костик, он же Матвей. А Прохорова хорошо заплатит за «обмен», даст Зине драгоценности, их ей хватит для безбедной жизни.

— Сумасшедшая!

— Да.

— Но Зина! Как она могла!

Куприн заморгал.

— Основное желание Зинаиды — жить спокойно, не работая, баба никого, кроме себя, не любит, сына она родила по недоразумению, особых чувств к нему не испытывала, а увидав «алмазный фонд» соседки, тут же согласилась на сделку. Потом Люсьенду-Луизу забрали в клинику, Зина уехала на другую квартиру и стала жить в свое удовольствие, ну а Ролику пришлось существовать с ней. Кстати, Зинаида оказалась не очень плохой бабой. Да, она ленива до беспамятства, жадна, необразованна, но мальчика-то не бросила, хоть и могла сдать его в интернат. Зинаида честно выполнила условие сделки. Она не обманула Луизу-Люсьенду, когда узнала, что та сошла с ума.

Я попыталась прийти в себя. Вот почему у хабалки Зинаиды сын скрипач, юноша унаследовал гены Марка Матвеевича, вполне вероятно, что в роду у конструктора были музыканты. И вот по какой причине Ролик ни разу при мне не назвал Зинаиду мамой, величал ее коротко «мать».

— Уж не знаю, каким образом Ася дорылась до правды, — продолжал Олег.

— Я знаю!

— Ну? Говори.

— Ася страстно хотела получить отдельную квартиру, она решила вытрясти деньги из своего отца Марка Матвеевича и принялась разыскивать его. Похоже, мы с ней бежали одной дорогой. В конце концов Локтева добралась до Кутякина, и тот рассказал ей то же самое, что и мне потом за деньги на надгробие. Бывший актер, продавая мне сведения за оградки, обмолвился, что рубли на памятник для любимой жены пообещала ему женщина, правда, она поторговалась и согласилась лишь приобрести плиту. Кутякин же не растерялся и выдал мне черную тайну за кованую решетку. Не надо его осуждать, это был единственный способ обустроить последний приют Нюры. Потом Ася отправилась в Овсянкино, выяснила точно имя, фамилию, отчество пропавшей женщины и ее малышки, а затем установила, что Люсьенда Прохорова в больнице, и поехала к ней, для персонала назвавшись внучкой. Думаю, именно так и обстояло дело, хотя стопроцентной правды мы не узнаем!

— Думаю, ты права, хотя этот секрет Ася унесла в могилу, нам точно ясно: она проделала гигантскую, кропотливую работу и нашла Люсьенду-Луизу. И ей стало известно еще одно обстоятельство. Помнишь, Малова рассказывала о письме, которое Луиза читала в ванной? Ну то послание от Марка, где он предупреждал о своем исчезновении?

— Да! — чуть не закричала я.

— Так вот, всей правды Луиза Ирине не открыла. В послании еще имелось название банка в Швейцарии, пароль и ключ от ячейки, в которой должны лежать деньги Марка Матвеевича. Ключ Луиза повесила себе на шею, а цифры зазубрила, более того, она взяла с Зины обещание, что та, когда Ролику исполнится восемнадцать, отдаст парню конверт. Если Зинаида выполнит ее просьбу, то получит много денег. Любопытная Зина, естественно, сунула нос в конверт, но в письме была всего лишь одна фраза: «Не забудь, это папин день рождения, отмечай его. 18.12.1932». Зина решила, что ничего дельного в письме нет, но сохранила его.

Олег поднял архив и узнал, что Марк Матвеевич появился на свет совсем в ином году и в другой день, Луиза не могла не знать правильной даты рождения любимого мужа, следовательно, это был пароль к ячейке. Ключ висел у сумасшедшей на шее, а шифр имел Ролик.

Ася явилась в клинику, поговорила с больной, втерлась к ней в доверие и узнала про ключ. Луиза Иосифовна говорила о деньгах столь горячо, что Ася поверила ей. Более того, старуха, всю жизнь тщательно хранившая тайну, ощутила, что ее силы подходят к концу. Ася показалась несчастной Луизе самым подходящим человеком для откровений, и вдова конструктора сначала рассказала молодой женщине всю правду о своей жизни, а потом попросила:

— Найди Зинаиду и Роланда Трофимовых, приведи ко мне сына, я ему отдам ключ, пусть получит наследство отца, мальчик ничего не знает о ключе, опасно было ему его доверять, и он ко мне никогда не приезжал, из соображений безопасности.

— Странный поступок для дамы, сделавшей все для заметания следов, — прошептала я.

— Ты учти, что она была давно психически неадекватна, — напомнил Олег, — и пыталась заговаривать о ключе с сотрудниками больницы, не только с теми нянечками, но и медсестрами, врачами. Однако слова о великом богатстве и пропавшем сыне «контингента» в таких заведениях в расчет не принимаются, у них в одной палате английская королева сидит, в другой Клеопатра, а в третьей сама Дева Мария.

— Понимаю, — кивнула я, — Ася просто внимательно выслушала старуху. А та вдруг поняла, сын ведь ничего не знает о ключе. И вот теперь есть возможность открыть ему тайну. Луиза просто поверила тихой, внимательной, чуткой Асе.

— Да, — подтвердил Куприн, — именно так. Найти Зинаиду и Роланда оказалось нетрудно. Они не скрывались, были постоянно прописаны в Москве.

Ася выбрала момент, позвонила Ролику и вызвала того на свидание. Она не стала особо церемониться и рассказала парню все, потом предложила ему:

— Ключ на шее у Луизы Иосифовны, шифр у тебя, поедем в Швейцарию за мой счет, бери деньги из ячейки, поделим их пополам.

— С какой стати? — нахмурился Ролик. — Какое отношение ты имеешь к деньгам?

— Ты о ключе знал?

— Нет, — честно признался парень.

— Неужели и о матери не слышал? Почему ее не навещал?

Роланд разозлился:

— Не твое дело! Спасибо за информацию.

— Она не дармовая! — с жаром воскликнула Ася. — Я тебе сестра, сводная, и имею все права на деньги отца! То-то! Такой скандал могу поднять! Мало не покажется! Конечно, времена изменились, но люди-то прежними остались. Думаешь, тебе дадут воспользоваться капиталом, если все выплывет! Как бы не так! Ни гнутой монетки не получишь!

Поспорив немного, парочка пришла к консенсусу. В понедельник они вместе едут в клинику, Ролик заберет у матери ключ и передаст его Асе. Потом они отправятся в Швейцарию и разберутся с богатством.

Хитрая, пронырливая Локтева допустила ошибку, Ролик показался ей тихим, скромным мямлей, неспособным на коварство. Но как она просчиталась!

Ролик мгновенно оценил информацию. Да, Зина, как и обещала, передала ему письмо с шифром. Парень повертел бумажонку в руках и, не очень поняв, зачем она ему, сунул ее в шкаф. В его памяти стали всплывать какие-то обрывки воспоминаний. Вот родная мама Луиза обнимает его и, плача, говорит:

— Нету папы, умер он, но нас не бросил, когда ты вырастешь, получишь от него большой подарок, пока не скажу какой.

Если бы Ролик регулярно навещал мать, он бы раньше стал владельцем ключа, но парень никогда не приезжал к больной. Во-первых, Луиза с детства внушала ему: «Молчи, мы живем не под своей фамилией, скрываемся от тех, кто хочет нас убить». Во-вторых, оказавшись с Зинаидой, Матвей-Ролик решил, что родная мама окончательно сошла с ума и ей не нужны визиты. В-третьих, он боялся, что его заметят в клинике, Луиза сильно напугала сына убийцами. Много можно найти причин, объясняющих, почему сын думать забыл о Луизе Иосифовне, но была одна, самая главная. Матвей-Ролик махровый, самовлюбленный эгоист, никогда не любивший мать, попытавшуюся спасти его, он не испытывал к ней никаких чувств, а Зинаиду презирал. Думается, встав на ноги, он бы бросил Зину, сейчас она просто нужна ему, в частности для того, чтобы не снимать квартиру.

Узнав от Аси о деньгах в швейцарском банке, Ролик впервые едет к Луизе Иосифовне. Та, рыдая от счастья, отдает обретенному сыну ключ. Луиза Иосифовна в те дни была в стадии ремиссии и оказалась способна на разумные действия.

Узнав о визите братца, Ася в полном негодовании звонит ему, но тот, понимая, что девица от него не отстанет, успокаивает сестру:

— Не волнуйся, просто я боялся, что она при тебе не расстанется с ключиком. Наша договоренность в силе, можешь оформлять поездку в Швейцарию.

— Мне нужен твой загранпаспорт, — радуется Ася, она снова недооценивает Ролика.

— Хорошо, — обещает тот, — встретимся второго января, отпразднуем Новый год и начнем поход за нашим богатством.

Словечко «нашим», брошенное Роликом, окончательно успокоило Асю, сейчас нельзя точно узнать, что она подумала, но, наверное, решила: судьба наконец-то благосклонна к ней. Однако все закончилось плохо. Ты ведь знаешь как.

— Ее убили! Но кто?

— Неужели ты не поняла? Ролик. Он решил избавиться от сестры, та требовала денег и могла устроить скандал.

Я ахнула и замахала руками:

— Ты что! Он талантливый музыкант! Так играет на скрипке!

Олег мрачно посмотрел на меня.

— Ролик заходил к безалаберной Линде, как к себе домой. И он великолепно знал, что Вася подрабатывает Дедом Морозом, выяснил это случайно и до поры до времени не думал, как этим воспользоваться. Но как только возникла необходимость избавиться от Аси, парень начал действовать. Для начала Ролик вытаскивает у Васи из барсетки список заказов и впечатывает туда при помощи компьютера адрес сестры, с указанием: «Прийти ровно в 19.00».

— Но почему именно в это время?

Олег сказал:

— Хороший вопрос. Ролик в курсе, что Вася пьет лекарство от желудка, гомеопатию. Линда строго следит за лечением, она, как это ни странно, любит мужа и по мере сил заботится о нем. Ролик знает, что ровно в восемнадцать сорок пять жена звонит Васе и напоминает о лекарстве. Микстуру нужно принимать два раза в день: без пятнадцати семь утра, а потом вечером.

Ролик добавляет в снадобье снотворное, он предполагает, что Вася опорожнит бутылочку, пойдет к Асе и начнет представление. Она, конечно, удивится, но на дворе канун Нового года, Ася решит, что кто-то из приятелей просто сделал ей сюрприз. Да и Вася подтвердит:

— Тут у меня на заказе написано, поздравьте хорошую женщину, это ей подарок.

Вася походит у елки, и тут его свалит сон, а Ася не сумеет его растолкать. Снотворное очень сильное, ты от него продрыхла пару суток.

— Я?

— Ну конечно, вспомни, что было у девочки-инвалида, куда вы пришли экспромтом.

— Ну... я пожаловалась на тошноту, вызванную тем, что съела очень много холодца и «Оливье».

— А Вася дал тебе бутылочку со словами: «Хлебни глоточек, живо пройдет, это гомеопатия!»

— Верно!

— Сообразила теперь, отчего ты потом спала как убитая? Едем дальше. События начали складываться не по сценарию Ролика. Он-то предполагал, что Василий ездит в тот день по заказам один, — сказал Олег.

— Откуда он узнал, что Снегурочка загуляла?

Куприн прищурился:

— Вася, думая, что он дома один, позвонил Рите и начал с ней ругаться. А Ролик в этот момент сидел на кухне и слышал беседу. Он же не знал, что Василий встретит в агентстве тебя, и тут же понял, как действовать. Дальше события разворачиваются так. Вы едете по заказам вместе, Вася помнит про пожелание одного из клиентов относительно девятнадцати часов и подтягивается к Асиному дому в нужное время. Но! На пути встречается мать девочки-инвалида, и Вася, думая, что десять минут опоздания не страшны, идет поздравлять несчастного ребенка. Там его застает звонок Линды, он выпивает микстуру, угощает тебя и практически сразу засыпает.

— Но почему? Снотворное ведь должно было подействовать лишь через полчаса.

— Ролик допустил ошибку, он не учел, что к семи

часам вечера Вася основательно выпьет, а алкоголь усиливает действие лекарства. Ты оставляешь его в «Оке» и решаешь закрыть собой амбразуру, идешь к Асе, та удивляется, но впускает тебя в квартиру. Пока ты умываешься в ванной, Ролик поднимается по лестнице, на улице он увидел «Оку» Васи, не узнать сие тюнингованное чудовище просто невозможно. Думая, что Дед Мороз уже спит, Ролик звонит в дверь, Ася открывает, она в полном восторге... Еще одна Снегурочка... Того, что это переодетый Ролик, она не понимает. Парик закрывает лицо, да и особого времени разглядеть «девицу» у нее не было.

— Вот, — подскочила я, — ты ошибся, Ролик музыкант, он не мог убить Асю! К ней пришла Снегурочка, это же женщина! А Роланд мужчина!

— Милая, — тихо сказал Олег, — Ролик сначала поднялся на чердак, там надел на себя костюм Снегурки, а сделав черное дело, снова переоделся. Ну кто тебе сказал, что в голубом камзольчике обязательно должна быть девушка, а? Ролик хрупкий, тонкокостный, парик скрыл его лицо. Он и к Луизе за ключами ездил в образе дамы, так, на всякий случай, чтобы отвести от себя все подозрения. Поняла?

Я растерянно закивала, и правда, прикинуться Снегурочкой может и юноша, опять я допустила ошибку в рассуждениях и из-за нее зашла в непроходимую чащу!

— Ролик входит и стреляет в Асю...

— Стой, где он взял пистолет?

— Вилка, он его просто купил, с рук, около одного из магазинов «Оружие», там прогуливаются ребята со стволами на продажу, отдают недорого.

— Он умеет стрелять?

— Ты мало что знаешь о Ролике, — вздохнул Олег, — спору нет, парень талантлив, небось станет украшением музыкальной самодеятельности на зоне. Но он несколько лет ходил в секцию стрельбы, еще в школе колебался, кем лучше стать: музыкантом или спортсменом-стрелком. В конце концов скрипка победила, но навык в руках остался.

— Ролик... не может быть!

— Может, может. Хитрый, мстительный трус и бесшабашный юнец одновременно. Хотя что еще из него могло вырасти при такой мамаше?

Убив Асю, Ролик заглядывает в комнату и вздрагивает: Васи нет! В кухне тоже! А в другом помещении, совершенно неожиданно для парня, спит целая пьяная компания: Вера Ивановна и внучки.

Сунув пистолет в карман, Ролик убегает. Он недоволен собой, допустил оплошность, не узнал, что Ася живет с соседями, и не сумел подложить оружие спящему Васе. Парень-то хотел свалить убийство на него.

— Почему?

Куприн со вздохом объяснил:

— Ну, во-первых, чтобы у милиции сразу имелся виноватый. Лежит пьяный Дед Мороз, в руках пистолет, в коридоре убитая. Попробуй оправдаться в такой ситуации. А во-вторых, он ненавидит Василия, тот постоянно дразнит Ролика...

— Он его обзывал тапиром, — тихо добавила я.

— Тапир затаил злобу и отомстил. И первая часть плана, убийство Аси, удалась. Вторая же пошла наперекос. Ты вышла из ванной, испугалась, убежала, отвезла Василия домой, не сумела его растолкать, пошла к Линде, и тут подействовало снотворное. Оно бы свалило тебя раньше, но доза, проглоченная тобой, оказалась не столь велика, не сразу забрала, зато потом действие лекарства длилось несколько дней. Теперь все ясно?

— Да — пробормотала я, — не дразните спящего тапира, он может вас убить.

Эпилог

Олеся Константиновна взяла мою рукопись, и книга благополучно появилась на свет под названием «Тапир для Деда Мороза». Увы, никаких премий я за нее не получила, но радость оттого, что в «Марко» меня считают своим автором, была настолько велика, что я забыла обо всех своих амбициях.

Линда, узнав о том, что Вася подрабатывает Дедом Морозом, не убила мужа, так, поколотила слегка и отпустила живым. Кстати, я набралась смелости и рассказала Линде правду о Баксе. Сейчас кот уже опушился и чувствует себя прекрасно, но на унитаз все равно садится мордой к бачку.

Зина, услыхав о том, что сделал Ролик, попала с инфарктом в больницу, хоть она и была пофигисткой, готовой ради денег на все, известие о том, что юноша, называвший себя ее сыном, убийца, подкосило несчастную. Впрочем, скорей всего, она поправится. В отношении Луизы Иосифовны подобных радужных перспектив нет, вдова конструктора, большую часть жизни проведя в страхе, окончательно лишилась рассудка. Почему она год назад решила отправить Ирине Маловой открытку о якобы грозившей той опасности, осталось неизвестно. Скорей всего, это было одно из проявлений ее болезни. Никто не знает и куда исчезла девушка с необычным именем Верлинда, Олег пытался найти ее, но не смог, след оборвался, убежав из дома и бросив мать, Верлинда словно в воду канула. Надеюсь, она все же жива и когда-нибудь узнает правду — Марк Матвеевич не был ее отцом, и Ирина не убивала Нику, она повинна в другом преступлении.

Мечта Андрея Архиповича сбылась, он теперь живет в деревеньке около кладбища, на котором похоронена Нюра. Олег постарался и выбил бывшему актеру место в колонии, которая расположена близ села. Кутякин служит в зоне библиотекарем, а я выполнила свое обещание, получив гонорар, поставила Нюре памятник с оградкой. Хотя обещала кованую решетку...

Ролика судили, и мне пришлось участвовать в процессе. Во время слушания дела парень вел себя изумительно, выглядел интеллигентным юношей, ни за что попавшим на скамью подсудимых. Психиатры признали его вменяемым, хоть и отметили в заключении, что психика ребенка была подвергнута слишком большим испытаниям. Сначала мать велела ему притворяться Костей Прохоровым, потом Роландом, сыном Зинаиды. Объясняла она необходимость этих перевоплощений смертельной опасностью, нависшей над жизнью Матвея, и он подчинялся, скрывался, слушал мать, ну а потом навсегда остался с Зиной. Удивительно, что мальчик тоже не двинулся умом, хотя, услышав его последнее слово на суде, я была в шоке и подумала, что психиатры ошиблись, все-таки скрипач не совсем нормален.

Ролик встал и заявил:

— Я избран богом, талант мне дан свыше, и я не имею права закапывать его в землю. Деньги были нужны мне на хорошую скрипку и начало сольной карьеры. Отпустите меня, я поцелован ангелом, мне все можно. Остальные никто, просто пыль. Кому нужна Ася, какой от нее толк? А я принесу людям истинное искусство.

Судья покачала головой и объявила приговор: двенадцать лет в колонии строгого режима.

Но мне до сих пор кажется, что совершена ошибка, ну не может психически нормальный человек делать подобные заявления.

Кстати, о деньгах! Луиза отдала сыну ключ. Еще он получил письмо с шифром и названием банка, но вот беда — такого хранилища ни в Швейцарии, ни в другой стране мира нет. То ли Марк Матвеевич ошибся, то ли его самого обманули, то ли Луиза потеряла часть нужной информации. Может, где-то и лежат невостребованные капиталы конструктора-предателя, но найти их не представляется возможным.

В самом гадком настроении я вышла из здания суда и двинулась по проспекту. На глаза попался магазин. Решив слегка развеяться, я вошла внутрь и остановилась около отдела, где торговали аксессуарами. Взгляд упал на симпатичную вязаную шапочку, серо-белую, с ушками.

— Можно посмотреть эту вещицу? — спросила я.

Продавщица с улыбкой подала мне головной убор. Я повертела ушаночку, потом, нацепив ее на голову, глянула в зеркало. Честно говоря, шапка смотрелась странно: уши были слишком коротки, не имели завязочек, и из них почему-то торчали два довольно больших колечка. Согласитесь, это неудобно, кольца будут холодить шею. Еще у ушанки практически не имелось дна, передняя и задняя половинки были сшиты встык, и головной убор торчал на макушке колом.

— Вроде ничего, — с сомнением пробормотала я, оглядывая себя в зеркало, — вообще-то я хотела взяную шапочку такого цвета, вот фасончик подгулял... Впрочем, если вместо колечек пришить тесемочки... Почему она такая узкая, у меня голова маленькая и то с трудом влезла.

Продавщица хихикнула:

— Вообще-то, производители не для головы это сшили.

— А для какого места еще можно приспособить шапку? — обозлилась я.

Торговка закашлялась.

— Женщина, — ядовито сказала она, — простите, но вы натянули на себя сумку.

— Что? — удивилась я.

— Вот, видите ценник? «Ридикюль вязаный». Очень модный аксессуар, но никак не для башки. Ой, мама, вы так прикольно смотритесь!

Не сумев и далее сохранять вежливо-отстраненный вид, продавщица зашлась в припадке смеха.

Я, покраснев, сдернула вязаное изделие, бросила его на прилавок и побежала прочь из лавки. Нацепить на голову торбу и сердиться, что та плохо сидит! Ну почему со мной вечно происходят идиотские истории, по какой причине я всегда влипаю в кретинские ситуации?! Сейчас продавщица, хохоча во все горло, рассказывает товаркам о покупательнице, которая с самым серьезным видом натягивала на голову сумку. И точно, вон там, за большой витриной, собралась стайка девушек в форменных костюмах, у всех на устах улыбки! Ну почему я не способна, как все нормальные люди, сначала обдумать действие, а потом совершить его? Или не зря Олег говорит: «Умным можно стать запросто, а вот дураком нужно родиться»!

Вспомнив про мужа, я побежала к метро. Слава богу, я извлекла правильный урок из случившегося, больше никогда не стану обижаться на супруга и ревновать его. Сейчас куплю мясо и сделаю домашнюю буженину. Кстати, девочки, если кто-то из вас сетует на то, что супруг к вам охладел, могу дать отличный совет: милые мои, ни один мужчина не останется равнодушным к вам при виде вкусного ужина, чувства следует подогревать на кухонной плите, а не на огне злобы и ревности.

Донцова Д. А.

Д 67   Муха в самолете: Роман. — М.: Изд-во Эксмо, 2005. — 384 с. — (Иронический детектив).

В канун Нового года все несчастья мира свалились на бедную голову Виолы Таракановой! Сперва наглая сотрудница издательства, где печатались мои детективы, заявила, что я смертельно всем надоела. Прощай, слава! Да еще мой муж Олег после ссоры выскочил из дома с воплем «Развод!». С горя я нанялась работать... Снегурочкой при Деде Морозе. Вообще-то, деда зовут Васей, и он крепко любит поддать. На его машине мы объехали всех клиентов, но к последнему визиту он вырубился, и я понеслась разруливать ситуацию. Похоже, нас в этой коммуналке никто не ждал, в квартире были только три пьяные тетки и их соседка Ася, которая любезно пригласила меня выпить чаю. Пока я мыла руки, Асю кто-то хлопнул. Со скоростью пули я вылетела на улицу, довезла пьяного Деда Мороза домой, далее... мрак. Очнулась я в квартире у Васи через два дня. Побежала мириться с мужем, но нашла в своей постели чужую бабу в неглиже. Ужас! Но я еще задам всем перцу — расследую убийство Аси и напишу бестселлер! А неверный Куприн будет на коленях умолять меня вернуться...

УДК 82-3
ББК 84(2Рос-Рус)6-4

Оформление серии художника *В. Щербакова*

Литературно-художественное издание

Донцова Дарья Аркадьевна

МУХА В САМОЛЕТЕ

Ответственный редактор *О. Рубис*
Редактор *Т. Семенова*
Художественный редактор *В. Щербаков*
Художник *Е. Рудько*
Технический редактор *Н. Носова*
Компьютерная верстка *Г. Клочкова*
Корректор *З. Харитонова*

ООО «Издательство «Эксмо».
127299, Москва, ул. Клары Цеткин, д. 18, корп. 5.
Тел.: 411-68-86, 956-39-21.
Интернет/Home page — www.eksmo.ru
Электронная почта (E-mail) — info@eksmo.ru

Подписано в печать 27.04.2005.
Формат 84 x108 $^{1}/_{32}$. Гарнитура «Таймс». Печать офсетная.
Бумага газетная. Усл. печ. л. 20,16. Уч.-изд. л. 15,7.
Тираж 280 000 экз. Заказ № 0509640.

Отпечатано
в ОАО «Ярославский полиграфкомбинат»
150049, Ярославль, ул. Свободы, 97

"Записки безумной оптимистки"

«Прочитав огромное количество печатных изданий, я, Дарья Донцова, узнала о себе много интересного. Например, что я была замужем десять раз, что у меня искусственная нога... Но более всего меня возмутило сообщение, будто меня и в природе-то нет, просто несколько предприимчивых людей пишут иронические детективы под именем «Дарья Донцова».
Так вот, дорогие мои читатели, чаша моего терпения лопнула, и я решила написать о себе сама».

Дарья Донцова открывает свои секреты!

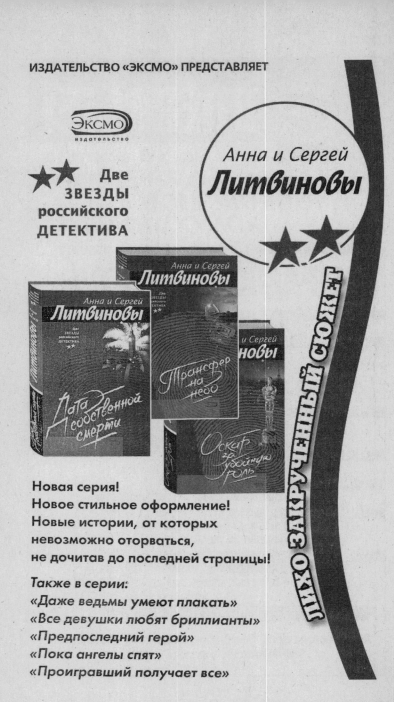